**ИРОНИЧЕСКИЙ
ДЕТЕКТИВ**

Читайте иронические детективы Дарьи Калининой, и «хорошее настроение не покинет больше Вас»:

Дарья Калинина

Шустрое **ребро** *Адама*

Москва

ЭКСМО-ПРЕСС

2 0 0 2

ИРОНИЧЕСКИЙ ДЕТЕКТИВ

УДК 882
ББК 84(2Рос-Рус)6-4
К 17

Разработка серийного оформления
художника *В. Щербакова*

Калинина Д.А.

К 17   Шустрое ребро Адама: Роман.— М.: Изд-во
ЭКСМО-Пресс, 2002. — 416 с. (Серия «Иронический
детектив»).

ISBN 5-04-009546-5

Мариша знала, что ее дядя с тетей люди небедные. Но когда за
дядюшку, похищенного из квартиры молодой любовницы, потребовали выкуп в сто тысяч «зеленых» и эта сумма мгновенно
нашлась, у Мариши открылись глаза на многое. Под крышей
фирмы, руководимой ее родственниками, проворачиваются темные
дела. И Мариша принимает решение: вместе с верной подругой
Дашей не только найти похитителей и вызволить дядю, по которому, несмотря на измену, убивается тетушка, но и накрыть всю
преступную шайку. Достать мошенников хоть из-под земли, а
точнее — из подземного бункера, их тайного логова. Туда и прони-
кают храбрые подруги...

УДК 882
ББК 84(2Рос-Рус)6-4

Озабоченно пощелкав новым зубным протезом, Серафима Ильинична уставилась на себя в зеркало. Несмотря на явно завышенную цену, коронки упрямо не хотели садиться на место. Женщина попробовала еще раз поклацать зубами и прошипела проклятие в адрес светила стоматологии — профессора с якобы золотыми руками, «выход» на который пришлось искать среди знакомых чуть ли не целый год, и в итоге — этакое стоматологическое чудо. Но, кроме явного эстетического несовершенства, рот плохо закрывался, жевать новыми зубами было решительно невозможно, поэтому уже неделю Серафима Ильинична питалась исключительно протертой пищей и разными жидкими супчиками, которые терпеть не могла всю жизнь с самого раннего детства.

Отвратные супы она глотала уже неделю потому, что светило, сделав пациентке протез, отправилось отдыхать от трудов праведных на Средиземное море и должно было вернуться не раньше следующего месяца. Даже тот факт, что до начала следующего месяца осталось всего десять дней, Серафиму Ильиничну мало радовал. Есть хотелось немилосердно. Хотелось копченой колбасы, жареного мяса, орехов и свежих яблок, чтобы вгрызаться в них, а потом с аппетитом пережевывать сочную мякоть.

Поняв, чего она лишилась по вине бандита в белом халате, женщина даже застонала от бессильной злобы. Идти к другому врачу, чтобы тот подогнал коронки, все ее знакомые в один голос запретили, сказав, что это будет неэтично по отношению к Альберту Францевичу. Мысль о том, что эта скотина сейчас жрет всякие южные деликатесы, в то время как она даже вареную картошку вынуждена несколько раз пропускать через мясорубку, а потом разводить ее бульончиком, привела женщину в бешенство.

Серафима Ильинична поняла, что ей глубоко плевать, сочтет светило ее поведение оскорбительным для него или нет, и решила отправиться в районную зубную поликлинику. Приняв решение, она быстро подошла к платяному шкафу и отодвинула створку. Схватив первую попавшуюся шмотку — джинсы она решила оставить, — оказалось, что это просторная мужнина рубашка, она торопливо натянула ее на себя. Покончив с этим, она закрыла шкаф и полюбовалась на свое отражение в зеркале.

Смотрелась Серафима Ильинична, несмотря на свои сорок пять и новый мост, из-за которого рот чуток перекашивало, отлично. У нее была изумительная оливковая кожа, благодаря ежегодному отдыху у моря и посещениям солярия несколько в раз в месяц. Светлые пушистые волосы, стянутые в роскошный хвост за спиной, и длинные ноги без малейшего признака варикоза. Кто бы знал, чего это стоило! Но себя Серафима Ильинична никогда не забывала и тщательно блюла, так как твердо была уверена, что лучшая награда мужу за его труды — это цветущая элегантная жена.

Единственное, что портило впечатление от

общего вида, — левый карман на рубашке, который как-то неестественно топорщился. Решив узнать, в чем дело, Серафима Ильинична сунула туда руку и извлекла на свет божий использованную упаковку от презерватива. Онемев от удивления, она некоторое время таращилась на этот маленький кусочек бумаги, не понимая, как он мог оказаться в ее рубашке. Потряся головой, чтобы мысли немного успокоились, прервав верчение по кругу с бешеной скоростью, Серафима Ильинична вдруг вспомнила, что рубашка-то не ее, а мужа, потому что в ее рубашке этой гадости быть точно не могло. Но что это меняло?! Гадость и подлость оставались.

Супруги не пользовались презервативами уже много лет, предпочитая другие способы защиты от нежелательной беременности. Предположить, что обертка сохранилась в кармане с тех далеких времен, когда супруги еще прибегали к помощи резинок, тоже было невозможно. Тогда в продаже были лишь изделия отечественного производства, да и не стал бы Валериан Владимирович — чистюля из чистюль — столько времени таскать с собой надорванную обертку. Предположение, что муж поднял из каких-то соображений эту обертку и положил в карман, Серафима Ильинична тоже отбросила как слишком уж фантастическое.

Можно было, конечно, измыслить какое-нибудь иное объяснение присутствию этой обертки в рубашке мужа. Например, визит инопланетян, которые по своей инопланетной и чуждой нам логике решили поступить именно так. Или муж спрятал эту бумажку у себя на груди машинально, а ее сунул ему какой-нибудь приятель. Или он нашел ее у себя в кабинете и приберег в качестве улики, когда будет делать выговор секретарше за использование его кабинета в неслужебных целях.

Но нет, последнее вряд ли прокатило бы. Секретарше Валериана Владимировича было сильно под шестьдесят, весила она почти полтора центнера, и столь легкомысленное поведение было не в ее духе. Опять же рубашку эту муж на работу никогда не надевал, считая клетку слишком вызывающей, неподобающей для офиса.

Но вообще, если задаться целью оправдать мужа, то предположений можно было придумать кучу. Однако Серафима Ильинична привыкла всегда смотреть правде в лицо. И сейчас она начала догадываться, что ее счастливая и в целом спокойная семейная жизнь разом разлетелась вдребезги. Несчастная жена с незакрывающейся челюстью вихрем пронеслась к телефону и набрала номер своей сестры.

— Валериан мне изменяет! — прокричала она в трубку.

— Кто это? — раздался удивленный голос ее сестры Тамары.

— Это я, твоя сестра, — прорыдала Серафима Ильинична.

— Фима? — еще больше удивилась сестра. — А что с голосом?

— Господи, ну протез мой, я же тебе говорила, — принялась объяснять Серафима Ильинична.

— Тебе нужно немедленно идти к врачу, — озабоченно заявила Тамара Ильинична. — Я же по голосу слышу, что с тобой все плохо. Иди к врачу сейчас же, слышишь?

— У Валериана любовница, — повторила Серафима Ильинична.

— Иди к врачу, тебе говорят, — продолжала гнуть свое сестра. — Что ты сказала? Любовница? У кого? У твоего хлюпика?

— И вовсе он не хлюпик, — обиженно возразила Серафима Ильинична. — Ты его просто всегда недолюбливала. Может, это он...

Тут она чуть не ляпнула, что ее муж из-за Тамары Ильиничны и ее нечуткого отношения к его персоне стал изменять своей жене, но поняла, что это уж она хватит через край. Сестра ее жила отдельно и на семейную жизнь Валериана никак не влияла, вообще избегая встречаться с ним лишний раз. Так что о ее нелюбви Валериан мог лишь смутно догадываться, но так как особой чувствительностью никогда не страдал, то и говорить не о чем.

— Так что у тебя там с мужиком? — решила уточнить сестра. — Совсем сбежал или как?

Ужаснувшись такому предположению, Серафима Ильинична начала блеять что-то невразумительное.

— Ясно, — заключила сестра. — Улик у тебя нет.

— А презерватив? — нерешительно спросила Серафима Ильинична.

— Это чушь, а не улика, — отрезала сестра. — Ну, сходил мужик разок на сторону, так от этого брак только крепче станет. Ты, кстати говоря, не помнишь, куда твой муженек последний раз надевал эту рубашку?

— На рыбалку, — вспомнила Серафима Ильинична. — Друга какого-то у себя в офисе нашел, тот его к рыбалке и приохотил. Уже несколько месяцев каждые выходные он хватает удочки — и за рыбой.

— Ясно, — помрачнела голосом сестра. — Это уже серьезно.

— Что серьезно?

— Любовница у твоего мужа не разовая, а с серьезными претензиями, — охотно пояснила ей сестра. — И дураку понятно, что рыбалку он измыслил только в качестве предлога. Ты сама посуди, какой из него рыбак?

— Вообще-то и я удивлялась, как это он все выходные в полевых условиях, а возвращается чистенький и благоухающий дорогим шампунем. Да и рыба у него, честно говоря, иногда казалась слегка подмороженной. Но он мне говорил, что зашли к еще одному приятелю, а он как раз баню топил, вот отсюда и чистенький. А рыбу заморозил, чтобы не испортилась с вечера. Как не поверить, ведь все очень правдоподобно. Правда, один раз принес мороженого морского окуня.

— Ты вот что, — сказала сестра, — раньше времени волну не гони. Нужно точно убедиться, что у него кто-то есть, а потом уж решать, как действовать дальше.

— А как узнать? — обреченно вопросила Серафима Ильинична, мозги которой совершенно отказывались соображать от обилия бед, свалившихся на нее. — Спросить у него?

— Ни в коем случае! — испугалась сестра. — Ты так только все погубишь. Он тебе наплетет с три короба, а потом затаится. Нет, так ты ничего не выяснишь.

— Но если он соврет, значит, не хочет меня терять, — заметила Серафима Ильинична.

— Ничего это не значит! — возмутилась сестра. — Тоже мне знаток мужской психологии. Все мужики трусы и терпеть не могут выяснять отношения. Соврет чего-нибудь, чтобы ты успокоилась и больше не цеплялась. Нет, с мужиком, если он загулял, нужно действовать хитростью. И в первую очередь выяснить все про свою соперницу.

— Соперницу! — ахнула пораженная в самое сердце Серафима Ильинична.

— Называй как хочешь, а суть от этого не меняется, — сказала сестра. — Так, сегодня у нас третье? Нет, сегодня я тебе помочь не могу.

— С чем помочь? — спросила Серафима Ильинична, перед мысленным взглядом которой уже вставало, как они на пару с сестрой дубасят неверного мужа, или его любовницу, или их обоих вместе.

— Проследить за ним, — пояснила Тамара Ильинична. — Так что тебе придется действовать одной. Слушай, я на два дня еду за город, а ты за эти выходные все разузнай про своего Валериана. А когда я вернусь, ты мне все доложишь и мы вместе решим, как нам действовать дальше. Только поклянись мне, что не будешь выпрыгивать из засады на парочку. И обрушиваться с проклятиями на мужа тоже не будешь. Клянись!

— Вот еще, — пробормотала Серафима Ильинична. — Я ему все скажу, пусть знает.

— Так ты хочешь потерять мужа? — обрадовалась сестра. — Так бы сразу и сказала. А то — изменяет, страдаю, сразу в слезы!

— Я и в самом деле страдаю, — растерялась Серафима Ильинична. — И терять своего дурака из-за какой-то молоденькой вертихвостки не хочу.

— А, так ты уже знаешь, что она молоденькая!

— Нет, просто я думала...

— Она думала! — воскликнула сестра. — Вы слышите, она думала! Тоже мне мыслительница нашлась. Не о чем тебе думать, нужно все выяснить и доложить мне. Если получится, то попытайся понять, чем эта стерва твоего мужика захомутала. Впрочем, если она молоденькая, то это со всеми случается, тогда все понятно.

— Что понятно? — пролепетала Серафима Ильинична, которая только что выяснила, что ее драма вовсе и не такая уж драма, раз случается так часто и с гораздо более уважаемыми и умными людьми, чем ее муженек.

— Кризис среднего возраста! — сказала сестра. — Ну, знаешь, это когда мужик от сорока до пятидесяти лет находит себе совсем молоденькую любовницу и пускается с ней во все тяжкие. — Ему кажется, что таким образом он может обмануть старость и помолодеть.

— И что?

— А ничего, самый безопасный вариант, — сказала Тамара Ильинична. — Годика через два вернется обратно. Может, и быстрей, от здоровья зависит. Скорей всего, его принесут на носилках. Обычно этих мужиков инсульт разбивает от несоответствия желаемого и действительного, и остаток жизни они проводят под кровом родного дома, мирно попивая кефирчик.

— Он у меня еще бодрый, — заступилась за своего мужа Серафима Ильинична.

— Это он с тобой бодрый, а молодая кобылка его в два счета укатает. Говорю тебе, если у него молодая девка, то тебе нужно отпустить его попастись на вольные хлеба. Ей первой станет с твоим Валерианом скучно, кому весело с паралитиком сидеть.

От нарисованной ее сестрой перспективы Серафиме Ильиничне стало дурно.

— Подумаешь, я сама всю жизнь без мужа прожила, — продолжала поучать Тамара Ильинична. — И ничего. Отлично себя чувствую. Ты тоже одна поживешь, так во вкус войдешь, потом еще недовольна будешь, когда твой Валериан в полуразобранном состоянии вернется. Вот увидишь, ворчать будешь, чего, мол, явился. Без тебя, скажешь, так хорошо было. Что хочу, то и делаю. Ни с кем советоваться не надо. Живи — не хочу!

— А деньги? — напомнила Серафима Ильинична. — Я же не работаю. А детей у нас нет.

— Вот! — обрадовалась сестра. — А я ведь тебе говорила. Заводи ребенка, не то будешь на старости лет куковать одна. Сейчас бы алименты со своего Валериана на ребенка вытрясла. А ты меня не послушалась. Не послушалась ведь? Говорила, что вы с Валерианом хотите жить для себя. Вот и живи теперь. Ничего, работать пойдешь. В метро книгами торговать или дежурной в то же метро. Многие женщины при мужьях там работают.

— Я не хочу в метро, — прорыдала Серафима Ильинична, которая за последние пять лет ни разу не спустилась под землю, обычно она вызывала такси.

Тут же по ассоциации подумала про отдых у моря, который теперь ей вряд ли будет по карману. И даже от косметического кабинета и массажа придется отказаться. А потом придет старость, и вернется муж-паралитик, истративший все свои сбережения на юную вертихвостку. И за ним нужно будет ухаживать да еще и самой зарабатывать на жизнь. Кошмар какой-то!

— Господи, ну что ты рыдаешь? — расстроилась сестра. — Я же тебе говорю, если она молодая, то волноваться практически не о чем. Ну, перетерпишь несколько лет.

— А если она не молодая? — с надеждой спросила Серафима Ильинична.

— Тогда твое дело труба.

— Почему?

— Потому что в этом случае между ними явно глубокое и сильное чувство. Ты подумай, может быть, в вашем браке с Валерианом ему чего-нибудь не хватало? Например, комфорта или душевной близости.

Серафима Ильинична напряглась и постаралась припомнить их с мужем повседневную жизнь. Попутно она задавалась вопросом, что в этой жизни могло так уж отвратить от нее Валериана. Почему-то вспомнился муж, стоящий с несчастным лицом перед грудой грязных носков и пытающийся выискать в них пару наименее грязных, в которых ему предстояло идти на какую-то важную презентацию. Какую — этого Серафима Ильинична вспомнить, к сожалению, так и не смогла. А носки остались грязными из-за того, что она купила потрясающе интересный детектив и забыла включить стиральную машину, чтобы выстирать наконец эти мерзкие носки.

И вот еще ситуация: она прибегает домой радостная, купила наконец-то вожделенный купальник, который искала уже несколько месяцев, а дома застает угрюмого мужа, который совершенно не разделяет ее восторгов, а бубнит что-то о своей язве, еде всухомятку и мечте о борще. Тогда Серафима Ильинична разозлилась и устроила мужу сцену, что он совершенно не разделяет ее интересов и хлопот. И только теперь ей пришло в голову, что после двенадцати часов рабочего дня мужу могло быть не так уж важно, какой именно купальник приобрела себе жена.

— Какая я дрянь! — прорыдала Серафима Ильинична.

— Ладно, не реви, твой тоже хорош. В конце концов, это он тебе изменяет, а не наоборот, — сказала Тамара Ильинична. — Значит, ты все поняла? Сейчас возьми себя в руки и занимайся своими делами, как будто бы ничего не случилось. Встреть его ласково, но никаких многозначительных разговоров не заводи, чтобы он, чего доброго, не заподозрил неладное. А завтра, когда он отправится на свою рыбалку, ты пойдешь за ним и все сама увидишь. Может быть, и волноваться не из-за чего. Деньги у тебя есть?

— Пока есть.

— Ну так вот, наменяй мелких купюр, — сказала сестра. — Потому что тебе, вероятно, придется платить частникам, муж ведь твой на машине, не пешком же ты будешь его преследовать. Потом, может быть, придется платить в гостинице или соседям в доме, где живет его пассия, за информацию. Если будешь всем совать пятисотки, быстро разоришься.

Не успела Серафима Ильинична закончить разговор с сестрой и повесить трубку, как в дверях повернулся ключ. Муж вернулся домой. Валериан Владимирович был в свои сорок с хвостиком еще очень даже ничего. Конечно, годы сказывались, и не было в нем былой юношеской легкости, на смену ей пришла солидная уверенность в себе. В последнее время и походка у Валериана Владимировича, и манера разговаривать стали какие-то внушительные.

Недаром руководство любого предприятия сразу же замечало представительного мужчину и начинало продвигать его по служебной лестнице. Валериан Владимирович и сам толком не мог понять, как это у него получалось, однако ни у кого не оставалось ни малейшего сомнения, что он способен только руководить.

Валериан Владимирович так поднаторел в этом искусстве, что когда грянула перестройка, то в первых рядах энтузиастов нового основал небольшую собственную фирму. Разумеется, он занял пост ее директора и показал себя за эти годы талантливым руководителем. Начали они с производства растворителя, а сейчас Валериан Владимирович управлял мощным химическим концерном, который занимался производством продукции самого широкого профиля.

С тех пор как дела пошли в гору, Валериан Владимирович стал еще более импозантным — сказывалась и должность, и хороший доход, позволяющий покупать без ущерба для всего прочего новый автомобиль хоть два раза в год. Другое дело, что делать это Валериан Владимирович не торопился, так как в личных тратах всегда был скуповат.

Ростом он был высок, а в плечах широк. В волосах ни единого седого волоса, и жена подозревала, что он их тайком от всех красит в салоне. У Валериана Владимировича был четкий профиль и лишь несколько морщин на лбу и мелкие морщинки возле глаз. То есть для своего возраста муж Серафимы Ильиничны выглядел на «пять» с плюсом.

— Фимочка! — ласково позвал он жену. — Ты где, мой птенчик?

В другое время Серафима Ильинична расцвела бы от такого обращения, но сейчас она усмотрела в ласковом обращении мужа скрытое признание вины. А при виде роскошного букета, который он поставил в вазу, бедную женщину прямо кинуло в дрожь.

— А у меня для тебя есть подарочек, — проворковал муж, и Серафима Ильинична почувствовала, что умирает.

Подарки муж ей делал исключительно два раза в году, на день ее рождения и на Восьмое марта. И то предпочитал в качестве подарка совать деньги в конверте. Серафима Ильинична к такому порядку вещей давно привыкла и не роптала. Должно было случиться что-то из ряда вон выходящее, чтобы муж ради нее отправился по магазинам, которые ненавидел лютой ненавистью. А ведь он небось обошел несколько прилавков, выбирая подарок для жены.

— Смотри, какая красавица, — продолжал ворковать муж, извлекая из недр большой сумки нечто пушистое и мяукающее. — У нее и родословная чуть ли не к фараонам восходит.

Серафима Ильинична все-таки овладела собой и нашла в себе силы посмотреть, что там ей показывает муж. Подарком оказался роскошный рыжий котенок, более всего напоминающий мохнатый апельсин, столь яркой была его шерстка. Приплюснутая мордочка котенка выдавала в нем «перса», а общая миловидность говорила о том, что это кошечка. Глаза у кошечки были зеленые, словно яблоко.

— Я сразу подумал, что это для тебя лучший подарок, — рассказывал муж, пустив свое приобретение обнюхивать углы нового пристанища. — Тебе с ней будет не так одиноко одной.

От такой заботы мужа, который, собираясь бросить жену, даже кошку ей заблаговременно для компании купил, Серафима Ильинична ударилась в слезы.

— Что с тобой? — заволновался супруг. — У тебя аллергия на кошачью шерсть? Да что ты молчишь?

— Ты едешь завтра на рыбалку? — сквозь слезы спросила Серафима Ильинична.

— Да, а почему ты спрашиваешь? — насторожился супруг.

— Я бы тоже хотела поехать с тобой, — сказала Серафима Ильинична. — И котенок будет доволен, кошки ведь обожают свежую рыбу.

— Ну, ты придумала, — с облегчением вздохнул Валериан Владимирович. — Привезу я ей рыбы, совершенно тебе для этого не нужно мерзнуть целую ночь.

— А я не против померзнуть.

— Ну нет уж, там собирается исключительно мужская компания, в бане паримся. Ты же не будешь с пятью голыми мужиками в бане сидеть? А других женщин там нет, тебе будет скучно. Ты лучше подумай, как мы назовем нашу кошечку, — предложил муж, явно очень довольный, что придумал, как сменить щекотливую тему.

Серафима Ильинична больше не настаивала, она все поняла и теперь готовилась отомстить. Как она это будет делать и что из этого выйдет, она еще не знала. Но одно ей стало совершенно ясно: завтра утром муж поедет на свою псевдорыбалку не один.

Остаток вечера прошел спокойно. Серафима Ильинична, как всегда, приняв решение, успокоилась. Слезы у нее высохли то ли от бешенства, то ли от ненависти, которую она испытывала к мужу-предателю, с которым прожила почти четверть века и которому всегда безоговорочно верила, как самой себе. Но свои чувства Серафиме Ильиничне удалось скрыть. Она похвалила цветы, назвала кошку Оранж, быстро разогрела обед и даже попыталась укротить упрямую челюсть и немного выправить рот, чтобы у мужа сохранились о ней самые приятные воспоминания.

План действий у Серафимы Ильиничны носил весьма сумбурный характер. Начиная от убийства неверного и поджога гнезда разврата и кончая самоубийством и прочувствованным посмертным письмом, читая которое изменник обливался бы слезами.

Только два момента отвращали Серафиму Ильиничну от самоубийства. Первое, она сильно сомневалась, что упрямая челюсть захочет и после смерти хозяйки вести себя прилично, а лежать в гробу с перекошенной рожей, чтобы все на нее таращились и шептались, Серафиме Ильиничне не хотелось. А второе, она была почти уверена, что ее муженек забудет содержание ее посмертного письма уже через пару недель. Во всяком случае, содержание всех прочих личных писем он забывал уже через пару часов.

Поэтому к тому времени, когда муж взял свои удочки и какой-то сверток, надел проклятую клетчатую рубашку без малейшего намека на запах рыбы и ушел из дома, Серафима Ильинична была уже полностью готова к борьбе, а от мыслей о самоубийстве у нее не осталось и следа. Муж вышел из дома и, как и следовало ожидать, подошел к своей ненаглядной темно-синей новенькой «Ауди».

Впервые в жизни Серафима Ильинична пожалела, что в свое время не научилась водить и не выклянчила у мужа какую-нибудь его старую машину, которые он так часто менял. Впрочем, теперь Серафиме Ильиничне многое нужно было попробовать в первый раз. Например, по совету сестры, поймать частника.

Как это сделать в их спокойном дворике в центре города на Петроградской стороне, да еще тайком от мужа, сидящего в своей машине и задумчиво крутящего ручку радио, Серафима Ильинична решительно не представляла. Поэтому она ограничилась простым наблюдением, скрючившись в парадном собственного дома. Муж закончил возиться с радио и достал свой сотовый.

Номер он явно знал прекрасно, но в автоматической записной книжке этого телефона не держал. Это Серафиму Ильиничну насторожило еще больше. Обычно всех деловых знакомых муж заносил в телефонную книжку, а если он этого не сделал, значит, хотел скрыть его от кого-то. Скорей всего, от своей жены. Воспользовавшись тем, что муж увлекся разговором, Серафима Ильинична приготовилась прошмыгнуть по двору на улицу. Она приоткрыла дверь и тут же увидела прямо перед собой внушительного размера туфли и услышала:

— Здравствуйте, Серафима Ильинична!

Над согнувшейся в три погибели Серафимой Ильиничной стояла их соседка Глафира — на редкость неприятная баба, большая сплетница и трещотка.

В руках Глафира держала огромную хозяйственную сумку. Это в семь утра!

— Что это с вами? — спросила Глафира, с любопытством глядя на стоящую на четвереньках соседку. — Кого это вы тут выслеживаете?

Чертыхнувшись про себя, Серафима Ильинична распрямилась в полный рост и объяснила:

— Сережку потеряла.

— Господи, какой ужас! — ахнула Глафира. — А дорогая сережка-то?

— Дорогая, — высокомерно подтвердила Серафима Ильинична, всем своим видом показывая, что у нее дешевых драгоценностей быть не может. — С брильянтом и рубином. Глафира, милочка, если кто найдет, пусть принесет мне. Я заплачу как за пару. Очень уж их любила.

Глафиру от жадности прямо затрясло, и она сказала:

— Я вам помогу.

После этого она поспешно опустилась на колени и принялась ощупывать пол, совершенно не обратив внимания на то, что в обоих ушах Серафимы Ильиничны красуется по серьге. Именно той самой — с рубином и брильянтом.

— Вот спасибо, — сказала Серафима Ильинична. — А я во дворе посмотрю пока.

И она выскользнула за дверь. Муж к этому времени уже закончил разговаривать по телефону и выезжал со двора. Кинувшись в другую сторону, Серафима Ильинична через проходную подворотню попала в соседний двор, а оттуда на улицу. Ей повезло, первая же машина остановилась возле нее, и женщина забралась в довольно грязную «пятерку». В салоне воняло бензином, от запаха которого Серафиму Ильиничну обычно выворачивало наизнанку, но сейчас она противного запаха даже не заметила, целиком поглощенная преследованием.

Муж выехал с Лахтинской на Большой проспект, проехал до Невы, выехал на Дворцовую площадь, а с нее синяя «Ауди» устремилась по Невскому проспекту по направлению к каналу Грибоедова. Там муж припарковал машину, вышел из нее и направился к Дому книги. Серафима Ильинична с трудом переводила дыхание, следя за мужем из салона «пятерки», и никак не могла взять в толк, куда же он направляется, если его приятель по рыбалке жил (опять же по словам мужа) где-то на Непокоренных.

— Дамочка, вы так и будете на улицу таращиться? — спросил у нее шофер. — У меня дела еще. Я не могу тут с вами целый день сидеть.

Серафима Ильинична кинула на хама такой взгляд, что любого он испепелил бы на месте, а этот наглец только хмыкнул и взял протянутые деньги. После этого их ничто больше не связывало, и Серафиме Ильиничне пришлось вылезать на улицу, где палило не по-утреннему яркое солнце. От волнения Серафима Ильинична в своем шерстяном костюме обливалась потом, еще не ступив на порог Дома книги.

Муж уже был там и поднимался на второй этаж. Страшно опасаясь, что он обернется и увидит ее, или посмотрится в зеркало и опять же увидит ее, Серафима Ильинична старательно пряталась за спины покупателей, выбирая спины повыше и помассивнее. К счастью, муж торопился и по сторонам не смотрел. Он зашел в отдел художественной литературы и принялся ходить от одного стенда с книгами к другому. Серафима Ильинична следовала за ним, пользуясь для прикрытия теми же самыми стендами.

Возле одного из стендов ее муж застрял надолго. Серафима Ильинична прямо извелась от желания узнать, что он там выбирает. Насколько она помнила, муж всю жизнь читал лишь научные статьи своих коллег, а в студенческие годы — учебники, и ни от того, ни от другого рода чтения Валериан никакого удовольствия не получал. А тут он по доброй воле зашел в книжный магазин и уже столько времени кружит возле этих стендов.

Увы, с того расстояния, где пряталась Серафима Ильинична, она никак не могла разглядеть, что за книги помещены на стенде, заинтересовавшем ее мужа. Еще немного, и Серафима Ильинична решилась пойти ва-банк. Она схватила первую попавшуюся под руку книгу, проследив лишь за тем, чтобы ее обложка была побольше форматом, и направилась к мужу. Подойдя к тому же стенду, она встала в пол-оборота к мужу, прикрыв лицо книгой, и одним глазом скосила на обложку издания в руках мужа.

Лучше бы она этого не делала. В руках мужа была «Лолита». На Серафиму Ильиничну это произвело такое же впечатление, как если бы Валериан держал в руках саму героиню набоковского романа. Вдобавок под мышкой у мужа Серафима Ильинична углядела несколько брошюрок, если судить по обложке, самого мерзкого содержания: на них наглые жирные индийские девки изгибались в развратных позах, соблазняя своих не менее крутобедрых кавалеров.

Серафима Ильинична издала полустон-полувздох. Валериан Владимирович удивленно поднял голову и огляделся по сторонам. Вспомнив, что она должна хранить конспирацию, Серафима Ильинична похолодела. Но муж лишь рассеянно посмотрел в ее сторону, мазнул взглядом по книге, где должно было быть лицо женщины, которая в нее уткнулась, и снова вперил взгляд в книжный стенд.

У выхода Серафиму Ильиничну, которая пыталась пройти через контроль вместе с облюбованной книгой, задержала охрана. Они давно подозрительно поглядывали на странную посетительницу, которая, прикрыв лицо ярко раскрашенной книжкой Шарля Перро «Кот в сапогах», уже несколько минут бесцельно бродила по залу. И теперь, когда эта посетительница бодрым шагом попыталась промаршировать мимо них, все так же не отрываясь от увлекшей ее книги, они буквально с радостью задержали ее.

Серафима Ильинична очень удивилась, почему это возле нее надсадно запищало какое-то устройство и почему двое молодых людей в строгих костюмах и с рациями в руках просят ее предъявить чек за книгу. Разборки с охраной, стояние в очереди, покупка книги и прочая ерунда отняли у Серафимы Ильиничны всего десять минут. Но за это время муж уже успел оплатить свою покупку в другой кассе и выйти из зала.

— Хорошо еще, что он меня не заметил, — пробормотала Серафима Ильинична, объясняя администратору, что просто зачиталась любимой с детства книгой и забыла оплатить покупку. — Понимаете, — вдохновенно придумывала на ходу Серафима Ильинична, которой казалось, что она очень ловка, — уже давно искала это издание. Никак не попадалось, а перечитать страшно хотелось, прямо ночами не спала, все о ней мечтала. Вот я и увлеклась. А вы ее читали?

Она так и не поняла, почему администратор, которая сначала твердила о штрафе и даже административном наказании, как-то странно после ее объяснения затрясла головой, приказывая охранникам проводить покупательницу до кассы и отпустить, больше не чиня препятствий, что те и сделали.

Счастливая Серафима Ильинична сунула покупку в сумку и поспешила на улицу. К счастью, муж за это время не успел уйти далеко. Собственно говоря, он вообще никуда не ушел. Он сидел в кафе на противоположном берегу канала и изучал свои мерзкие книжонки.

— Мерзавец! — прошипела Серафима Ильинична, вспомнив, что последний раз муж выполнял свои супружеские обязанности... Нет, это было так давно, что даже не вспомнить.

— На рыбалку он, называется, собрался! — продолжала негодовать женщина. — Сидит тут в кафе и изучает теорию блуда.

Но главный удар еще подстерегал Серафиму Ильиничну впереди. Неожиданно к ее мужу, который продолжал сидеть за столиком под навесом, подбежала девушка, которую Серафима Ильинична сначала приняла за официантку. И лишь после того, как «официантка» бросилась на шею к Валериану Владимировичу и расцеловала того в обе щеки, Серафима Ильинична все поняла: перед ней была ее соперница. Как и говорила сестра, молоденькая и смазливенькая. Впрочем, возраст с такого расстояния угадывался весьма приблизительно, но девушка была точно моложе Серафимы Ильиничны.

Значит, и остальное должно было сбыться по словам сестры. Сначала муж уйдет, оставив ее без копейки денег и, скорей всего, без основной части жилплощади. Потом она будет страдать, а он развлекаться с молодой женой на море. А еще развод! И размен! И... Боже мой! Сейчас Серафиме Ильиничне стало по-настоящему плохо.

Между тем муж и его молодая пассия быстро поднялись и направились к машине Валериана Владимировича. Серафима Ильинична решила выяснить все до конца и тоже бодро потрусила за ними следом, благо парочка особенно ни на кого внимания не обращала, поглощенная болтовней. Видя, как ее муженек, у которого для общения со своей законной женой не находилось времени, тут щебечет и заливается соловьем, а его смазливая спутница в ответ громко хохочет, Серафима Ильинична ощутила прилив бешеной злобы, и в ней вспыхнуло страстное желание отомстить.

От желания тут же вцепиться своей сопернице в волосы ее удержало лишь опасение выглядеть смешной, да еще в ней шевельнулся крохотный червячок надежды, что спутница ее мужа всего лишь какая-нибудь знакомая или сослуживица, случайно встретившая его у магазина. И сейчас он проводит ее до дома, до ее машины, до парикмахерской — куда угодно, но чтобы там они и распрощались.

Но увы. Этот мерзкий негодяй — ее муж — усадил наглую девку к себе в машину, да еще при этом поцеловал ей руки и заботливо поправил чехол у нее под головой. После этого он отправился в обход машины к своему шоферскому месту. Каким-то шестым чувством догадавшись, что сейчас они уедут, Серафима Ильинична начала лихорадочно крутить головой в поисках машины для преследования.

Машин вокруг было достаточно, но все они стояли без владельцев. И вдруг ей на глаза попалась уже знакомая «пятерка», водитель которой лениво просматривал газету и явно ничем другим не был занят. Однако он вовсе не обрадовался Серафиме Ильиничне, когда она распахнула дверцу и уселась в салон.

— Опять вы! — возмутился он. — Что вам нужно? Что вы за мной бегаете?

— Очень вы мне нужны! — фыркнула Серафима Ильинична. — Просто поблизости не было других свободных машин.

— Я занят, — нагло соврал шофер. — У меня тут дела. А ежели я вам не нужен, так и ступайте себе.

— Слушайте, я заплачу вам триста рублей, если вы немедленно поедете вон за той синей машиной, — умоляюще произнесла Серафима Ильинична. — Ну, пожалуйста.

То ли выражение ее лица смягчило сердце водителя, то ли прельстила названная сумма, но он вдруг отложил свою газету и, ворча что-то под нос, завел мотор.

— Я же вам говорил, что у меня дела, — продолжал он бубнить. — Я ждал одного нужного мне человека, а тут вы со своими проблемами. Я, можно сказать, из-за вас работу могу потерять.

— Не беспокойтесь, если потеряете, я вас найму личным шофером, — сказала Серафима Ильинична.

— Нельзя же так бесцеремонно дергать людей, — все не мог успокоиться шофер. — Вы же взрослая женщина, должны понимать. Кто там хоть в машине?

— Мой муж! — выдохнула Серафима Ильинична, сама не зная, зачем открывается этому хаму.

Хам присвистнул.

— Небось с любовницей?

От такой проницательности Серафима Ильинична насторожилась.

— А вы откуда знаете? — спросила она. — Что, сами грешите?

— Я нет, — сказал шофер. — Ни разу, можно сказать.

— Врете, — убежденно сказала Серафима Ильинична. — Я теперь знаю, что все мужчины такие. Вот про своего хорошо думала, а он, видите...

— Но я-то не вру, — настаивал шофер. — Дело в том, что я просто никогда не был женат, поэтому изменять жене не мог... за неимением таковой.

Пока Серафима Ильинична раздумывала над этим признанием, прикидывая, может ли такое быть, ее шофер сказал:

— Давайте хоть представимся друг другу, раз я с этого момента вроде как работаю на вас. Меня зовут Всеволод. И говорите мне «ты», и я вам тоже.

— Что? — вернулась к действительности Серафима Ильинична. — А, так вы Сева?

Но продолжить беседу им не удалось, так как в этот момент темно-синяя «Ауди» предприняла попытку оторваться. То есть вряд ли Валериан заметил слежку, должно быть, просто хотел похвастаться перед своей подружкой мощным двигателем. Как бы то ни было, «Ауди» рванула вперед со скоростью, близкой к двумстам километрам. Раньше Серафима Ильинична не замечала за своим мужем склонности к лихачеству. Впрочем, со вздохом призналась она самой себе, она за ним раньше много чего не замечала.

— Вот зараза! — выругался Сева. — Куда же это он так рванул? Вот лихач, лихоманка его скрути. Разве на дорогах так можно?

Но, несмотря на свое возмущение, сам он лихачил еще круче. У Серафимы Ильиничны дух захватило, когда он стрелой пустил свою «пятерку» прямо под колеса фиолетовой «девятки», вырвавшейся откуда-то сбоку. Благополучно разминувшись с «девяткой», Сева обогнул на полной скорости еще несколько машин, чудом избежал столкновения со средних лет упитанным господином и сшиб рекламный стенд.

К тому моменту, как с Серафимы Ильиничны уже сошло семь потов от страха, Валериана сцапали работники патрульной службы, которые почему-то наплевали на выходки Севы и нацелились именно на «Ауди».

«Должно быть, решили, что с того можно взять покруче», — сказала самой себе Серафима Ильинична.

«Пятерка» скромно подождала, пока неверный муж разберется с патрульной службой, а потом вновь пристроилась за ним. Теперь «Ауди» ехала значительно тише и без выкрутасов. Направлялась она в сторону Обводного канала. Там возле дома старой застройки парочка и вылезла из машины. Серафиме Ильиничне стало прямо плохо, когда она увидела, как девица обвилась вокруг ее мужа.

— Они неплохо смотрятся, — заметил Сева, который, что ни говори, был на редкость толстокожим типом.

— Ты! — прошипела Серафима Ильинична, не находя слов, чтобы высказать свое возмущение. — Ты думай, что говоришь, — наконец нашлась она.

— Ох, прости! — спохватился Сева, переходя на «ты». — Язык мой — враг мой.

— Заметно, — заявила Серафима Ильинична. — Мне необходимо выяснить, чем они будут заниматься.

— Это я могу сказать и так, — заявил Сева. — Совсем не обязательно убеждаться в этом своими глазами. Это больно.

— Откуда ты знаешь, если никогда не был женат?

— Потому и не был, — лаконично ответил Сева.

— Все равно мне необходимо своими глазами убедиться в его измене, — упрямо возразила Серафима Ильинична. — Иначе у меня останутся иллюзии.

— Тогда иди за ними и проследи, в какую квартиру они зашли, — сказал Сева.

— Я не могу, иди ты.

— Я?! — ужаснулся Сева. — Чтобы я оставил свою машину, можно сказать, свое единственное богатство на какую-то малознакомую мне женщину? Да мало ли что тебе в голову придет с ней сделать.

— Ты идиот, — запальчиво заявила Серафима Ильинична. — Ты что, думаешь, будто я все это затеяла, чтобы снять покрышки с твоей тачки?

— Покрышки у меня совсем новые, кстати говоря, — заметил Сева. — И потом, это твой муж, а я к тебе только в шоферы нанимался. Не хочу, чтобы он мне морду набил, приревновав к своей подружке.

— Чтобы Валериан набил кому-то морду? — поразилась Серафима Ильинична, но тут же прикусила язык.

Муж в последнее время явно отбился от рук, кто его знает, может, и до кулачной разборки докатился. Чтобы не терять времени на бесплодные пререкания с шофером, Серафима Ильинична вылезла из машины и поплелась в подъезд. Лифт в доме был, но не работал.

— Какое убожество! — пробормотала Серафима Ильинична, поднимаясь по заплеванной лестнице с разрисованными стенами.

Разумеется, нелепо думать, что здесь по стенам могла быть пущена высокохудожественная роспись, что волей художника по панелям катил волны могучий океан и цвели волшебные цветы. Если что и цвело, так это плесень. В доме было всего четыре этажа и чердак. Серафима Ильинична поднялась до конца и уперлась лбом в деревянную дверь с внушительным амбарным замком. Дверь вела на чердак. Дальше прохода не было.

— Куда же они делись? — в полном недоумении спросила у самой себя Серафима Ильинична.

Но в этот момент раздался шум заработавшего лифта, и на площадку четвертого этажа выскочила раскрасневшаяся парочка, продолжающая обмениваться поцелуями, на ходу раздеваясь. Серафима Ильинична в полном отчаянии смотрела, как девица в совершенном упоении от ее мужа никак не может попасть ключом в замочную скважину. Серафиму Ильиничну они не видели, так как она сидела пролетом выше, а смотреть вверх, да и вообще по сторонам у парочки не было ни желания, ни времени.

Наконец девица справилась с первым замком, на очереди был еще второй. В этот момент всякое благоразумие оставило Серафиму Ильиничну, она почувствовала, что если немедленно не разлучит сладкую парочку, то просто лопнет от злости. Она открыла рот и завопила. Но, к ее удивлению, вместо протестующего вопля у нее изо рта вырвалось слабенькое шипение. Голосовые связки, впрочем, как ноги и руки, отказывались ей подчиняться.

Наконец проклятой девице удалось открыть дверь своего борделя, и она буквально вползла туда с Валерианом, повисшим на ней и мусолившим ей шею. Серафиму Ильиничну чуть не вырвало. В общем, состояние у нее было какое-то странное: с одной стороны, она была полностью обездвижена, а с другой — готова к немедленному открытию боевых действий против собственного мужа.

Неизвестно, чем бы все закончилось, если бы ее энергичная половина одержала верх. Наверное, Валериан, возмущенный поведением своей супруги, наверняка не простил бы ей, что так скомпрометирован в глазах молодой подруги. Разрыв и развод в этом случае был бы неизбежен. Что бы потом ни говорила Серафима Ильинична, как бы ни умоляла, сколько бы ни плакала, ничего изменить было бы уже нельзя. Но господь был, как всегда, на стороне униженных и оскорбленных, и Серафима Ильинична так и не смогла сдвинуться с места.

Зато едва за парочкой захлопнулась дверь, как паралич мигом оставил Серафиму Ильиничну и она метнулась вниз по лестнице. Жадно приникнув к двери, она стала прислушиваться к звукам, долетающим из глубины квартиры. Прямо сказать, звуки не обнадеживали.

— Господи, что же это делается! Помешай

этому как-нибудь! — воззвала бедная женщина к небесам, и там ее мольба была услышана, впрочем, реакция высших сил приняла какие-то странные формы.

Внезапно раздался шум поднимающегося лифта, и из него вывалилось сразу несколько молодых и очень крепких ребят. Они подскочили прямо к дверям квартиры, где скрылся Валериан Владимирович со своей пассией.

— Вы кто? — удивилась Серафима Ильинична. — Что это?..

Но закончить фразу ей не довелось. Один из ребят оторвался от двери, которую они взламывали всей командой, и повернулся к Серафиме Ильиничне. В руках у него сверкнуло что-то блестящее. Проследить за полетом его руки Серафима Ильинична не успела, но мир вокруг нее внезапно взорвался, а потом быстро стал терять свои краски, и Серафима Ильинична после краткой эйфории полета провалилась в темноту.

Мариша загорала в парке возле дома. Она всегда старалась воспользоваться первым летним солнышком, чтобы приобрести ровный золотистый загар и сэкономить на солярии. К тому же Мариша в глубине души была уверена, что все эти разговоры о пятнах на солнце, озоновых дырах и повышенной солнечной радиации придумали владельцы соляриев в компании с производителями аппаратов для солярия, одновременно с чем эти же люди всячески затирали информацию о вреде самих соляриев.

Солнышко припекало уже довольно здорово, и даже небольшая сырость, шедшая снизу,

Маришу не смущала. А чего смущаться, если парк был разбит на месте бывшего болота, которое кое-как осушили и засадили деревьями. Но парк все равно время от времени зарастал осокой. Но Мариша всегда себя утешала, что вместо болота вполне могло оказаться кладбище, и тогда было бы совсем уж невесело. А так, ну подумаешь, немного сыростью тянет.

Так она уговаривала себя уже третий час. Наконец она почувствовала, что подстилка вся насквозь пропиталась влагой и на ней нет буквально ни одного сухого островка, где можно бы было притулиться. Только после этого Мариша пошвыряла свои вещички в мешок, сложила подстилку и поспешила домой.

Дома было пусто и голодно. Дина укоризненно смотрела то на хозяйку, то на свою пустую миску. Мариша заглянула в шкаф, в трюмо, в холодильник и на всякий случай в шкафчик в ванной, но нигде не обнаружила ни крошки кошачьей еды. Может быть, где-нибудь в доме и завалялась банка-другая «Вискаса», но Мариша не помнила где, а искать дальше было лень.

— Ты на диете, — сообщила она Дине.

Дина фыркнула и подошла к двери, показывая, что раз хозяйка дура, так и разговора у них не получится.

— Ладно уж, — смилостивилась Мариша, которой после нескольких часов на свежем воздухе тоже страшно хотелось есть. — Пойдем к маме, может быть, она нас покормит.

Дверь в квартиру мамы почему-то была открыта. Это Маришу насторожило. Она твердо помнила, что мама собиралась на выходные поехать за город, и раньше позднего воскресного вечера ее дома будет ждать нечего. Сейчас даже до раннего вечера было еще далеко. Мариша осторожно опустила кошку на пол, чтобы не рисковать жизнью невинного животного, и шагнула внутрь.

Внутри кто-то побывал. В этом не было ни малейшего сомнения. Маришина мама не отличалась особой любовью к порядку и чистоте, но такого безобразия у себя в квартире она бы никак не устроила. Тут явно орудовал человек посторонний. Мариша обошла всю квартиру и убедилась, что, кроме нее и Дины, сейчас тут никого нет, а тот, кто был, уже ушел.

Мебель в квартире была сдвинута с мест, ящики столов и шкафов чуть выдвинуты, а в ванной комнате и туалете горел свет. Ну и, конечно, дверь — мама, несмотря на свои странности, или даже благодаря им, не ушла бы, оставив квартиру открытой. Как бы она ни торопилась, она всегда несколько раз проверяла, на все ли замки закрыта дверь, и только после этого уходила.

— Тут побывали воры, — заметила Мариша. Дина уже перебралась через порог и теперь многозначительно уставилась на дверцу холодильника. Мариша послушно открыла ее и достала из морозильника упаковку мясного фарша. В это время в прихожей раздался шорох. Мариша вздрогнула и покрепче сжала фарш в руках. В морозилке он так основательно смерзся, что теперь вполне годился в качестве метательного оружия. Мариша осторожно выглянула за угол и буквально нос к носу столкнулась со своей мамой.

— Боже мой, — воскликнула Тамара Ильинична, — как ты меня напугала! Ты поесть решила приготовить к моему приезду? Вот молодец, а то я зашла и думаю: а в чем дело, кто это тут побывал? Неужели, Серафима, думаю, ушла от своего.

— Нет, тетки тут не было, — растерялась Мариша. — А почему ты вдруг про нее вспомнила? С чего бы это ей от Валериана уходить?

— О, так ты ничего не знаешь! — обрадовалась Тамара Ильинична. — Я тебе сейчас все расскажу. Твоя тетка застукала своего Вальку на измене.

— Да ты что! — ахнула Мариша. — Она же души в нем не чаяла. Не может быть.

— Вот тебе и не может быть, — с торжеством заявила Тамара Ильинична. — Правда, точно еще ничего не известно. Так ее тут не было?

— Нет, — покачала головой Мариша.

— А что ты искала?

— Фарш, — машинально ответила Мариша.

— В комнате, в шкафах? — удивилась Тамара Ильинична.

— При чем тут шкафы? — тоже удивилась Мариша. — Я его в холодильнике взяла.

— А кто же это натворил? — спросила Тамара Ильинична, поводя вокруг рукой и указывая на разгром.

— Не знаю.

— Хорошенькое дело! — возмутилась Тамара Ильинична. — Кто-то шарил в квартире. Наверное, что-то пропало.

— Я тоже так подумала, — с готовностью подхватила Мариша. — Не могли же они просто так, ради собственного удовольствия шарить у тебя по шкафам.

Мать и дочь дружно принялись осматривать квартиру на предмет установления ущерба. Через полчаса они снова сошлись в центре квартиры.

— Ничего не пропало, — несколько растерянно заметила Тамара Ильинична. — Побрезговали, должно быть.

Чувствовалось, что она всерьез обиделась на неведомых взломщиков, которые ничего не взяли за свои труды.

— Минуточку! — воскликнула Мариша. — А дверь ведь совсем цела! Значит, тут побывал кто-то знакомый. У меня вот был случай...

Но Марише не удалось в очередной раз рассказать маме про то, как у нее в квартире плодились покойники, а все из-за того, что она была невнимательна со своими ключами.

— Ключи от квартиры есть только у двух человек, — решительно прервала ее Тамара Ильинична. — У тебя и у Симы. Больше ни у кого. Если ты ничего не трогала, значит, остается Сима. Интересно, что она тут искала?

— Спроси у нее у самой, — сказала Мариша. — Небось веревку искала и мыло, чтобы удавиться. Как же, Валериан завел любовницу! Да это был просто вопрос времени. Стоило вспомнить, как они жили. Она же просто из кожи вон лезла, чтобы сделать его жизнь по возможности более сладкой. Она и карьеры толком не сделала, потому что сначала Валериан учился на дневном, а ей пришлось перевестись на вечерний и устроиться на работу. Потом он писал диссертацию, а она обеспечивала материальную базу. Потом он искал себя, переходя из одной фирмы в другую, все на руководящие посты, а денег не нес, зато тетка снова вкалывала за двоих. Она ведь жить нормально начала всего как пару лет назад. Должно быть, стал зарабатывать столько, что уже совесть не позволяла совсем жене ничего не давать. Но я сразу подумала: это ее счастье ненадолго.

— Почему ты такая злая? — удивилась мать. — Что тебе Валериан сделал?

— Ничего он мне не сделал, просто я не люблю таких мужиков, — буркнула Мариша. — Верней, на них мне плевать, но если они заставляют страдать мою тетку, то пусть поберегутся.

— Ладно, — примирительно заметила Тамара Ильинична. — Возможно, все еще утрясется. Сима звонила мне в несколько взвинченном состоянии, а за два дня все у них могло уладиться. Сейчас позвоню и выясню.

Но, вопреки ожиданиям Тамары Ильиничны, телефон на квартире у ее сестры не отвечал.

— Где же она? — встревожилась Тамара Ильинична.

— За своим красавцем следит, — мрачно откликнулась из кухни Мариша, которая тщетно пыталась расколошматить кусок фарша для Дины.

Немного погодя на пороге кухни появилась Тамара Ильинична.

— Что-то у меня сердце не на месте, — сказала она. — Как бы чего с Симой не случилось.

— Что? — спросила Мариша. — Меня вон сто раз бросали, и ничего, как видишь.

— Так это ты, — вздохнула мать. — У тебя же вместо сердца кремень.

— У меня? — задохнулась от возмущения

Мариша. — Ничего подобного. Просто я умею объективно оценивать людей. Если вижу, что передо мной дурак или подонок, то даже часа на него не трачу, не говоря уж о всей своей жизни. Так что тетка сама виновата. Сразу же было видно, что Валериан ее использует.

— Ничего не было видно, много ты понимаешь, — накинулась на нее мать. — Тебя еще на свете не было. Знаешь, как красиво он за ней ухаживал! Цветы, шампанское, подарки. Очень дорогие иногда, между прочим. Это потом уж Сима его разбаловала и стала во всем ему угождать. Но ведь и он не сразу же завел себе любовницу, как только у него завелись деньги.

— Ха-ха! — мрачно рассмеялась Мариша. — Просто наша доверчивая тетка Сима только про эту впервые узнала. Лучше бы это случилось, когда она твердо стояла на ногах и могла сама о себе позаботиться. А что теперь с ней будет, я просто не представляю.

— Молчи уж, — замахала на нее руками мать. — Пойду звонить.

Они звонили Серафиме Ильиничне весь день и весь вечер, не переставая. И только к полуночи Мариша заявила, что нужно смириться с неизбежным и начать попутно обзванивать больницы и морги.

— Тетка никогда не возвращалась домой поздней половины двенадцатого, — твердо сказала Мариша. — Если ее до сих пор нет, значит, с ней случилась беда. У тебя есть телефон кого-нибудь из ее соседей?

— Нет, — покачала головой Тамара Ильинична.

— Тогда придется ехать к ней самим, — ска-

зала Мариша. — Может быть, она лежит дома
и...

— Конечно, поедем! — немедленно отозва-
лась Тамара Ильинична.

Они выскочили из дома, впопыхах забыв забрать с собой Дину, и помчались к Маришиному
«Опелю», который с некоторых пор стоял на ох-
раняемой стоянке неподалеку от ее дома. К Серафиме Ильиничне встревоженные родственницы добрались только к часу ночи. При виде
пустой и темной квартиры они испытали двой-
ственное чувство. С одной стороны, они были
рады, что не обнаружили трупа Серафимы, но с
другой — они так и не узнали, где она и что с
ней.

— Как-то тут грязно, — укоризненно заметила Тамара Ильинична. — Конечно, я понимаю, Сима собиралась впопыхах, ей было не до
уборки, но, честное слово, не нужно было все
так расшвыривать.

— Очень похоже на то, что мы увидели у тебя дома, — заметила Мариша. — Тебе не кажется такое совпадение странным? И еще вот тетка
пропала...

Ночь Мариша с матерью провели в квартире
супругов Кругловых и к утру окончательно убе-
дились, что дело плохо, раз ни Валериан, которому нужно было бы сейчас собираться на работу, ни Серафима дома так и не появились.

— Нужно звонить по больницам, — сказала
Мариша, открывая справочник, и, чтобы слова
не расходились с делом, тут же набрала первый
номер.

Через два часа ей удалось обзвонить примерно половину больниц, а в другой половине либо

никто не брал трубку, либо было занято. Тем временем Тамара Ильинична в отчаянии бродила по квартире и ругалась на Маришу, что она только зря занимает телефон, по которому, может, в этот момент дозванивается Валериан или Фима. И вообще у нее собаки и прочая живность оставлена на соседей, которым она клятвенно пообещала, что заберет своих питомцев не поздней воскресного вечера, а сейчас уже утро понедельника, так что ее, должно быть, уже тоже ищут.

— Чего бы это тетке Фиме к себе домой звонить? — удивилась Мариша.

— Но мы же не знаем, что у них тут случилось, — резонно заметила Тамара Ильинична. — Может быть, они долго выясняли отношения, разругались, и Фима ушла из дому. Сначала пошла ко мне, а потом направилась еще куда-то. И сейчас звонит в надежде на примирение, а телефон все время занят.

— Ладно, наберу последний номер, и все, — согласилась Мариша.

На том конце линии ответил хриплый женский голос, который произнес нечто неразборчивое.

— Скажите, к вам не попадала женщина лет сорока, смуглая, с...

— Имя! — рявкнули в трубку.

— Серафима Ильинична Круглова.

— А! — обрадовался голос. — Наконец-то родственнички объявились. Я вам всю прошлую ночь названивала. Где вы ходите, хотела бы я знать? У нас ваша Серафима. С сотрясением мозга попала. Без сознания, так ничего нам про себя и не рассказала. Хорошо еще, что документы при ней были.

— Так как же вы тогда узнали, по какому телефону нам звонить? — насторожилась Мариша.

— А она на несколько минут пришла в себя, продиктовала чей-то телефон, вроде бы сестры, и снова забылась. Так вы приедете?

— Конечно! — закричала Мариша. — Диктуйте адрес.

Больница была за тридевять земель, на проспекте Ветеранов. Чтобы туда добраться, Марише и ее маме понадобилось без малого час, за который они сто раз мысленно успели похоронить сестру и тетку.

— Что же ты про Валериана не спросила, — укоряла Маришу Тамара Ильинична. — Вдруг он тоже там лежит?

— Ну и пусть лежит, он нам больше не родня.

Наконец они добрались до больницы, поднялись по наклонному заасфальтированному подъему наверх ко входу и ворвались в просторный прохладный холл. Тамара Ильинична первой успела к справочному окошку, пока Мариша еще должна была запереть машину.

— Она в травматологии! — крикнула Тамара Ильинична дочери через весь холл, увидев, что та входит в стеклянные двери.

Больные, которые неспешно прогуливались по холлу и рассматривали витрины многочисленных ларьков, испуганно встрепенулись. Но двум родственницам пострадавшей было не до них. Они мчались к лифту. Выпихнув оттуда какого-то инвалида на коляске, они нажали кнопку нужного этажа и выжидательно уставились друг на друга.

— У нее состояние средней тяжести, — наконец сказала Тамара Ильинична.

Наконец лифт остановился, и женщины заметались от одной двери к другой, так как Тамара Ильинична забыла номер палаты — то ли пять, то ли пятнадцать, то ли двадцать пять. Пятнадцатая палата пустовала, двадцать пятой не было вовсе, оставалась только пятая. Там лежала только одна больная, и в обмотанном бинтами существе они узнали Серафиму Ильиничну.

— Точно, это она, — сказала Тамара Ильинична. — Палата номер пять, я теперь вспомнила. Боже мой, что же это с ней? Она попала под машину?

И действительно, тело, распростертое перед ними на кровати, было на две трети замотано бинтами.

— Какой ужас! — прошептала Тамара Ильинична. — Ей не выкарабкаться.

В это время в палату вошел невысокий, средних лет мужчина с жидкими черными усиками и уютной лысинкой. В руках он держал букет цветов. Удивленно покосившись на Маришу и Тамару Ильиничну, он поставил цветы на тумбочку у кровати больной. Женщины посмотрели на него не менее удивленно. Этот мужчина был им явно незнаком.

— Позвольте, — обратился к ним мужчина. — Вы знакомые Киры?

— Что, простите? — переспросила Мариша, никакой Киры среди ее знакомых не было уже больше двадцати лет.

— Ну, вы сидите возле моей жены и плачете, я и подумал...

— Вашей жены?! — в ужасе воскликнула Мариша.

Ужаснулась она тому, что если Валериан был дрянь, то по крайней мере с ним было не стыдно показаться в обществе. А новое приобретение тетки даже для этого не годилось.

«Нельзя же в самом деле кидаться на первого встречного, даже если поссорилась с мужем и тебе грозит развод», — брезгливо сморщась, думала Мариша.

— А когда вы успели пожениться? — спросила Тамара Ильинична.

— Вообще-то мы не успели, — засмущался мужчина. — Но заявление уже подали.

— Заявление! — ахнула Мариша, представив, скольких трудов ей будет стоить прятать этого женишка, пока у тетки не пройдет приступ умопомрачения на почве развода и она не поймет, что этот хлюпик с усиками ей явно не пара.

— Да, — залившись румянцем смущения, сказал мужчина.

В этот момент из-под бинтов раздался приглушенный стон.

— Кирочка, что с тобой? — бросился к ней жених.

Мариша с мамой распахнули рты, ничего не понимая, но в этот момент открылась дверь в туалетную комнату, и оттуда появилась Серафима Ильинична с обмотанной бинтами головой. Да, это была их сестра и тетка, на сей раз ошибки быть не могло.

— Здорово вы тут напутали, — хихикнула

Серафима Ильинична. — Я минут двадцать слушала под дверью, как вы рыдаете над совершенно чужой женщиной. Ну, и идиотки же вы. Как вы могли нас спутать, она же раза в три больше меня.

— Тетя, — строго уставилась на нее Мариша, — тебе что, можно ходить?

— Какая разница! — махнула рукой Серафима Ильинична, добираясь с помощью сестры до кровати. — Не писать же мне в судно. Терпеть не могу болеть, больниц и всего, что с этим связано. Просто не понимаю, как меня угораздило тут оказаться.

— Ты и в самом деле ничего не помнишь? — спросила Мариша.

— Кое-что помню. Например, у Валериана любовница — это я точно помню. Мы следили за ними и оказались у Обводного канала.

— Минуточку, — перебила ее Мариша. — С кем это вы следили?

— С Севой, — уверенно ответила тетка. — У него была еще такая старая разбитая «пятерка». Но как он на ней гонял, петлял, словно заяц.

— Очень хорошо, а откуда этот Сева взялся? — спросила Мариша.

— Я его наняла личным шофером, — сказала Серафима Ильинична. — Он согласился помочь мне проследить за Валерианом. Мы подъехали к тому дому на набережной Обводного канала, где все и случилось. Я вышла из машины и пошла следом за мужем. А потом из лифта выскочили какие-то ребята и стали ломать дверь в квартиру любовницы Валериана и... и дальше я ничего не помню. Должно быть, меня стукнули чем-то тяжелым по голове, потому что я начала выступать и добиваться от парней, чтобы они мне сказали, что это все значит.

— А что этот Сева, куда он делся?

— Не знаю, — пожала плечами Серафима Ильинична. — Больше я его не видела.

— Очень странно, — покачала головой Мариша. — Но кто-то ведь должен был тебя привезти в больницу. Вряд ли те ребята, которые дали тебе по башке, вдруг воспылали к тебе добросердечием.

— Не выражайся, — машинально поправила ее Тамара Ильинична. — Сима, а ты не помнишь, удалось ли хулиганам сломать дверь или нет?

— Судя по тому, как она скрипела, вряд ли у них на это ушло много времени, — сказала Серафима Ильинична. — И к тому же мне показалось, что там только один замок закрыт. А в чем дело?

— Видишь ли, не знаю, стоит ли тебе об этом говорить, но твоего мужа еще час назад не было дома. И я подумала: раз он и вещи свои не забрал, и от него самого нет ни слуху ни духу, то не случилось ли с ним чего.

— Да он на работе, — спокойно заметила Серафима Ильинична. — Сегодня ведь уже понедельник. А Валериан трудоголик. Если я не прослежу, он спросонья может и воскресным утром начать собираться на работу. А один раз летом, еще белые ночи были и солнце до позднего вечера светило, так и вовсе, смешно сказать, вернулся домой пораньше, прилег поспать, а часов в семь вечера вижу, снова одевается, бреется, берет портфель и прощается со мной, говорит, мол, пошел на работу, не нужно ли чего купить на обратном пути. Уверена, что он на работе. Хоть любовница, хоть развод или землетрясение — к десяти он всегда на своем месте и решает проблемы.

— Не хочу тебя расстраивать, но его там нет, — сказала Мариша. — Мы ночевали у вас дома, думали, что вы вот-вот объявитесь. Так перед выходом Валериану звонили с работы и спрашивали, что с ним случилось. Не заболел ли? У него там сегодня какие-то важные люди приезжают, их нужно встречать, а его нет.

Серафима Ильинична схватилась за сердце и села на постели.

— Тогда с ним точно беда, — сказала она. — Боже мой, во что он влип! Помогите мне!

Эти слова уже относились к Марише и ее матери.

— Как? — удивилась Тамара Ильинична. — И что ты психуешь, твой Валериан давно уже не ребенок. Он отлично может постоять за себя сам.

— Ты не представляешь, как он наивен, — прорыдала Серафима Ильинична. — Я прямо сердцем чую, что с ним случилось несчастье. Я должна разыскать его и спасти.

И она сделала попытку встать с кровати.

— Лежи, — остановила ее сестра. — Ты уже один раз пыталась его спасти, вот и лежишь тут с проломленной головой. Еще не хватало, чтобы ты бродила по городу с черепно-мозговой и пугала обывателей своим видом. Ты себя хоть в зеркало видела?

— Нет, у нас в ванной нет зеркала, а все мои вещи, в том числе и зеркало, остались в приемном покое.

— Вот и отлично, потому что выглядишь ты словно зеленая гусеница, готовящаяся к окукливанию, — покивала головой Тамара Ильинична.

— Мне все равно, как я выгляжу, — сердито буркнула сестра. — Я должна спасти своего Валериана, и я его спасу. А потом могу с чистой совестью лечь и умереть, а он пусть отправляется к своей соплячке-любовнице.

— Тетя, — проникновенным голосом сказала Мариша, — тебе нельзя сейчас никого идти спасать. Тебя саму спасать нужно. Врачи говорят, что у тебя нехорошие симптомы, что с твоей травмой нужен строжайший покой. Ты уж лежи, пожалуйста, я сама все разузнаю, а потом вернусь и доложу.

С этими словами она выскользнула из палаты, не слушая протестующих воплей своей тетки, которая, однако, попыток встать с кровати больше не предпринимала, доверившись племяннице.

Расследование Мариша начала прямо с больницы, с приемного покоя. Там дежурила злобная старая карга, которая немедленно наорала на Маришу, мол, таскаются тут посторонние без сменной обуви.

— Мне нужны вещи, которые были на моей тете, когда ее вчера вечером привезли к вам в больницу, — сказала Мариша. — Где они могут быть?

— Кто ее привез! — гаркнула бабка.

— Это второй вопрос, который я бы хотела у вас выяснить, — невозмутимо ответила Мариша.

— Как фамилия? — смирилась бабка.

— Круглова.

— Помню, — сказала бабка, захлопывая журнал. — Только ее не на «Скорой» привезли, так что если что-то пропало, то наши тут ни при чем. А все ценности я у нее по описи приняла, и дежурный врач расписалась.

— Минуточку, так что же, она сама к вам пешком дошла? — спросила Мариша. — От Обводного канала шлепала с проломленным черепом?

— Уж я не знаю, откуда она шла и где ей по голове досталось, только мы ее на ступенях нашли. Но череп у нее цел, просто сотрясение.

— Как на ступенях? — удивилась Мариша.

— А так, я сидела с Галиной Антоновной — это наша врач, и вдруг мы с ней слышим гудок машины. Один раз, и еще раз, и еще. Видим, что хулиган не успокаивается, и пошли порядок наводить. А что делать, так бы он нам всех больных перебудил. Хотя, честно говоря, на ночь почти все по домам разбредаются. Но все равно непорядок, если под окнами гудят. Выходим, а перед дверью она, любезная, уже лежит.

— А машина, которая гудела?

— Машины уже не было, — сказала бабка. — Скрылась. Мы подумали, что, должно быть, водитель ее сбил, но до больницы все-таки довез, не бросил.

— Неужели вы совсем ничего не видели? — расстроилась Мариша.

— Ты спроси у Галины Антоновны, — посоветовала ей бабка. — Может, она чего видела, а я больше на пострадавшую смотрела.

— А где мне ее найти?

— У себя в кабинете, — сказала бабка, и на этом разговор с ней закончился.

Бабка занялась какими-то бумажками, а Мариша отправилась искать некую Галину Антоновну. Та нашлась вовсе не у себя в кабинете, а в коридоре, и то по чистой случайности, так как уже уходила домой. На нее Марише указал молоденький доктор в зеленом халате. Совершенно непонятно, зачем белые халаты сменились на зеленые. Должно быть, с первыми было связано слишком много страшилок, а про зеленые еще толком ничего не успели придумать.

Такие мысли крутились у Мариши в голове, пока она приближалась к Галине Антоновне. Определенно, это внешний вид докторши вызвал у Мариши такие неприятные ассоциации. Галина Антоновна словно бы вобрала в себя все негативное, что принято говорить о врачах. Возможно, конечно, что у бедняжки просто было такое лицо, но Мариша искренне порадовалась, что тетка была без сознания, когда Галина Антоновна занималась ею, а то ведь недолго и со страху помереть.

Ростом и габаритами Галина Антоновна больше всего смахивала на слона. Не слишком большого, но и не совсем уж слоненка. Это сходство подчеркивал объемистый плащ, в который она закутала свое тело, и огромная шляпа со свисающими, словно уши, полями. В руках Галина Антоновна держала сумку и при ходьбе размахивала ею в такт шагам.

— Вам чего? — весьма нелюбезно осведомилась врач, обнаружив, что ей не удается стряхнуть с рукава повисшую на нем Маришу.

— Я насчет Кругловой, — пробормотала Мариша.

— Кругловы, Треугольниковы, Прямоугольниковы, — раздраженно бросила Галина Антоновна. — Вы думаете, я всех в голове держу? Кто хоть она? Что у нее там? Вы поймите, я сутки на ногах, у меня перед глазами все плывет. Вот и вашего лица я толком не вижу, одно цветное пятно.

— Та Круглова, которая с сотрясением, которую вы на ступенях нашли, — сказала Мариша и для верности добавила: — Вчера вечером.

— А! — мигом вспомнила доктор. — Так вы из милиции?

— Я бы хотела уточнить, не видели ли вы машину, которая ее доставила, — проигнорировала вопрос собеседницы Мариша.

— С Анной Сергеевной уже успели побеседовать, — заключила Галина Антоновна. — Тогда мне нечего вам сказать. Она первая выскочила из больницы, она у нас боевая.

— Боевая, но на зрение жалуется, — сказала Мариша. — Может быть, вы видели? Понятно, что номер вы не разглядели, но хотя бы цвет или марку?

— В машинах я не разбираюсь, а видела красную машину, которая выезжала из ворот. Только поймите, не могу я ручаться, что это была именно та самая машина.

— У вас тут на территории больницы к вечеру оживленное движение? — спросила Мариша.

— С какой стати! — возмутилась Галина Антоновна. — Только машины врачей и кареты «Скорой помощи».

— Тогда попрошу я вас пройти со мной к выходу, вы ведь все равно собирались уходить, и попросить вахтера, чтобы он постарался вспомнить, что за красная машина тут сигналила.

— Ладно, — вдруг сразу согласилась Галина

Антоновна, которая оказалась не таким кроко-
дилом, как казалось по первому впечатлению. —
Только хочу вас сразу же предупредить, что сторож у нас пьяница. Так что толку от него вы
вряд ли добьетесь.

— А зачем же вы его держите?

— А кто вам за такие гроши работать станет? — пожала плечами врач. — А этот хоть ви-
димость порядка создает. И потом, иногда он
все-таки бывает трезв. Пойдемте, вдруг вам повезет.

Но Марише не повезло, это стало ясно сразу
же, как только Михалыч вышел из своей сто-
рожки. От него за версту разило перегаром, к
вечернему он, видать, с самого утра свежака добавил. На старые дрожжи хватило даже капельки, и теперь Михалыч никак не мог сообразить,
что от него хотят.

— Кр-кр-красная машина была, — наконец
выговорил он, уяснив суть дела. — Такой симпатичный еще водила.

— А машина какая? — допытывалась у него
Галина Антоновна. — Номер записал?

— Хорошего человека машина, — продолжал твердить свое старик, пьяно покачиваясь
на летнем ветерке. — Хорошего человека видать
по полету. Он мне, можно сказать, после вче-
рашнего друг.

— Ты откуда водку взял? — строго спросила
у него Галина Антоновна.

— Нигде, — глупо ухмыльнулся Михалыч. —
Вот вам крест, Галина Антоновна, не покупал я ее.

— Значит, хороший человек принес? — спросила Мариша.

— Во! — обрадовался Михалыч. — Молодец,

девка! Соображает. А ты, Галина Антоновна, хоть женщина и авторитетная, но никак не можешь понять, что русскому человеку без друга, то есть одному, выпивать никак нельзя. Никакой душевности не получится.

Из дальнейшего разговора выяснилось, что красная машина проехала мимо Михалыча в первый раз совершенным нахапом. Михалыч не успел остановить ее и остался караулить, чтобы высказать нарушителю все прямо в лицо. Но тот опередил его, выскочил из машины, оставив ее за оградой, а в руках у него — бутылка.

— Подумал я, что человек он неплохой, а как послушал его, так понял, что не ошибся, — рассказывал Михалыч. — Прости меня, дед, говорил человек, что не остановился, но женщина у меня в машине была, сильно плохая. Даже и не знаю, выживет ли. Давай за ее здоровье выпьем и за врачей, что ее латать будут.

— И выпили? — строго спросила Галина Антоновна.

— Так и за вас же пили! — воскликнул Михалыч. — Да рази ж я стал бы, кабы за какого другого доктора. Я же знал, что вы ночью дежурить будете. Я так сразу Севке и сказал, мол, не бойся за свою знакомую, выживет. Сегодня такой врач дежурит — фея, а не врач.

— Так его Севой звали? — уточнила Мариша.

— Ага, — очень довольный таким вниманием слушателей, кивнул Михалыч.

Но дальше ему пришлось беседовать с самим собой, потому что Мариша уже узнала все, что собиралась узнать.

— Ясно, что тетку до больницы довез ее новый странный знакомый, — бормотала себе под нос Мариша, возвращаясь в палату с докладом. — Не пойму только, зачем ему понадобилось тащить мою тетку с Обводного канала сюда, в Кировский район. По пути ему должно было попасться с десяток больниц. Почему сюда? И куда он делся потом? Может быть, он что-то видел? Например, куда бравые ребята, стукнувшие мою тетю по голове, потащили ее мужа и его любовницу? Надо бы его расспросить.

Тетя лежала в кровати, внимая сестре, которая не уставала повторять, что все будет просто отлично, гораздо лучше, чем было до сих пор. По лицу Серафимы Ильиничны было видно, что она ни на грош своей сестре не верит.

— Ну что? — спросила она у Мариши. — Нашла Валериана?

От такой наглости у Мариши просто челюсть отвисла.

— Где я могла так сразу его найти? Здесь — в больнице? — возмутилась она.

— Но если меня сюда привезли, то могли же привезти в больницу и его, — резонно ответила тетя.

— На ступенях ты лежала одна, — разбила ее надежды Мариша. — А привез тебя сюда твой подозрительный шофер Сева. Так что у него надо расспрашивать. Если он притащил тебя в больницу, то наверняка может рассказать, что происходило в доме на Обводном после того, как тебя вырубили. Как нам его найти?

— Не знаю, — растерялась Серафима Ильинична. — Я не спросила у него паспорта.

— Как же так, — укорила ее Мариша. — Берешь человека на работу, а сама даже паспорта не проверила. А вдруг он какой-нибудь псих или уголовник?

— Ну, это она по паспорту бы не выяснила, — заступилась за сестру Тамара Ильинична. — Это только при личном знакомстве рассмотришь.

— Но хоть что-то ты про него знаешь? — в отчаянии спросила Мариша у тетки.

— Машина у него красная, по-моему, «пятерка», — напрягшись, выдала тетя.

— А отличительные приметы есть?

— У кого? У него или у нее?

— У обоих, — разозлилась Мариша. — Все что угодно. Думаешь, в городе всего одна старая красная «пятерка»?

— У него было очень приятное лицо, и вообще он ничего, если бы все время не ворчал, то был бы просто отличной кандидатурой тебе в мужья. Как раз твоего возраста.

— Спасибо, — с горечью сказала Мариша. — Только безработного, который пьет со сторожами по ночам, мне и не хватало. Ладно, но хоть адрес дома на Обводном канале, где ты последний раз видела своего мужа, ты помнишь?

Это тетка, как ни странно, помнила и охотно сообщила племяннице.

— Тогда я сейчас еду туда, а как только что-то узнаю, сразу сообщу, — сказала Мариша. — Либо сама приеду, либо оставлю сообщение тебе на твоем домашнем автоответчике, а ты потом позвонишь из больницы, и телефон тебе все передаст.

— Ладно, — кивнула Серафима Ильинична. — Мариша, ты постарайся, чтобы Валериан оказался жив. Мне без него не жить. — И тетя залилась слезами.

Чтобы не видеть душераздирающей картины, Мариша выскочила из палаты пулей. Добежав до телефона-автомата, она притормозила, ей пришла в голову мысль: а вдруг Валериан тоже звонил домой и оставил сообщение на автоответчике. Тогда и искать больше никого не нужно.

Покопавшись в памяти, Мариша вспомнила код, который следовало набрать, чтобы автоответчик воспроизвел сообщение позвонившему. Мариша сняла трубку больничного телефона-автомата. И тут же поняла, что он не работает. В растерянности Мариша посмотрела по сторонам. И тут же последовала подсказка:

— Девушка, — услышала Мариша мужской голос у себя над ухом, — идите к сестре. Суньте ей денежку, и она разрешит вам позвонить с ее телефона.

Второй мужчина в больничном халате, заговорщически подмигивая, указывал тонкой рукой на кабинет, куда Марише следовало постучаться. Поблагодарив их, Мариша робко приоткрыла дверь кабинета, но он оказался пуст. Тем лучше, подумала Мариша и бросилась к вожделенному аппарату.

— Вы позвонили по номеру... — сообщил ей голос тетки.

— Не то, — буркнула Мариша. И повесила трубку.

Не то... Со второй попытки ей удалось ввести код, и она услышала недовольный мужской голос, который требовал от Валериана немедленно перестать валять дурака и взять трубку.

«Это я, Мишка, — говорил голос, — у нас тут третий час фирмачи из Хельсинки тебя дожидаются. Ты что, совсем сдурел, ты же сам их пригласил! — возмущался неизвестный Миша. — Ты же знаешь, что нам кровь из носу нужно заполучить этот контракт. А они желают иметь дело только с тобой. К тебе привыкли, тебе доверяют. Послушай, даже если ты совершенно болен, вызови такси и приезжай. Пойми, эти чудаки решили, что мы задумали какую-то низость, а ты не желаешь в ней участвовать. Лично я понял их так. Валериан, ты меня слышишь? Немедленно приезжай!»

— Все ясно, Валериана дома нет, — сказала самой себе Мариша. — Иначе не стал бы так долго мучить своего коллегу молчанием. Значит, с ним что-то и в самом деле случилось.

Вообще-то Мариша была не слишком высокого мнения о мужской половине человечества, их уме и чувстве долга — очень легко они теряют то и другое при виде какой-нибудь соблазнительной птички. Невольно на ум приходила аналогия с повадками братьев наших меньших. Мариша, выгуливая маминых любимцев, немало натерпелась от собачьих свадеб, когда дрессированная овчарка Аркан теряла всякую выдержку и мчалась следом за какой-нибудь безродной дворняжкой, совершенно позабыв о своих предках и тонне медалей с различных выставок. Так что Мариша считала, что Валериан вполне мог податься куда-нибудь на денек-другой со своей девицей, послав к черту все важные совещания. Только вот в его кобеляж не вписывались боевые бритоголовые молодцы, которые ломились в квартиру на Обводном.

— Придется туда ехать, — пробормотала Мариша.

Нужный дом на набережной Обводного канала Мариша нашла быстро. Адрес тетка запомнила четко. Дверь в парадное тоже совпадала с описанием тетки, хотя она была обшарпана ничуть не меньше, чем соседние двери. Но ее заметно отличало изображение пестрой буквы «икс», выполненное сразу пятью красками с помощью пульверизатора. Полюбовавшись произведением настенного, а точнее надверного, искусства, Мариша вошла в подъезд.

Кроме перечисленных примет, во дворе стояла еще дядина темно-синяя «Ауди», которую никто так и не потрудился угнать. Поднявшись на лифте наверх, Мариша с трудом вылезла из узкой кабинки, явно рассчитанной на дистрофика, — и обомлела. Прямо перед ней находилась нужная ей дверь. Но ее состояние! Даже не поцарапанная, а вся искромсанная и посеченная, вокруг валялись щепки.

Тем не менее дверь эта была заперта, в этом Мариша убедилась, потолкав ее немного ногой. Впрочем, Мариша и не собиралась входить внутрь. Она и без того знала, что в квартире уже никого нет, а стало быть, нужно прямиком идти к соседям и постараться вызвать их на откровенный разговор. Хорошо бы найти какую-нибудь пенсионерку. Именно пенсионерку, а не пенсионера. Мужчины начнут тянуть и прикидывать, что можно сказать, а о чем можно умолчать, а женщины все выбалтывают сразу, украшая свой рассказ подробностями — к делу и без дела.

Марише повезло, по лестнице как раз поднималась пожилая тетка. В руках у нее была лишь одна полупустая сумка, поэтому Мариша спокойно завела с ней разговор.

— Вы не знаете, что тут случилось? — спросила она, кивая на дверь опечатанной квартиры.

— А вы кто? — тут же включилась старуха. — Вы кем Ленке приходитесь?

— Я ее сестра, из Рязани, — соврала Мариша. — Она меня давно в гости звала. Но жить мне у нее как-то не хотелось, вечно какие-то звонки, движение. А тут мне как раз туристическую путевку на работе дали. Вчера у меня весь день по экскурсиям был расписан, а сегодня дай, думаю, зайду к сестре. А тут и нет ее. Я еще с утра звонила, но никто трубку не снял. Думала, что просто телефон отключен.

— Ой, милая! — жалостливо простонала старуха. — Что бы тебе вчера да с утра пораньше в гости-то приехать. Глядишь, еще и застала бы сестру живой-то.

— Господи! — вполне натурально побледнела Мариша. — Ее что, убили?

И она начала тихо сползать по стене.

— Да ты зайди ко мне, посиди, — сказала бабка, которой явно не терпелось выложить все заинтересованному слушателю. — На тебе, милая, лица нет.

Мариша и в самом деле перепугалась, но не из-за судьбы неизвестной ей Лены, а из-за Валериана. А что, если и его прикончили? Тогда тетка вообще с ума сойдет. Одно дело просто потерять мужа, другое — потерять его, зная, что умирал он рядом с соперницей, и последнее, что он видел, была эта мерзавка.

— Так что же случилось? — повторила Мариша, когда расположилась в просторной кухне явно коммунальной квартиры, если судить по многочисленным разнокалиберным и снабженным замками дверям комнат в длинном и темном коридоре.

Но сейчас дома, кроме них с бабкой, никого не было. Все прочие жильцы находились либо на даче, либо на работе.

— А все началось не сегодня и не вчера, — начала рассказывать бабка, наливая Марише в стакан заварки цвета, ну, в общем, нехорошего какого-то цвета. — Ты ведь если уже приезжала к Ленке, то знаешь, что она постоянно водила к себе разных хахалей. Можно сказать, что они у нее каждый день менялись. Конечно, рано или поздно они должны были столкнуться. Вот вчерась Ленка и допрыгалась.

— А что случилось-то? — в третий раз спросила Мариша.

— Сначала Ленка заявилась с каким-то хахалем, на вид приличный и немолодой, — сказала бабка. — Дверь нашей квартиры напротив Ленкиной, поэтому мне было хорошо слышно, что на площадке кто-то есть. Я ждала в гости внучку, решила, что это она, и выглянула в глазок.

Мариша подумала, что бабка и без внучки выглянула бы в глазок, не могла она остаться в стороне от событий.

— Так вот, не успели они войти к себе, как появилась еще одна светловолосая женщина. Одета шибко хорошо, но вся очень взволнованная. Не успела она даже в дверь постучаться, как примчался Гарик и начал со своими ребятами ломиться к Ленке.

— Гарик! — воскликнула Мариша.

— А тебе Лена про него тоже рассказывала, — хмыкнула бабка. — Да, примчался Гарик со своими ребятами. Я сразу поняла, что он приехал не просто так, потому что он завсегда приезжает один или в крайнем случае с телохранителем, а тут от его бандитов прямо темно стало.

— И они принялись ломать дверь?

— Да, — кивнула бабка. — Гарик даже не стал звонить, но все равно Ленка бы ему не открыла, она ведь там была не одна.

— А потом?

— Потом ребята Гарика вытащили обоих любовников из квартиры, Ленка явно была без сознания, а мужик сопротивлялся, но где ж ему было справиться сразу с двумя. А потом они все сразу ушли.

— А Гарик у Лены уже давно? Когда они познакомились? Верней, когда вы его первый раз видели?

— По ее понятиям, так он у нее, почитай, всю жизнь, — сказала бабка. — Значит, с месяц уже тут бывает.

— А другие мужчины у Лены при этом были?

— А как же? — удивилась бабка. — Все время, только с Гариком они до сей поры не сталкивались.

— А этот мужчина, которого вчера унесли вместе с Леной, он тут уже бывал?

— Бывал, — кивнула бабка. — Лично я его видела не меньше пяти раз. То есть вроде бы он у Ленки тоже постоянным становился. Только приходил он всегда по выходным и часто с удочками. Я так про себя его и прозвала — Рыбак. Женат, конечно. Жене говорил, что на рыбалку, а сам к любовнице. Я даже вчера подумала, уж не его ли супругу я видела возле Ленкиной квартиры перед тем, как появились ребята Гарика.

Мариша подивилась про себя бабкиной смекалке и догадливости, но вслух ничего не сказала.

— И вы рассказали в милиции, что это Гарик похитил Лену?

— Ты что! — испугалась бабка. — Нечто мне жить неохота? Он ведь сразу поймет, кто на него навел.

— Ну хорошо, а та тетка, которая приходила к Лене и про которую вы подумали, что она жена Ленкиного хахаля, она куда делась?

— Не знаю, — пожала плечами бабка. — Должно быть, ушла, раз ее не было на площадке, когда я решилась выглянуть.

— А этот Ленкин хахаль, значит, был уже немолодой?

— Да уж лет ему сорок пять, а то и все пятьдесят стукнуло.

— Слушайте, но как же мне теперь найти Лену? — спросила Мариша. — Я же не могу уехать, не узнав, что с ней все в порядке. Вдруг этот Гарик ее убил из ревности.

— Тогда уж он скорей убил бы своего соперника, — сказала бабка. — А с Ленки что взять? Хоть она тебе и сестра, но так и скажу: гулящая она, одно слово — шалава.

— Но все-таки ведь сестра, и сердце за нее болит, — пожаловалась Мариша.

— Ты тогда вот что, — наклонилась к ней бабка, — если пообещаешь, что не побежишь в милицию, я тебе кое-что про этого Гарика скажу. Только чтобы между нами осталось, а то мне врагов наживать не с руки.

— Ладно, — кивнула Мариша. — Договорились.

— Ну тогда слушай, Ленка хвасталась, что у Гарика есть своя фирма. Что вроде бы они занимаются охраной других фирм. Только как уж им людей охранять, если они сами бандиты. Ну, должно, от других бандитов и охраняли. Но фирма у него оформлена законным порядком, находится где-то в центре на улице какого-то профессора.

— Какого профессора?

— Не помню я, что ты хочешь, старость не радость. Но больше я ничего про Гарика не знаю.

— А как он выглядит?

— Выглядит он знатно. Хорош собой. Высокий, справный, волос аккуратно подстрижен. Лицо ничего особенного, но для мужика главное — представительность. А Гарик малый видный, ростом и фигурой. В общем, хорош парень, и все тут. Я даже голову ломала, и чего он с такой мочалкой, как Ленка, связался.

— Ясно, — сказала Мариша. — А вчера вы не видели во дворе красную машину? «Жигули» «пятерку». Старую такую и довольно грязную.

— Нет, — покачала головой бабка. — Даже не представляю, чья это может быть. Но точно не из нашего дома. А Гарик ездит на красивой светлой машине. Ленка говорила, что «Мерседес» вроде. А цвет у машины особенный, прямо тебе топленое молоко, да еще отливает перламутром.

— Лена где-нибудь работала? Мне она говорила, что в салоне причесок.

— Боже сохрани! — рассмеялась бабка. —

Разве на честные деньги купишь такую квартиру? Я вот всю жизнь проработала, а имею комнату в коммуналке, где еще шесть таких же горемык теснятся. Нет, ни на какой работе Ленке на квартиру не скопить. У нее хоть только три комнаты, но зато свои собственные.

— Она сюда ведь недавно переехала? Нам с мамой Лена звонит нечасто, так что я почти не в курсе, что у нее в последнее время за жизнь была.

— Я бы не сказала, что недавно. Год уж точно живет. А купила квартиру она еще раньше. Здесь почти год ремонт шел. Стены ломали, перекрытия там всякие, а уж мусора выносили, прям страх! Грузовиками со двора увозили. Ленка говорила, что ей любовник квартиру подарил, отремонтировал за свой счет и умер. Не успел, бедняга, насладиться.

— Щедрый, должно быть, любовник-то, — заметила Мариша.

— Ну дак! — откликнулась бабка. — У Ленки других и не водится. Она себе цену знала.

— А вроде бы и некрасивая, — заметила Мариша, не имея ни малейшего представления, как выглядит эта Ленка.

— Кто? Ленка? А вот этого и не поймешь. Краски на морде завсегда столько, что, какая она настоящая, и не скажешь. Но одевалась красиво. И ноги у нее от ушей начинаются, мужики нынче это обожают. И фигура в порядке. Сиськи обтянет, а юбка едва срам прикрывает. Но все равно, как увидишь, что она навстречу идет, так рот откроешь и глаз оторвать не можешь. Чисто леденец на палочке.

— А того, кто подарил ей квартиру, вы видели?

— Нет, говорю же, он у нее как только оформил дарственную на квартиру, еще ремонт шел, как помер, — сказала соседка, отхлебывая остывший чай.

— Ясно, — сказала Мариша. — Спасибо. У вас не найдется «Желтых страниц»?

— В туалет, что ли, тебе понадобилось? — удивилась бабка. — Так ты не стесняйся, у нас там туалетная бумага есть. Сходи себе на здоровье.

Больше Мариша настаивать не решилась. Заглянув на минутку в туалет, она отправилась домой. В дверях ее нагнала старуха и что-то шепнула на ухо. Повеселевшая Мариша наконец отправилась домой.

Дома она первым делом позвонила маме, но там никто не подошел, должно быть, Тамара Ильинична все еще находилась у своей сестры в больнице. Потом Мариша принялась искать справочник. После не очень долгих поисков Мариша поняла, что она здорово сэкономит время, если не будет справочник искать дома, а прямо пойдет и одолжит его у кого-нибудь. Например, у Даши — то есть у меня.

Не знаю почему, но, когда что-то случалось, мое имя Марише приходило в голову в первую очередь. Я этому вовсе не радовалась, так как ни разу, клянусь, ни разу Мариша не явилась ко мне просто так, не принеся с собой сложнейших проблем и кучу хлопот. Вот и теперь. Едва я собралась вымыть голову, налила в таз теплой воды и смочила волосы, как раздался звонок в дверь. Чертыхнувшись, я замотала голову полотенцем и пошла открывать.

— Голову моешь? — удивилась Мариша. — А у нас горячую воду отключили. А у вас нет?

— А ты моешься только, когда вода в доме есть? — ехидно спросила я. — А я вот, представь себе, такая чистюля, что воду грею на плите, а сейчас она ждет меня и остывает.

— Так я некстати? — проявила потрясающую догадливость Мариша. — Но ты мне, собственно, и не нужна. Иди мойся, только дай мне какой-нибудь справочник.

Я сунула ей растрепанный и пухлый том «Весь Петербург» за 1998 год, который лежал в прихожей вместе с другой макулатурой, приготовленной для помойки, и ушла домывать голову. Времени у меня на это много не ушло, чего там, короткая стрижка, что ни говори, огромный шаг на пути женской независимости от мужской деспотии. Волосы им, мерзавцам, длинные нравятся, ха! А попробовали бы они эти волосы вымыть, а потом расчесать, а потом уложить. Вот и носили бы сами лохмы, а то вечно на нас самое трудное перекладывают.

— Ну что у тебя тут? — спросила я, входя в комнату.

— Представляешь, у нас в городе аж четыре улицы, названные в честь профессуры, — возбужденно заговорила Мариша.

— У нас очень просвещенный и культурный город, — осторожно подтвердила я. — Это ты верно заметила.

— Да не в этом дело! — воскликнула Мариша и, отложив на время справочник, поведала мне, зачем ей так понадобились безотлагательно профессорские улицы.

— Бедная твоя тетка, — посочувствовала я

ей. — Хотя у меня тоже есть тетка, но у нее муж даже и не собирается никуда уходить. Но ты бы видела, чего ей это стоит. На ней просто лица нет, так она устает, облизывая его.

— На моей тоже нет.

— Но если бы от моей муж ушел, то она сразу же расцвела бы, — настаивала я. — А если бы еще и сынок слинял к бабке, тетке вообще не о чем было бы и мечтать. Представляешь, какая красота. Приходит она домой, ну это в том случае, если приходит, а дома тишина. В холодильнике стоит обед, который никто не сожрал, и она спокойно может съесть его сама. Не нужно стирать чье-то белье, не нужно мыть посуду за троих, практически не нужно мыть полы, а если нужно, то очень редко. И при этом она еще может тратить свои деньги на себя лично, а не покупать всякую всячину своим троглодитам. Ну и моральный аспект: не мучиться в догадках, что бы такое им приготовить, чтобы и повкусней было и чтобы надолго хватило. Так что если рассуждать без всяких соплей и эмоций, то твоей тетке повезло.

— Дело в том, что мою тетку ее муж содержит, она сама не работает после того, как ее сократили, — сказала Мариша. — Уже десять лет.

— Так пойдет снова, уж это никогда не поздно. А втянется, так даже удивляться будет, как это она дома целыми днями сидела и от скуки не умерла.

— Но она любит своего мужа, — попыталась объяснить Мариша.

— Ну и пусть себе любит на здоровье, — не дала я себя сбить. — Зачем же обязательно каждый день его видеть? Да если хочешь знать, вообще предмет обожания надо видеть как можно реже. В разлуке ее чувство только окрепнет.

— Слушай, ты меня сейчас заморочишь! — возмутилась Мариша. — Тут человека похитили! Может быть, Валериан и не самый лучший муж для моей тетки, но мы с ним знакомы уже столько лет. И будет свинством, если я не попытаюсь его разыскать.

— Разыскать! — воскликнула я. — Вот оно что! Так я и думала. Убирайся!

— Ты что? — испугалась Мариша.

— Ничего, не хочу я больше никого разыскивать, а тем более твоего дядю, и тебе не позволю. Вспомни, когда мы занимались розысками в прошлый раз, ты только чудом спаслась от того ненормального извращенца! А теперь еще неизвестно, что за типы умыкнули твоего дядю. Этот Гарик в «Мерседесе» мне не слишком нравится, приличные люди на «Мерседесах» не ездят, они пешком ходят. А такой пристрелит и не поморщится. Опять же твоя тетя уже получила первое предупреждение, когда ей дали по голове. Учти, второго эти люди обычно не делают.

— Но мне все равно придется искать его, — сказала Мариша. — Я уже обещала тетке, что найду дядю, а то ей совсем плохо.

— Ясно, — буркнула я, внутренне смиряясь с судьбой. — Жаль тетю. Ну и что у тебя там с профессорами?

— Ты представляешь! — воскликнула повеселевшая Мариша. — Улица профессора Вологдина, профессора Ивашенцева, улица профессора Качалова и улица профессора Попова. На какой-то из этих улиц и находится охранная фирма нашего Гарика.

— Улица Попова — это на Петроградской, — сказала я. — А про остальные впервые слышу.

— Я уже посмотрела. Улица профессора Вологдина — это в Шувалове, профессора Качалова в Невском районе, а профессора Ивашенцева где-то за Лаврой. Значит, из четырех улиц нас интересуют только две. Что ж, это облегчает нашу задачу.

— А почему две?

— Потому что бабка, которая сообщила мне эту информацию, сказала еще, что фирма Гарика находится в центре города. Значит, нас интересуют улицы профессора Попова и профессора Ивашенцева.

— Теперь ясно, — сказала я. — И что ты намерена делать?

— Позвонить в справочное и выяснить телефоны и адреса всех охранных фирм, которые располагаются на этих улицах, — сказала Мариша.

— Не думаю, чтобы их было много, — сказала я. — Улицы не кажутся особенно длинными.

— В центре дома так плотно налеплены, что может быть все что угодно, — не согласилась со мной Мариша, снимая трубку телефона.

Первым делом она позвонила домой к своей тетке, ожидая услышать сообщение на автоответчике, которое надиктовали похитители дяди Валериана. Но ее ждало разочарование, пока выкупа никто не требовал. Потом Мариша дозвонилась до 09 и выяснила, что у них есть лишь неполная информация, так как ряд охранных фирм разместили информацию о себе в платной информационной службе. Каждая справка стоит четырнадцать рублей. Сумма невелика, но, как выяснилось, на этих двух улицах находилось целых восемь фирм интересующего нас профиля. И только две из них были размещены в обычной справке.

В первые же пятнадцать минут пребывания Мариши у меня дома я стала бедней на целых восемьдесят четыре рубля. И это было только начало, а дальше траты, как правило, возрастали в прогрессии, хорошо, если не геометрической. Я почему-то подозревала, что и выкуп за дядю в случае необходимости влетит нам в копеечку.

— Итак, едем сейчас же, — сказала Мариша. — Ты со мной?

— С тобой, — кисло пробурчала я. — Сейчас только газ выключу. Не могу же я допустить, чтобы тебя тоже похитили, как и твоего дядю. Или дали по башке, как тетке.

Маришин «Опель» стоял возле подъезда моего дома. Мы загрузились в него и отправились по маршруту. Сначала нам нужно было проехать улицу Ивашенцева. А где она находится — приходилось только гадать. Даже карта нам не больно помогла. Пока я не догадалась, что нужно посмотреть в списке улиц, обозначенных цифрами. Через несколько минут нам удалось установить, что искомая улица под номером 223 была первой улицей, которая ответвлялась от Невского проспекта, если ехать по нему от площади Александра Невского. Домов тут было достаточно, но все какие-то невидные. Но в справочном нас уверили, что на этой улице есть целых две охранных фирмы. После долгого мыканья по запущенным скверикам и грязноватым подворотням мы нашли их обе. Увы, ни в одной не слышали ни о каком Гарике. Машины цвета топленых сливок тут тоже не наблюдалось.

— Ничего, список уменьшился на два пункта, — подбодрила меня Мариша. — Сейчас поедем на Петроградскую...

— Давай сначала попьем, — взмолилась я.

И в самом деле жара, которая установилась в городе, обрушилась на горожан, которые ни о чем подобном не слыхивали. Обычно жарким солнцем наши края матушка-природа жаловала лишь в редкие дни июля и августа. Мариша согласилась с моим предложением, и уже через несколько минут мы сидели в открытом кафе, потягивая через соломинку ледяной сок.

Мы так увлеклись этим занятием, что даже не заметили, как жара стала немного спадать. Только тогда мы спохватились, что охранные фирмы все же обычные учреждения, и вряд ли сотрудники будут работать дольше шести часов. Мы быстро расплатились за сок — на двоих мы выпили не менее трех литров — и помчались к машине.

— Пока мы пили сок и прохлаждались, я кое-что надумала, — сказала мне Мариша, влезая в машину.

— Что?

— Мы с тобой неправильно подошли к делу. Мы сразу же в лоб начинаем расспрашивать о Гарике. А что, если эта информация секретна? Или просто наши расспросы кажутся подозрительными? Нам могут сказать, что никакого Гарика не знают, а на самом деле он будет сидеть в соседней комнате.

— Ты права, — согласилась я. — Так, может быть, и с теми двумя фирмами мы ошиблись?

— Нет, там все было слишком скромно, — сказала Мариша. — Там стояли исключительно «Москвичи» и «жигуленки», сразу видно, что люди там работают честные. Гарик из другой породы. Но теперь мы будем вести себя иначе. Светиться — ни-ни, просто займем наблюдательные посты. Рано или поздно Гарик появится.

— А как мы точно узнаем, он это или нет? — спросила я.

— У него есть одна примета, — сказала Мариша. — Но о ней я тебе скажу только после того, как мы найдем подходящего кандидата.

— Что за примета? — заныла я, но Мариша хранила молчание. Я ныла всю дорогу, но Мариша так и не раскололась.

На улице профессора Попова царило оживление. Обычно здесь бывало поспокойнее, да и сегодня скопление народа наблюдалось лишь возле одного дома. Разумеется, Мариша не могла проехать мимо.

— Что произошло? — обратилась она к парнишке лет пятнадцати, который возбужденно двигал челюстями, перемалывая нескончаемую жвачку.

— Да вот один тут из окна выпал, — пояснил парень. — Вон из того.

И он указал на ничем не примечательное окно на пятом этаже. От всех прочих оно отличалось лишь тем, что было распахнуто настежь.

— Прямо оттуда и сиганул, только мозги брызнули, — удовлетворенно подтвердил парень.

— Сам сиганул? — спросила Мариша.

— А я знаю? Меня там не было.

— А чьи это окна?

Но парню то ли надоела наша настырность, то ли он действительно не знал, но он отошел от нас подальше, заняв более удобную позицию для наблюдения. Тем временем с диким воем подкатила «Скорая помощь» и забрала кем-то заботливо прикрытое простыней тело.

— Пора! — скомандовала Мариша. — Сейчас самое время. Тут больше ничего интересного не будет. Пошли!

— Самое время для чего? — спросила я.

— Нужно успеть до приезда милиции выяснить как можно больше, — пояснила мне Мариша. — А то они живо оцепят место происшествия, и нам ничего не удастся разузнать про это окно.

Я попыталась возразить, что нам и не нужно этого знать. У нас уже есть одно глуховатое дело на руках, и незачем брать еще одно. Но я промолчала, так как знала, что обостренное чувство справедливости не даст Марише спокойно пройти мимо возможного места преступления, отказаться от попытки разузнать, что там на самом деле произошло.

Мы пулей взлетели на пятый этаж старинного дома. То есть Мариша взлетела, я едва поспевала за ней. При Маришкином росте — без малого два метра — и с ее ногами угнаться за ней мог далеко не каждый. А уж когда Мариша взволнована и спешит, то это становилось и вовсе делом безнадежным.

Поэтому, когда я доплелась до четвертого этажа, голос подруги доносился уже с самого верха.

— Откройте! — вопила Мариша. — Я из газеты! Хочу рассказать о случившемся нашим читателям.

— Не вопи, там никого нет, — сказал вдруг стариковский голос: из-за двери рядом со мной высунулась голова с седыми вихрами.

— Как это нет? — удивилась Мариша. — Только что из окон этой квартиры выпал человек.

— Теперь там никого нет, — уточнил старик. — И это не квартира, а фирма.

— Какая еще фирма, если даже таблички нет? — удивилась сверху Мариша.

— Вот такая фирма, — многозначительно ответил старик. — Мое дело маленькое, а только они все уже разбежались.

— Но человек выпал именно из этого окна, — настаивала Мариша. — Кто это мог быть?

— Девушка, ты еще молодая, тебе жить и жить. А ввяжешься в эту историю, так может и не получиться у тебя до пенсии дотянуть. Это я тебе говорю, а я достаточно пожил на этом свете, — бубнил старик. — Топайте себе отсюда, пока хозяин не приехал. Ему уж небось позвонили.

— Кто позвонил, если там никого нет? — спросила я.

— А это не мое дело, — заявил старик.

И он захлопнул дверь, показывая, что разговор окончен, он нас предупредил и дальше за нашу судьбу не отвечает. Мы быстро спустились вниз по лестнице и принялись расспрашивать свидетелей происшествия. Таковых оказалось двое. Пожилая женщина, бившаяся сейчас в истерике и на которую «Скорая» почему-то не обратила никакого внимания.

Именно перед носом этой женщины с четверть часа назад и шлепнулось тело. Вообще-то зрелище должно было быть не из приятных, так что я рыдающую даму понимала. Кроме нее, из свидетелей имелся еще молодой мужчина. Он шел следом за женщиной, так что тоже все хорошо рассмотрел. Мужчина выглядел немного бледным, курил одну сигарету за другой, но в целом производил впечатление человека, умеющего держать себя в руках. Мы подошли именно к нему.

— Говорят, вы своими глазами видели этот полет? — спросила Мариша.

Мужчина затравленно на нее посмотрел и попытался прикурить новую сигарету. Это у него плохо получилось, так как руки сильно дрожали и не слушались, спички ломались одна за другой. Мариша чиркнула кремнием своей зажигалки, которую постоянно таскала в сумке, прикурила сигарету и сунула ее бедняге в рот.

— Так лучше? — спросила она.

Мужчина благодарно кивнул.

— Вы не представляете, какой это кошмар! — признался он нам. — Я ведь видел, как этот парень летел. Я даже ничего понять не успел, как он уже лежал на асфальте.

— Значит, все-таки выпал мужчина? — уточнила Мариша. — Ну и ладно, вот если бы женщина или ребенок, тогда действительно ужасно. А мужчины каждый день погибают в войнах, в разборках, от инсультов. Так что не переживайте.

Не похоже было, чтобы ее слова оказали сколько-нибудь успокаивающее воздействие на мужчину. Напротив, он как-то опасливо покосился на Маришу.

— А этот парень, что — сам выпрыгнул или

его вытолкнули? — спросила Мариша. — Как по-вашему?

— Не знаю, но он что-то кричал.

— Что кричал? — насторожилась Мариша.

— Я не разобрал, да и не уверен, что это он кричал, — сказал мужчина. — Просто я услышал чей-то крик, потом увидел, как летит тело, а потом... — и свидетель снова затрясся.

— А крик доносился сверху или снизу? — спросила Мариша.

— Сверху, — несколько неуверенно сказал мужчина. — Могли кричать и из того окна, откуда выпал этот бедняга.

Внезапно возле дома затормозил черный «Форд», из которого вышли двое мужчин. Мельком глянув на кровавое пятно на асфальте, они устремились к подъезду.

— За ними! — взвизгнула Мариша и рысью припустила следом за приехавшими.

Так как Маришина рысь больше напоминала по скорости легкий галоп какого-нибудь призового участника дерби, то она нагнала молодых людей уже на третьем этаже, и дальше они мчались голова к голове. По пути Мариша информировала мужчин, что она, мол, представитель прессы и желает знать, что тут произошло. Но бегуны слабо на нее прореагировали. Да и похоже было, что им самим хотелось поскорее узнать подробности происшествия, потому что они торопливо открыли офис и скрылись в помещении, не удосужившись даже захлопнуть за собой дверь. Пока они возились с замком, я успела присоединиться к ним, так что перед открытой дверью мы с Маришей стояли уже вдвоем. Учитывая обстоятельства, мы не стали ждать приглашения от хозяев, простили их невежливость и проскользнули следом за ними.

В квартире и в самом деле размещался офис. Во всяком случае, ни один нормальный человек не станет обставлять офисной мебелью свое жилье. Приехавшие метались из комнаты в комнату, явно кого-то или что-то искали. Пока они занимались этим в высшей степени увлекательным делом, мы с Маришей уставились на небольшой плакат, висевший прямо перед нами на стене. Он гласил: «Вы сделали правильный выбор, отныне ваша безопасность в наших руках. Охранное предприятие «Барс», а ниже было приписано: «Вы обратились к нам, и теперь все ваши проблемы стали нашими, а все ваши страхи остались в прошлом. Охранное предприятие «Барс».

— Ты поняла? — спросила у меня Мариша. — Это одна из фирм нашего списка. Это же все меняет.

Я торопливо вытащили бумажку с адресами, которые нам дала платная справка, и убедилась, что Мариша совершенно права.

— Нет его! — раздался в этот момент громкий голос, и из дальнего помещения выскочил один из наших парней.

Отличались парни друг от друга лишь цветом волос. Первый — светленький, а второй — откровенно рыжий. Светленький проскочил через комнату, не обратив на нас ни малейшего внимания, словно мы были невидимками.

— Ищи, он не мог никуда деться, — прокричал рыжий из другого конца офиса.

— А вдруг он и правда сиганул из окна?

— Как же, этот гад ни за что не стал бы накладывать на себя руки! — кричал второй. — Помнишь, как он трясся, чтобы мы его не убивали.

— Но кровь там чья-то была, — возразил первый.

На это рыжему нечего было ответить. Встав в тупик, он схватился за трубку, и мы услышали:

— Алло, я это. Нету его тут. Да все мы с Сержем обыскали. Нет его. Должно быть, и правда выпрыгнул. Сам идиот. Скажи боссу, чтобы приезжал. Тут менты сейчас появятся.

Тут рыжий вышел из комнаты и увидел нас с Маришей.

— Это еще что? — поразился он.

— Мы из газеты, — снова начала Мариша.

— Нет, что вы тут делаете?

— Ждем, когда на нас обратят внимание, — доходчиво объяснила я.

Рыжий обомлел, потом он обошел нас со всех сторон, должно быть, чтобы убедиться, что мы вовсе не их пропавший пленник, таинственным образом раздвоившийся и сменивший пол.

— Валите отсюда, — коротко приказал он нам, убедившись, что мы не представляем для него никакого интереса.

— Из окна вашего офиса выпал человек, — продолжала настаивать Мариша, не трогаясь с места.

Рыжий попытался сдвинуть Маришу по направлению к выходу, но у него ничего не вышло. Мариша стояла как скала. Затем к рыжему подошла подмога в лице светленького парня.

— Девчонки, идите-ка вы отсюда, — по-хорошему попросил он нас. — Сейчас тут и без вас жарко будет. Кто-то уже ментам звякнул, вот-вот явятся. Еще вас к ответу притянут. Знаете, ведь как у них ведется, сначала хватают, кто под руку попадется, а потом уж разбираются, кто виноват, а кто не очень.

— А вы? — спросила Мариша. — Вас ведь тоже могут заподозрить, что вы того парня из окна выпихнули.

Судя по вытянувшимся лицам наших собеседников, этот вариант они как-то упустили из виду.

— Но мы же его не... — начал рыжий, но, не договорив, бросился к дверям.

Однако он опоздал. В дверях его перехватила милиция, которая, оказывается, уже поднялась по лестнице (надо отдать ей должное, очень тихо поднялась) и теперь с оружием в руках приступила к осмотру места происшествия. Как и предсказывал рыжий парень, нас всех немедленно задержали — до выяснения личностей. Я смотрела на деловито снующих ментов, которые поглядывали на нас с совершенно невозмутимыми лицами, и тоскливо думала, что в очередной раз влипла в историю.

И как мы теперь будем доказывать, что это не мы вытолкнули парня из окна офиса? Алиби у нас не было. В тот момент, когда парень вылетал из окна, мы с Маришей сидели в машине и ехали по Каменноостровскому проспекту. Наконец менты осмотрели место происшествия и пришли к выводу, что можно заняться и нами. Они все-таки были воспитанными людьми и первыми пригласили для беседы дам.

— Мы тут оказались случайно, — заявила Мариша. — Ехали мимо и увидели тело на земле. Разумеется, нам стало интересно, откуда он сиганул. Мы поднялись наверх, но тут было закрыто. А старик из квартиры снизу сказал, что все отсюда уже ушли. Тогда мы спустились вниз и увидели этих двоих ребят, которые вылезли из машины и побежали наверх. И мы пошли за ними, а...

— Зачем? — прервал ее опер с какой-то овощной фамилией, которую он нам назвал, но которую я тут же забыла. — Зачем вы пошли за ними? У вас что, привычка ходить за всеми молодыми мужиками?

— Не выдумывайте глупостей, — строго сказала ему Мариша. — Они сначала посмотрели на пятно на асфальте, потом на окна наверху и помчались наверх. Вот мы и подумали, что они должны что-то знать про погибшего. Потому и пошли.

— Зачем? — снова спросил у нее опер.

Господи, ну как же его фамилия? Он же нам представился в начале разговора. А, вспомнила, Картохин! Выглядел он соответственно. Я вообще замечала, что фамилии людей зачастую очень верно отображают их внутренний мир или соответствуют внешности. У Картохина был второй вариант. Он являлся обладателем носа картошкой. И уши напоминали два вареника с картошкой, а вся физиономия — наспех сделанное картофельное пюре с комками. А зато глаза приятно радовали, они были ярко-карие и очень внимательные.

— Зачем? — повторил Картохин.

— Как зачем? — удивились мы уже обе. — Чтобы выяснить, что тут случилось.

— Это я понял, но зачем вам понадобилось

это узнавать? Вы что, знали погибшего? Он был вам близок?

— Мы его даже не видели, — уверенно заявила Мариша.

А я тем временем похолодела от ужаса, слова Картохина совершенно неожиданно натолкнули меня на страшную мысль. А что, если запертый в офисе человек и был Маришин дядя Валериан! Ведь лицо трупа мы не успели разглядеть, оно было прикрыто простыней. А пол совпадал. Насилу мне удалось внушить себе, что в городе тьма-тьмущая мужиков и совсем не обязательно, что погибший именно ее дядя. Но противная мысль все равно прочно угнездилась в сознании и не желала оттуда вылезать.

— А это у вас зачем? — снова спросил опер, видимо, он других слов, кроме «зачем», просто не знал.

Мы с Маришей уставились на листок бумаги, на котором были записаны адреса охранных фирм, которые мы узнали в платной справочной службе. Менты извлекли этот листок из моей сумочки. По-моему, без санкции на обыск поступать так — страшное свинство. Могли бы и попросить, я бы им сама все достала.

— Ладно уж, — буркнула Мариша. — Скажу вам правду. У меня пропал один человек. Верней не у меня, а у моей тети. Муж у нее пропал. Бедная тетя попала в больницу, и врачи опасаются за ее жизнь. Вот я и решила попытаться найти ее мужа с помощью... ну, с помощью этих фирм. Раз они занимаются охраной, так и розыском могли бы заняться.

К счастью, на этот раз Картохин не поинтересовался, зачем Марише это нужно. Вместо этого он спросил:

— Вы что, всерьез полагали, что эти фирмы занимаются охраной?

— Но ведь написано, — удивилась Мариша.

— Мало ли что написано. Охранные фирмы помогают директорам предприятий утрясать всевозможные трения с бандитскими группировками. По сути, эти охранные фирмы сами и есть бандиты, только вставшие на путь исправления и зарегистрировавшие свою деятельность, а также отдающие часть дохода от своей деятельности в виде налогов государству. Так что идите себе, девочки, отсюда подобру-поздорову. Вам тут теперь не помогут. Да, только сначала ответьте, что тут делали те два парня, которых мы задержали вместе с вами, когда вы зашли следом за ними?

— Бросились шарить по всем углам, — пожала плечами Мариша.

— Зачем?

— Это вы уж у них спросите! — возмутилась моя подруга настырностью опера.

— Скажите, а где мы можем посмотреть на труп? — спросила я у опера.

— Зачем вам? — снова зациклился на своем Картохин.

Но на этот вопрос мы не успели ему ответить, так как на лестнице раздался шум шагов, дверь распахнулась, и на пороге возник мужчина. Болтливая Ленкина соседка оказалась права — Гарик был и впрямь хорош. Даже не просто хорош, а потрясающе хорош. У меня широко раскрылись глаза, и я просто всей кожей ощутила, как меня тянет к нему.

— Вы кто? — переключился с нас на новенького Картохин.

— Я директор этой шарашки, — заявил с порога пришелец.

А я все не могла оторвать от него взгляд — высокий, широкоплечий, без капли лишнего жира. Казалось, что он весь состоит из одних мышц, которые несут не только функциональную нагрузку, но еще и служат эстетическим целям. Зачесанные назад темно-русые волосы, большие серо-голубые, какие-то ласкающие глаза. Когда они на мгновение остановились на мне, я почувствовала, что умираю. И умерла бы, если бы он посмотрел на меня хоть чуточку подольше.

— Вот это экземпляр, — восхищенно шепнула мне Мариша на ухо.

Но вдоволь полюбоваться этим редким экземпляром красавца нам не дали. Картохин живо выставил нас вон, не забыв, впрочем, переписать наши фамилии и паспортные данные. На улице прибавилось машин, теперь там стоял «Мерседес», цвет которого старуха очень правильно назвала цветом топленых сливок.

— Должно быть, это Гарик! — заявила Мариша. — Ну, если это он, то бабка была права насчет него на все сто. Он действительно здорово хорош собой. Итак, половина дела сделана. Цель обнаружена, теперь нам нужно проследить за Гариком. А там он нас сам выведет к Валериану или хотя бы к Ленке, она, я думаю, тоже должна знать, где искать дядю.

— Я вот все думаю, а чье же все-таки тело вылетело из окна, если это окно офиса Гарика? — задумчиво произнесла я. — А вдруг...

— Не может быть, — посерела Мариша. — Нет, это не дядя Валериан. Мы же слышали, как рыжий в офисе удивлялся: мол, чего это тот парень решил прыгнуть. Вроде бы очень жизнь любил, а дядя Валериан тоже ценил радости жизни. Нет, сам он ни за какие коврижки не стал бы прыгать.

— А кто знает, сам он сиганул или... — высказала я свои сомнения. — Мы поднялись в дом через четверть часа после падения. За это время убийца мог сто раз запереть дверь и удрать. Да и свидетели показывают, что слышали наверху голоса.

— Голос, — поправила меня Мариша.

— Ну, голос. А с кем он мог разговаривать, не сам же с собой?

— Это правда, — задумалась Мариша. — Так что нам придется ехать в морг...

— Не знаю, хорошо бы сначала выяснить, в какой именно, — сказала я.

— Правильно, — оживилась Мариша, которой явно не хотелось бродить среди холодных трупов в поисках единственного нам нужного. — Труп от нас никуда не уйдет. Лучше пока проследить за Гариком.

Я ее вполне понимала, живой Гарик выглядел значительно привлекательней возможного трупа ее дяди. Поэтому мы остались возле офиса, только поставив Маришин «Опель» таким образом, чтобы он не бросался в глаза любому выходившему из дверей. Вдалеке стояла какая-то легковушка красного цвета, здорово грязная, и несколько других машин, я смогла рассмотреть их во всех деталях, так как ждать нам пришлось долго. Не знаю уж, что там выпытывал Картохин у задержанных, но только они вышли спустя почти час и выглядели так, словно побывали в жарко натопленной бане.

Следом за ними шел Гарик и подгонял этих двоих легкими пинками. Лицо его при этом выражало жуткое омерзение, словно ему было неприятно до них даже дотрагиваться. Внизу парни выслушали от Гарика подробные инструкции, покорно покивали головами и попрощались. Затем парни сели в свою машину, а Гарик в свою, и черный «Форд» стал разворачиваться, явно собираясь ехать в противоположную Гарику сторону.

— Вот так фокус! — возмутилась Мариша. — И как же нам за ними следить в таких условиях? Не разорваться же пополам. Даша, за кем ехать-то?

— Поехали за Гариком, — вздохнула я.

Мариша послушалась, и мы плавно порулили за «Мерседесом» Гарика. Мне показалось, что мы уже успели пересечь весь город, когда машина Гарика наконец завернула на стоянку, хозяин же ее вышел и направился к небольшому кафе с непонятным названием «У самого синего моря». Моря тут не было и в помине. Из воды рядом имелся разве что грязноватый водоемчик, заросший тиной, в котором плавали пустые бутылки и прочий мусор.

Гарик зашел внутрь, проигнорировав цветные пластиковые столики под открытым небом. Разумеется, мы пошли за ним следом. Гарик так торопился, что по сторонам не смотрел. Для нашего плана это было сущим счастьем, потому что внятно объяснить, зачем мы за ним следим, и вместе с тем вызвать у Гарика прилив доверия к нам, мы при всем желании не смогли бы.

В кафе царил полумрак, а с улицы мы и вовсе ничего не могли рассмотреть. Через некоторое время глаза привыкли, и мы увидели, что посетители тут сплошь мужчины в возрасте от двадцати до тридцати пяти, очень крепкие, с низкими лбами и короткими стрижками. Все увешаны цепями, некоторые в наколках. Гарика мы сначала не увидели. Придав лицам сугубо деловое выражение, мы направились в глубь зала.

— Смотри! — вдруг прошептала мне Мариша. — Вон он.

Я посмотрела в ту сторону, куда она кивала, и увидела Гарика. Он разговаривал с каким-то мужчиной, который сидел вполоборота к нам. Мы присели за свободный столик, исподтишка поглядывая в их сторону. Гарик что-то взволнованно втолковывал своему собеседнику, и тому услышанное явно не нравилось. Он тоже начал размахивать руками, потом вскочил с места, грохнул о столик стаканом и помчался к выходу. И тут мы с Маришей чуть со стульев не упали. Потому что спешивший к выходу мужчина был почти точной копией Гарика.

— Его брат! — ахнула Мариша. — Их двое. Куда это он, интересно?

И мы поспешили следом за вторым Гариком. Теперь мы шли, нисколько не опасаясь, что он нас заметит, ведь он нас раньше не видел. Но второму Гарику было не до нас. Он подбежал к своему «Форду», который по цвету здорово походил на «Мерседес» первого Гарика, сел в него и резко газанул с места. Увы, Маришин «Опель» не выдерживал конкуренции с «Фордом», который при этом еще и нарушал все мыслимые правила движения.

Нам удалось продержаться на хвосте у «Форда», мчавшегося, как дьявол, только каким-то чудом. Да еще благодаря тому, что Гарик попал в пробку, где ему не помогли ни его наглость, ни шестьдесят четыре лошадиные силы, запрятанные под капот его машины. Таким тандемом мы благополучно доехали до спального района вблизи метро «Ветеранов». Второй Гарик остановился возле одного из девятиэтажных кирпичных домов и вошел во второе парадное.

Мы даже не успели продумать план действий и вылезти из своей машины не успели, как Гарик-дубль уже вылетел на улицу и попытался влезть в окно первого этажа, которое было немного приоткрыто. С первой попытки ему это не удалось. Тогда он попытался снова, и на этот раз ему удалось забросить на подоконник свое тренированное тело.

— К окну!

И мы с Маришей ринулись к окну, откуда уже доносились чьи-то вопли.

— Не знаю я, где он! — вопил женский голос.

— Врешь, паскуда, и не заливай! Мне соседка сказала, что он у тебя. Признавайся, куда ты его спрятала? Ленка, признавайся сама по-хорошему, не то я из тебя правду по кусочкам выбью.

— Только ударь, живо у меня в ментовку загремишь, — не испугалась таинственная Ленка. — Думаешь, как бизнесменом заделался, так все прошлые грешки тебе и забылись? А я много про тебя могу рассказать.

— Только не забудь и про себя добавить, — ответил Гарик. — Живо признавайся, куда его дела?

— Под кровать спрятала! — закричала женщина. — Надоел ты мне со своими глупостями! Дай поспать. Чего разбудил?!

— Я тебе посплю, — угрожающе прорычал Гарик, и следом послышалось пыхтение и шорох одеял.

— Это ты чего удумал? — грозно осведомилась Ленка. — Пошел прочь, кобель проклятый. То кулаками грозишь, то в постель лезешь. Вали отсюда!

— Они там чего? — спросила я.

— Для дважды побывавшей замужем ты все-таки осталась ужасающе наивной, — вздохнула Мариша. — Он ее трахнуть пытается, а она не дает.

— Так светло же еще.

Мариша только рукой на меня махнула. А парочка тем временем уже вполне помирилась, и узнать нам удалось только то, что у Ленки толстые ляжки и Гарику это здорово нравится. Дальше пошла уже откровенная порнография, и из врожденной стыдливости мы отошли подальше.

— Черт! — выругалась Мариша. — Даром только время потеряли. Валериана тут явно нет и не было. А о том, что Гарик был знаком с Леной, мы знали и до этого. Нужно было остаться в баре. Настоящий Гарик значительно больше меня сейчас занимает, чем этот любитель постельных утех.

— А если поговорить с Ленкой, — предложила я. — Не может быть, чтобы у нее совсем не было совести. Пусть расскажет, куда Гарик дел Валериана. Давай поговорим.

— Чтобы засветиться? — хмыкнула Мариша. — Поговорить с ней значит доложить всей их компании, что мы ищем Валериана.

— Но хотя бы узнаем, с какой целью его похитили, — сказала я.

— Это и так ясно, хотят получить выкуп.

— С кого? Твоя тетка так богата? Так чего же она тогда рыдает, что муж собирался бросить ее умирать с голоду?

— Ну, тетя любит драматические эффекты, — пробормотала Мариша. — А тысяч пятьдесят они должны были накопить за все годы.

— А почему они до сих пор не объявили о размере выкупа?

— Почему, почему! — рассердилась Мариша. — Мы с тобой целый день мотаемся по городу. А они уже, возможно, давно сидят и нам названивают, а мы тут болтаемся. Кому они свои требования оставлять будут?

— Но не разорваться же нам, — возразила я. — Пусть твоя тетя лечится на дому, а заодно караулит звонки от похитителей. В конце концов это ее мужа похитили, а не моего. И вообще, чем за мужиками гоняться, нужно съездить в морг и точно выяснить про Валериана! И перекусить не мешало бы.

— Странные у тебя ассоциации, — съязвила Мариша.

И мы поехали к Маришиной тетке домой. Нужно было позаботиться о котенке — Оранж с утра сидела в доме и успела наделать изрядное число лужиц. Ликвидировав последствия ее безнадзорности, мы поужинали копченым мясом с черствым хлебом и кетчупом, а потом принялись обзванивать морги. Повезло нам, так сказать, в третьем по счету. Он находился в больнице имени Мечникова, что на одноименном проспекте. К больнице мы добрались за двадцать минут.

— Странно, что милиция до сих пор не забрала труп, — сказала Мариша. — Он же явно криминальный.

— Должно быть, других дел много, — заметила я. — Во всяком случае, нам их халатность только на руку.

Больница находилась в тихом зеленом месте, невдалеке проходила скрытая разросшимися деревьями железная дорога. Забор был приятного розовато-терракотового цвета, как и сами больничные домики. Украшенные белым орнаментом, они смотрелись на фоне зелени просто отлично. Вообще место было уютное, я даже позавидовала дяде Валериану, если после смерти его угораздило оказаться здесь.

Но его тут не было. Мариша осмотрела не только тот труп, который сегодня привезли с улицы Попова, но и все другие тела, но своего дяди не нашла.

— Вы уверены, что это все? — придирчиво спросила она. — Дяди тут нет.

— Вряд ли в одном месте и в одно время произошло два схожих несчастных случая, — сказал санитар. — А это именно тот жмурик. Так что, будете его опознавать или нет?

— Мы его не знаем, — отказались мы.

Санитар досадливо вздохнул и покатил каталку прочь. Мы тоже вышли на улицу, где остановились и принялись обдумывать свое поло-

жение. Первый раунд оказался явно не в нашу
пользу. Даже следов Валериана мы не обнаружили. Ну и что с того, что мы нашли даже двух
Гариков и Ленку, но как к ним подобраться, мы
все равно не представляли.

— И все же хорошо, что в морге лежит не
твой дядя, — заметила я. — Значит, еще остается надежда, что он жив и рано или поздно объявится, если только...

— Только что? — насторожилась Мариша.

— Если только он это похищение не сам инсценировал, — предположила я. — И еще непонятно, откуда он мог знать, что именно в этот
день его жена будет за ним следить. Разве что,
прожив с ней почти четверть века, он достаточно хорошо ее изучил.

— Я все-таки думаю, что его похитили ради
выкупа, — сказала Мариша. — Интересно, а в
милиции удалось установить, кто тот бедняга,
что выпрыгнул из окна?

— Судя по тому, что санитар просил нас
опознать тело, — нет, — сказала я.

И мы вернулись домой к Маришиной тетке,
чтобы кормить Оранж и ждать звонка похитителей. Попутно мы отчитались по телефону Серафиме Ильиничне, что ее муж предположительно жив, но вестей о себе пока не подает. Но
зато мы уже напали на след его похитителей.

— Так сообщите в милицию! — завопила
Маришина тетка. — Пусть они из них, из этих
похитителей, всю душу вытрясут. И из этой, моего муженька, шалавы тоже.

— Тетя, мы не должны пока обращаться в
милицию, — попыталась урезонить ее Мариша. — А вдруг похитители имеют еще сообщни-

ков, и те прикончат дядю, испугавшись, что его найдут? Все-таки труп спрятать легче, чем живого человека.

— Боже мой! — ахнула тетка. — Но что же делать? Может быть, ты, Мариша, возьмешься за это?

— Я и так ищу дядю, — удивилась Мариша. — И не одна, а с подругой.

— Вот-вот, и, может быть, вы накажете эту мерзавку, которая заманила Валериана к себе. А еще лучше, найми для этой цели какого-нибудь знающего человека. Мне показалось, что у Севы должны быть дружки, готовые взяться за это, и за небольшую плату.

— Тетя, мы и Севу не видели, и нанимать никого не будем, это же подло, — сказала Мариша. — Может быть, Лена и не виновата.

— Вот так, теперь ты ее защищать будешь. И уже знаешь, как ее зовут, — горько хмыкнула на другом конце провода Серафима Ильинична. — Значит, и ты, моя единственная племянница, против меня. Что же я вам всем плохого сделала? За что вы со мной так? Имей в виду, что я не успокоюсь, пока не сдеру с этой мерзавки шкуру. Мне бы только из больницы выписаться.

И она повесила трубку.

— Какая у тебя кровожадная тетя, — заметила я. — А ты знаешь, эта ее идея про Севу...

— Что, и ты тоже! — возмутилась Мариша. — Ну зачем нам кого-то нанимать и уродовать Лену? Она же виновата ничуть не больше, чем сотни других женщин. У меня вот тоже были женатые любовники. И могу тебя смело уверить, что радости от них совсем мало. Ни тебе поздравлений с праздниками — они ведь дома празднуют. Ни тебе ночных развлечений — спать опять же надо дома. И еще выслушивай, что либо у них жена ангел, а сами они сволочи, либо что она дрянь, а они бедные, несчастные. И то и другое слушать одинаково противно.

— Так я ведь и не предлагаю избивать Лену, — сказала я. — Можно ее просто слегка припугнуть.

— А ты уверена, что она знает, куда Гарик запрятал Валериана? — спросила Мариша. — И в любом случае где нам найти охотников до такой работы?

— Мне кажется, что сегодня я видела Севину «пятерку», — задумчиво посмотрела я на подругу.

— Да, и где? — оживилась та.

— Все там же, на улице Попова, когда мы поджидали первого Гарика и двух его стриженых оболтусов. Во всяком случае, там стояла какая-то чумазая «пятерка».

— А номер ты запомнила?

— Записала, — поправила я ее.

— Давай его сюда, — обрадовалась Мариша, которая терпеть не могла сидеть без дела, это ее угнетало больше всего. — Сейчас мы узнаем, что там за Сева такой.

— Если это, конечно, была его машина и если номера не фальшивые, — сказала я.

— Не мешай, — отмахнулась Мариша, начиная обзванивать знакомых компьютерных гениев, чтобы они по своим данным выяснили, на чье имя записаны эти номера.

Я ушла на кухню и принялась играть с Оранж. Я кидала ей кусочек мягкой ткани, привязанный на веревочку, а котенок ловил его. Так мы развлекались до тех пор, пока не появилась торжествующая Мариша.

— Можем плясать, — сказала она мне. — Этот Сева лопух. Машина и в самом деле была его, и номера не фальшивые. Зарегистрированы они на Всеволода Ивановича Солоняку. Прямо сейчас к нему и поедем.

— Ну нет, — отказалась я. — За день так намоталась, что в голове гудит. До утра твой Сева подождет.

— Как хочешь, — обиделась Мариша. — Раз тебе сон важней, то, пожалуйста, оставайся дома.

— Вот именно, — подтвердила я и отправилась чистить зубы.

Пыхтящая от негодования, Мариша уехала одна. Но вернулась она довольно быстро, снова пыхтящая, но на этот раз сердилась она на Севу.

— Представляешь, этого хмыря не оказалось дома, — сказала она, не тратя времени на умывание и заваливаясь спать на вторую кровать. — И машины его тоже. Где он может в такое время шляться?

— Например, следит за одним из Гариков, — сказала я.

Мариша мне ничего не ответила, так как спала. Следующий день мы начали с того, что с самого раннего утра поехали в гости к Севе. Но и на этот раз удача нам не улыбнулась. Его все еще не было дома. Жил он в хрущевке, но довольно чистенькой, и на лестнице в виде исключения не воняло канализацией. Соседка, вызванная нами из соседней квартиры, подтвердила, что такой тут живет, ведет себя тихо.

— А кто он по профессии? — спросила я. —

Чем занимается? Он вроде бы работу искал, во всяком случае, моя тетя его рекомендовала в качестве шофера.

— Чем все, тем и он, — работал. А что касается шоферства, то водит он хорошо, — бойко ответила старушка. — И дома он должен появиться, только вчера его видела. Здесь он. Хотя с чего бы ему передо мной отчитываться, я же ему не жена.

— А жена у него есть? — бесцеремонно спросила Мариша.

Но на этот вопрос старушка не пожелала ответить, просто захлопнула перед нами дверь своей квартирки. Вторым пунктом в нашем сегодняшнем плане стоял младший из Гариков и его Ленка. Тех тоже в квартире на первом этаже на проспекте Ветеранов не оказалось. Поневоле пришлось перейти к пункту третьему — нашему первому Гарику. К нему на работу мы и направились, сильно подозревая, что встретим там же дубль-Гарика и его подружку.

— Как-то странно получается, — сказала Мариша, пока мы ехали по городу. — Ленкина соседка уверяла, что Гарик — Ленин дружок и что у него фирма на улице Попова. А у его брата там тоже фирма, из окна которой выпадают люди. И который из Гариков нужен нам?

— Лично я думаю, что у обоих братьев одна и та же фирма, — сказала я. — А подозрительны они оба. И, наверное, оба замешаны в эту историю с похищением.

— И что это за человек, которого они заперли у себя в офисе? — продолжала размышлять Мариша. — Кто его выбросил и почему? Знаешь, вчера в морге мне вдруг так стало жаль беднягу. Мы должны выяснить, что с ним случилось.

— Ладно, — покорно согласилась я. — А кто потом возьмется выяснить, что случилось с нами? Твоя тетка? Ты прости, но мне она не показалась слишком любящей тетей.

— Это потому, что у нее горе, — сказала Мариша. — И ей не до меня. А так она вообще-то довольно привязана ко мне, хотя рисковать своим покоем ради меня, конечно, не будет. Но, кажется, я знаю, кто сможет нас подстраховать.

И она указала вперед. К этому моменту мы уже подкатили к офису Гарика, и в том направлении, куда указывала Мариша, стояла несколько помятая, но чистая красная «пятерка».

— Не знаю, — усомнилась я. — Вроде бы та была целой, но грязной, а эта наоборот. И номера не совпадают.

— Пустяки, — отмахнулась Мариша. — Нужно проверить, кто там в салоне.

И мы пошли проверять. Так как ни одна из нас в глаза раньше не видела таинственного Севу, то я как-то не очень понимала, что мы будем там проверять. Правда, Серафима Ильинична снабдила нас подробным описанием внешности своего знакомца, но она уделяла основное внимание его прикиду. А это легко поменять.

— Делаем так, — сказала Мариша, — ты отвлекаешь его внимание, а я проверяю документы.

— А как я буду его отвлекать?

— Тогда я отвлекаю, а ты ищешь в бардачке его документы, — не стала спорить Мариша.

Мне и этот вариант не слишком понравился, но я смирилась. Нельзя же и в самом деле все время бездельничать.

— У вас свободно? — игриво спросила Мариша, распахивая дверцу рядом с водителем.

— Занято, — буркнул мужик.

Судя по манерам, это точно был наш Сева.

— А я все равно останусь, — прощебетала Мариша. — И моя подружка тоже.

Мужик оглянулся на меня и помрачнел еще больше.

— Ах, как нам повезло, что мы вас встретили, — ворковала Мариша. — Нам просто безотлагательно нужно ехать. А машина сломалась. Вы не представляете, какие черствые люди живут в нашем городе. Мы битый час умоляем их помочь нам, но ни одна сволочь даже карточку телефонную не предложила. А нам просто необходимо вызвать буксир. А у вас есть карточка?

— Что у вас стряслось-то? — спросил мужик.

— Перестал заводиться двигатель, — беспечно сказала Мариша.

— Только и делов? И из-за таких пустяков спасателей беспокоить? Я вам помогу. Где машина?

— Вон, — кивнула Мариша. — «Опель».

Она первой выскочила из машины, я высунула ноги наружу, но с сиденья не встала. Хозяин «пятерки» подозрительно покосился на меня, но потом все-таки потопал за Маришей, правда, предварительно вытащив ключи зажигания. Стоило им отойти на несколько шагов, как я стремительно ринулась вперед, к бардачку, где всякий уважающий себя водитель хранит нужные и не очень нужные документы и бумажки. Меня бы устроила любая, на которой имелось имя водителя.

Я копалась среди всякого хлама, но пока что

не нашла ни одного документа. Должно быть, все важные бумаги водитель носил при себе. А между тем времени у меня было не так уж много. Маришин «Опель» завелся с полуоборота, и водитель «пятерки» с недовольно миной на физиономии уже брел обратно. Наконец мне в руки попалась какая-то квитанция, которая валялась тут уже явно давно и которую я впопыхах несколько раз прошляпила. Есть! На бумажке были начертаны три волшебных слова: Соляняка Всеволод Иванович. Теперь он был у нас в руках.

Я поспешно вернулась на заднее сиденье. И в самое время, потому что Сева уже подбегал к машине. Следом за ним спешила Мариша.

— Ну как? — спросила я. — Починили машину?

— Чего там чинить, — буркнул Сева. — Цела ваша машина. Ездить уметь надо.

— Правда, Сева? — небрежно бросила я.

— Мы знакомы? — удивился Сева. — Что-то я вас, девочки, не припомню.

— Не припомните, потому что лично мы не встречались. Зато у нас есть общие знакомые, верней, одна общая знакомая, — сказала Мариша. — Серафима Ильинична. Помните женщину, которую вы подбросили на ступени Кировской больницы?

— Никаких женщин я никуда не подбрасывал, — отказался Сева. — Нужно больно, пусть другие такими гадостями занимаются.

— А вот сторож Михеич почему-то вас помнит, — сказала Мариша, безбожно переврав прозвище сторожа.

Но, как ни странно, Сева сразу врубился, о ком идет речь.

— И номера на машине совершенно не обязательно было менять, — сказала я. — Мы их еще вчера срисовали и имя ваше вычислили.

— Вы ошиблись, — уверенно соврал Сева.

В ответ я помахала у него перед носом квитанцией с его фамилией.

— Может быть, тогда объяснишь, как эта бумажка оказалась у тебя? И не вздумай говорить, что тебе ее подбросили.

— Лучше объясни, что ты тут делаешь и какого черта следил за моим дядей? — набросилась на него Мариша. — И почему машина у тебя помята?

— Эй, девчонки, полегче! — остановил нас Сева. — Я за вами не успеваю. Мне бы вашу прыть. Это откуда же вы столько информации набрали?

— Грубая лесть тебе не поможет, — заметила польщенная Мариша. — Признавайся, следил за моим дядей?

— Смотря кто твой дядя, — уклончиво ответил Сева.

— Теперь он идиотом прикидывается! — возмутилась Мариша. — Если твоя пассажирка Серафима Ильинична — моя тетя, то, значит, мой дядя — тот тип на темно-синей «Ауди», которого вы выслеживали до Обводного канала.

— Теперь понял, — сказал Сева. — Да, я за ним следил. Был такой грешок.

— И куда он делся?

— Кто? Мой грешок?

— Ты прекрасно понимаешь, кто! — разозлилась Мариша. — Мой дядя, вот кто!

— А разве тебе тетя не рассказала? — удивился Сева. — Мне казалось, что ее жизни ничто не угрожает. Так что она должна была вам рассказать, кто похитил ее мужа и его любовницу, раз вы здесь.

— Допустим, она нам ничего такого не рассказала, пришлось задействовать другие источники, — буркнула Мариша. — Но я тебя поняла. Не понимаю только, чего ради ты следишь теперь за Гариком?

— А, так вы и его имя узнали! — обрадовался Сева. — Вы просто чудеса творите. Ну, а насчет того, зачем я за ним слежу, так твоя тетя наняла меня на работу, вот я и отрабатываю.

— Какой честный, — умилилась Мариша. — Но, насколько я знаю, моя тетка тебе еще ни копейки не заплатила.

— Заплатит, — уверенно сказал Сева. — Она, похоже, женщина порядочная. Раз обещала, значит, заплатит. Тем более, если к моменту ее выписки из больницы я уже смогу предъявить ей живого и здорового мужа.

Его объяснение выглядело довольно нелепо. Но если учесть царящую в стране безработицу и нищету, то Севе можно было и поверить.

— Мы тоже ищем дядю, но в отличие от тебя совершенно бескорыстно, — сказала Мариша. — Так что, если хочешь, можем объединить силы, тем более что для тебя это чистая халява.

— Девчонки вы пробивные, — согласился Сева. — Придется согласиться. Давайте знакомиться для начала.

Мы представились.

— Я так понимаю, что выбора у меня особого нет, — заявил Сева. — Если я не соглашаюсь, вы все равно продолжаете расследование и все время перебегаете мне дорогу. А то еще, чего доброго, первыми найдете своего дядю, и тогда плакало мое вознаграждение.

— Молодец, — сказала Мариша, усаживаясь в «пятерку» на заднее сиденье рядом со мной. — Теперь нам надо кое-что обсудить.

— Например?

— Например, что ты, Сева, делал вчера всю ночь?

— Минуточку, я так не согласен. Моя личная жизнь вас не касается.

— Первый удар не в твою пользу, — сказала я. — Новым компаньонам нельзя врать, иначе рискуешь, что они тебя потом всю жизнь проверять станут. Первое впечатление — самое верное.

— А в чем дело? — удивился Сева. — Я был у женщины.

— Машину тебе там же помяли? — спросила Мариша. — Неужели ты хочешь сказать, что после отъезда Гарика из кафе не проследил за ним? Я видела твою машину возле кафе «У самого синего моря». Она была тогда целехонькая.

Это был блеф чистой воды, но Сева об этом не знал и купился.

— Черт, от вас ничего не скроешь, — сказал он. — Такое впечатление, что у вас вместо глаз пюпитры.

— Ты, должно быть, хотел сказать, юпитеры, — поправила я его. — Потому что пюпитры — это такие высокие раскладные подставки, на которые кладут ноты музыканты.

— Не важно, раз мы друг друга поняли, — поморщился Сева. — Вы правы, я проследил за старшим братом.

— Так они точно братья? — обрадовалась я.

— Конечно, а чем еще объяснить такое сходство? — сказал Сева. — И у этих братьев имеется вполне процветающая фирма, которая занимается тем, что утрясает всевозможные разногласия, возникающие у бизнесменов.

— За определенную плату, — добавила я.

— Конечно, меценатством тут и не пахнет, — сказал Сева. — Деньги они зарабатывают вполне приличные. Я просто не понимаю, зачем они связались с таким рискованным и, главное, криминальным бизнесом, как похищение людей.

— А может быть, они давно уже его практиковали, — предположила Мариша.

— Не похоже, — сказал Сева. — Во-первых, действовали они непрофессионально. Вы, я, да и любой другой сразу бы вышел на их след, стоило поговорить только с Ленкиными соседями. Во-вторых, для похищения вполне хватило бы их двоих, а они вон целую армию пригнали. И наконец...

— Извини, ты все время говоришь «они то, они се», но, насколько я знаю, в похищении участвовал только младший из братьев, — перебила его Мариша.

— Дело в том, что братья прославились во всем криминальном и околокриминальном мире своей просто фантастической привязанностью и преданностью друг другу. Никогда один из них не затеет чего-то, не посоветовавшись со своим братом. Даже если тот будет заведомо против, брат все равно введет другого в курс дела.

— Понятно, — сказала я. — Но ты еще что-то собирался добавить в осуждение их решения умыкнуть дядю Валериана.

— Да, — важно кивнул Сева. — Деньги. Ни один выкуп, а особенно тот, который они смогут взять с вашего дяди, не покроет того риска, на который они пошли. Если этим делом займется милиция, то братьям не выстоять и пяти минут. И это позволяет мне думать, что они пошли на риск не ради денег.

— А ради чего?

— Этого я пока не знаю. Может быть, тут замешана любовь и ревность младшего брата.

— К этой Ленке? Но ее же поимели все, кому не лень и у кого деньги водятся, — сказала Мариша. — Из-за такой бабы ревновать? Это же никаких сил не хватит. А уж любовников ее похищать и вовсе пупок надорвешь.

— Тогда, значит, братьев о такой услуге попросил человек, которому они не смогли отказать, — уверенно сказал Сева. — Хотя мне лично эта версия нравится меньше других.

— Почему?

— Потому что в этом случае братья будут хранить молчание до последнего. И спрячут похищенного далеко-далеко. И найти вашего дядю нам поможет только счастливый случай, — объяснил Сева. — А вот если бы тут была замешана женщина и чувства — у нас с вами появилось бы пространство для маневра. Чувства, как известно, водят человека туда-сюда. Гарик начал бы сомневаться, как ему поступить с пленником, и неизбежно наделал бы ошибок. Но в любом случае Лена — самое слабое звено в цепочке. Если ее удастся расколоть, то многое станет ясно. Хотя она может и не обладать всей информацией, но что-то, безусловно, знает.

— Теперь мы будем следить за ней?

— Всему свое время.

— А что тебе все-таки удалось вчера узнать, когда ты отправился следом за старшим братом? Кстати, как его зовут?

— Дмитрий, — ответил Сева. — Его имя и имя брата мне удалось узнать довольно легко. Просто позвонил секретарше и потребовал генерального директора Филимона Андреевича. Она удивилась и сказала, что я не туда попал. Я настаивал, тогда она сказала, что их генерального директора зовут Дмитрий Алексеевич, а есть еще финансовый директор, но его зовут Гаврила Алексеевич. Я извинился и повесил трубку. А кличка у этого Дмитрия — Дикарь.

— Почему? — удивилась Мариша.

— Не знаю, так его между собой охранники называли, когда я звонил в офис.

— Ну, хорошо, и что тебе удалось узнать, когда ты следил за этим Дмитрием Алексеевичем? — спросила я. — Про Гаврилу Алексеевича можешь не рассказывать, мы и так знаем, что он провел ночь со своей Ленкой.

— Дмитрий довольно долго просидел в кафе, почти до полуночи. Мне удалось незаметно подобраться к нему, но не настолько близко, чтобы слышать, о чем он там разговаривает со своими приятелями. Но одно я могу сказать совершенно точно: у него в этом заведении большой авторитет. К нему все время подсаживались разные уголовные типы, а он со всеми разговаривал свысока, некоторым даже присесть не предлагал. А цены, я вам скажу, в том кафе! Я там оставил столько, что мне на месяц хватило бы при моей обычной жизни.

— Ты не жалуйся, ты рассказывай, — потребовала Мариша.

— Последним к Дмитрию подошел какой-то невысокого роста мужичок. Круглый, с лысой башкой — это я вам не Дмитрия описываю, а его собеседника.

— Мы поняли, — не без раздражения сказала я. — Дальше что?

— И тут Дима первый раз соизволил оторвать свою задницу от стула. Честно говоря, я удивился. Лысый был этаким аппетитным сдобненьким колобком и уж никак не производил впечатление серьезного человека, однако выходило, что я ошибся. Дикарь очень внимательно выслушал Колобка. А едва тот ушел, Дикарь расплатился по счету и что-то сказал официанту, должно быть, сделал заказ на дом, потому что уходил он с большой фирменной картонной коробкой в руках — видать, с готовым обедом.

На этом месте Сева сделал многозначительную паузу.

— Так, — не менее многозначительно произнесла Мариша, — значит, дома его поджидал кто-то, кого он собирался накормить этим обедом. Мой дядя?

— Если твой дядя, то одно из двух. Либо у Дикаря там оборудована специальная комната для пленников, либо твой дядя сидит там добровольно, — сказал Сева. — Либо за ним круглосуточно бдит охрана, и он не может подать сигнала бедствия.

— Либо он скован по рукам и ногам, — добавила я.

— По опыту могу сказать, что в таких случаях обычно ресторанной пищей пленника не кормят, — сказал Сева.

— Откуда это ты такого опыта понабрался? — подозрительно покосилась на него Мариша.

Но Сева на этот вопрос не ответил, вместо этого он сказал:

— Чтобы выйти на дядю Валериана, у нас есть два пути. Думаю, что мы пойдем по обоим одновременно.

— Не боишься? Говорят, за двумя зайцами погонишься, ни одного не поймаешь, — предостерегла я.

— Глупости говорят, — отмахнулся Сева. — Все дело в правильной организации.

Ну вот, пожалуйста! И этот заговорил про правильную организацию труда. Верный признак, что он задумал взвалить на нас всю черную работу, чтобы самому только пожинать лавры, как обычно поступают все научные руководители, пока их сотрудники в поте лица делают открытия и творят науку.

— Кто-то из вас, девочки, идет на контакт с Дикарем, а мне придется взять на себя Лену. А еще лучше, если одна из вас отвлечет на себя внимание Гарика, чтобы у меня было больше шансов подобраться к Лене незамеченным.

— Славно придумано, — неожиданно без всякого сарказма одобрила этот идиотский план Мариша.

Я сразу догадалась, что за этим последует, и не ошиблась.

— Думаю, что именно у меня есть все данные, чтобы понравиться Дикарю, — сказала моя подруга, а я мысленно себе зааплодировала.

— Очень хорошо, а Даша тогда займется Гариком, — сказал Сева.

— Почему бы тебе самому им не заняться? — буркнула я.

— У меня традиционная ориентация, — гордо возвестил Сева. — И у Гарика, насколько я понимаю, тоже.

— А я вам не сексом предлагаю заниматься, — сказала я.

— Нет, а чем?

— Ты вполне можешь его нейтрализовать каким-нибудь приемом, а мне Лена, как женщина женщине, то есть существу высокоорганизованному, расскажет больше, нежели такому грубому животному, как мужчина.

— Во-первых, я не знаю никаких приемов, а во-вторых, ты слишком высокого мнения о Ленке. Если уж кто и животное, так это именно она. Она даже школу закончить не смогла, ее за аморальное поведение исключили. Мне рассказывали.

— Такое впечатление, что ты ее всю жизнь знаешь, — сказала я.

Но Сева снова не отреагировал.

— В общем, действуем по утвержденному мной плану, — сказал он. — Ждем, пока из офиса выйдет Ленка, и я пускаюсь в бой. А вы, девочки, пудрите носики, чтобы понравиться Дикарю и Гарику, и тоже начинаете охоту. Наша цель — узнать как можно больше, а самим при этом себя не выдать. Ну, или если выдадите, то хотя бы остаться в живых.

Но первым из офиса вышел Дикарь и тут же сел в свою машину, на этот раз «Форд».

— И что мне теперь делать? — расстроилась

Мариша. — Бежать за ним и стараться неназойливо привлечь к себе его внимание?

— Не беспокойся, — сказал Сева. — Он далеко не уедет. Иди в свой «Опель», и у первого же светофора он будет твой.

Мариша исчезла, минуту спустя мимо нас промчался ее «Опель».

— Теперь наш черед, — сказал Сева.

И в самом деле Гарик с Ленкой вышли час спустя после отъезда Дикаря. Парочка загрузилась в «Форд» Гарика и покатила прочь. Мы на нашей пострадавшей «пятерке» (кстати, Сева таки раскололся, где заработал вмятину) последовали за ними. У парочки, по всей видимости, произошла размолвка, так как Гарик высадил свою подругу возле метро и даже на прощание не соизволил ее поцеловать или хотя бы помахать рукой.

— Водить умеешь? — спросил у меня Сева.

Прежде чем я успела ответить утвердительно, он выскочил из машины и был таков. Прекрасная ситуация! Мне что, по его гениальному плану следовало догонять мощный «мерс» на этой жалкой колымаге? Но, должно быть, общее безумие овладело и мной, потому что я пересела на место водителя и повернула ключ зажигания. Сразу же выяснилось, что навыки вождения, как и все прочие, если ими не пользоваться, ослабевают, а то и вовсе пропадают.

Поэтому первые несколько минут меня хватало лишь на то, чтобы избегать столкновений с другими машинами. Притом столкновений по моей вине, другие водители успевали уклоняться, когда меня уж слишком заносило или машина внезапно отказывалась двигаться. Дело в том, что свой водительский опыт я приобретала главным образом за городом, где светофоров вообще нет, а пешеходов мало. А тут и тех и других навалом.

Я намертво вцепилась в руль и, обливаясь холодным потом, молила небеса не дать мне погибнуть именно сегодня, чтобы эта колымага не стала моим гробом на колесах. Наверху мою мольбу услышали, что-то подсчитали и дали добро. Погибнуть я не погибла, зато неожиданно увидела перед собой заднюю часть Гарикова «Мерседеса». Я возликовала от такой удачи и как-то упустила из виду, что задняя часть, так меня порадовавшая, стоит на месте, а я хоть и не слишком стремительно, но все же двигаюсь.

Б-бах! У меня зашумело в ушах, и мир вокруг меня рухнул. Но оказалось, что это на меня всего лишь свалилось несколько пластмассовых игрушек — талисманы Севы, которые были очень ненадежно прикреплены к ветровому стеклу. А за окном перекатывался сочный мат. Я выглянула в окно и с удовольствием убедилась, что у Севы для охмурения Ленки будет времени, сколько душа пожелает. Я основательно повредила крыло «Мерседеса» и, кажется, разбила фару.

Чтобы выяснить, так ли это, я вылезла из машины и тут же оказалась в мощных, но не скажу, чтобы очень дружественных объятиях Гарика.

— Ты куда перла? — вопил у меня над ухом этот любимец женщин. — Ты гляделки с собой берешь, когда за руль садишься?

Я обошла машину и обомлела. Фара разбита

была именно на «пятерке», а «Мерседес» отделался помятым крылом.

— Ты мне разбил фару? — завизжала я. — Не мог подвинуться, бандит чертов. Накупили себе дорогих тачек, а ездить так и не научились.

Толпа неожиданно взяла мою сторону.

— Правильно говоришь, дочка, — сказал седоусый дядька, проезжая мимо на «семерке». — Никакой жизни от них не стало. Купят себе ржавое железо, а потом подставляют задницу, чтобы ты им в обмен новую купила.

— Я тебя сейчас самого задницу подставить заставлю! — завопил Гарик. — Моя машина еще и года не бегает. Новая, целенькая. А эта... ее помяла.

— Подумаешь, у тебя тут сплошной пластик, — не сдавалась я. — Его ткнешь, он и выпрямится.

И чтобы слова не расходились с делом, я слегка надавила пальцами обеих рук помятое крыло. Раздался легкий щелчок, и крыло выровнялось. От неожиданности Гарик заткнулся и принялся недоверчиво водить носом над своей машиной, пытаясь обнаружить место, где было повреждение. Я стояла рядом с видом скромного факира, хотя была не меньше его удивлена эффектом.

— Все в порядке? — спросила я.

— Краска поцарапана, — все еще пребывая в растерянности, заметил Гарик. — А у тебя что?

— Фара, краска содрана и помято... не знаю, как оно называется, но оно помято, — принялась перечислять я. — И еще моральная травма.

Тут Гарик впервые на меня внимательно посмотрел и неожиданно сказал:

— Я тоже виноват. Зазевался, не заметил, что ты на меня прешь. Ладно, ты не переживай, прямо сейчас отгоним твою тачку в один гараж, там у меня знакомый механик. Все за пять минут сделает.

— Что сделает? — спросила я. — Если разбирать на запчасти, чтобы оплатить покраску твоей машины, то я не согласна, хоть режь. Машина-то не моя. Не дам.

— Ты что, дура? — искренне удивился Гарик. — Нужно кому-то твое железо. Починят тебе фару и краску подправят.

— С чего это ты такой добрый?

— А я всегда такой, — бросил Гарик. — Садись в машину и двигай за мной. Только держи дистанцию.

— Какую именно?

— Думаю, для тебя и пятисот метров будет маловато, — съязвил Гарик. — Но что делать, иначе ты вообще потеряешься. Придется мне, видно, скорость сбросить.

Не знаю, что он имел в виду, когда говорил, что сбросит скорость, по-моему, так мы мчались на пределе. Но катастроф больше не случилось. Мы остановились возле небольшого автосервиса на Лиговке, и Гарик ушел договариваться со своим знакомым слесарем. Вышел он через четверть часа весь сияющий. Рядом с ним шел невзрачный мужичок в промасленном комбинезоне. Ни слова не говоря, он забрался в Севину «пятерку», выпихнул меня на улицу и загнал машину в гараж.

— За пару часов сделает, — сообщил мне Гарик. — Мастер — золотые руки. А нам тем временем не помешает познакомиться получше.

Кто знает, может быть, это начало большой любви.

— Избави бог! — пробормотала я.

Но Гарик меня не услышал, так как в это время распространялся о своих достоинствах, их у него набиралось изрядно, хватило на всю дорогу до ресторана, так что я едва челюсть не свернула, стараясь сдержать зевоту, слушая его наглое враньё. Ну хоть убейте меня, но не может человек быть одновременно добрым и ломать шеи провинившимся без всякой жалости. Быть великолепным любовником, но в постели предоставлять женщине самой делать все, ну, почти все. И не может он в течение почти двадцати минут хвастаться тем, какой он потрясающе скромный.

Заткнулся он только после того, как официант поставил на стол наш заказ. Но лучше от этого не стало. Чавкал и рыгал Гарик так громко, что люди за соседними столиками стали оглядываться, а мне оставалось только помалкивать и делать вид, что я этого человека совсем не знаю, просто угораздило сесть за один столик.

— Ты чего не ешь? — спросил у меня Гарик. — У них тут отличное мясо. Не собачатина, как в других местах. И кошку под видом кролика не подадут. Меня тут все знают.

Судя по кислым физиономиям обслуживающего персонала, его слова были чистой правдой. Насытившись, Гарик решил, что теперь можно и поухаживать за дамой.

— Ты мне сразу приглянулась, — заявил он. — Будешь моей бабой.

Как раз в этот момент я решилась отрезать и сунуть в рот кусок восхитительно сочного мяса.

Но лакомый кусок в прок мне не пошел. Меня дернуло, и мясо застряло в горле, я начала задыхаться.

— Надо же, как рада, — удовлетворенно сказал Гарик, увидев, что я не могу произнести ни слова, а только судорожно машу руками. — Вишь, даже дыхание сперло. Я думал, такое только в книжках бывает.

Наверняка я так бы и скончалась в этом ресторане, пока болван Гарик умилялся, глядя на меня. Но официант понял, что его клиентке плохо, он выждал момент, когда Гарик отвлекся, подошел сзади и слегка стукнул меня по спине. Должно быть, ресторан и в самом деле был отличным, а уж официант точно был профессионалом, потому что проклятый кусок отправился туда, куда ему и следовало, а я перевела дух и вытерла выступившие на глазах слезы.

— Не плачь! — засуетился Гарик. — Господи, бывает же такое! Ты, что ли, от счастья ревешь? Ты не актриса случайно?

Я отрицательно замотала головой.

— Вот и славно, — обрадовался Гарик. — А то я парень простой, а у них вечно какие-то выкрутасы на уме. Намучился я с ними. Но когда баба совсем уж дура, тоже плохо. Люди начинают не уважать. Мне бы вот такую, как ты. Ты мне в самый раз подошла бы. Пойдешь за меня замуж?

— Я?!

— Вот чудачка, тут же больше никого нет. Не себя же я замуж зову, — заржал Гарик. — И не его вот, — и он ткнул пальцем в официанта — моего спасителя.

Я задумалась. С одной стороны, статус невесты давал мне право лезть в его жизнь. А в нашем расследовании это могло пригодиться. Кстати, на правах родственницы я могла узнать, кого прячет у себя дома Дикарь и кому он там носит обеды.

— Я не против, — кивнула я. — Только скажи мне сначала, у тебя нет каких-то обязательств по отношению к другой женщине?

— Чего? — вылупился на меня Гарик.

Я решила пока оставить эту щекотливую тему и сосредоточиться на том, чтобы уже сегодня попасть в гости к Дикарю. Дескать, нужно же познакомиться с будущим родственником. Но моих намеков Гарик не понимал, хотя они становились все прозрачней и прозрачней...

Мариша тем временем мчалась по улицам за машиной Дикаря и проклинала на чем свет стоит самоуверенного Севу, который обещал, что она получит Дикаря на блюдечке с голубой каемочкой у первого же светофора.

Они миновали уже с десяток светофоров, но ничего подобного не произошло. Старший брат в отличие от Гарика вел машину вполне прилично — не лихачил, не рвался проскочить на красный свет, не пугал пешеходов и не сбивал маленьких собачек. Из чего Мариша сделала вывод, что Дикарь никуда не торопится и ему есть о чем поразмыслить. Так оно и оказалось. Дикарь доехал до того самого дома, куда его уже провожал прошлой ночью Сева.

Дом располагался в тихом зеленом месте неподалеку от Невы. Дикарь поставил свой «Форд» на стоянку возле пятиэтажного породистого сталинского дома и направился к нему. Охранник на стоянке подобострастно подбежал к Дикарю, чтобы лично поприветствовать его. Из этого Мариша заключила, что Дикарь и в самом деле живет здесь либо очень часто приезжает. Выйдя из своего «Опеля», Мариша принялась размышлять, где могут находиться окна Дикаря.

Неожиданно на лестнице послышался страшный грохот, и во двор выкатилось ведро с остатками мыльной воды, а следом за ведром выскочил огромный пес, ростом со здорового теленка. На шее у пса болтался обрывок поводка. Несмотря на свой гигантский рост, пес, видимо, решил порезвиться, словно маленький щенок, попрыгать и погонять ведро по асфальту. Но ему помешали злые люди.

— Стой, мерзавец! — с воплем из дверей подъезда вылетел Дикарь, прихрамывая на одну ногу, следом за ним выглянула уборщица, с ведром которой так весело забавлялся пес.

— Вот оно! — обрадовалась уборщица. — Отдай!

И она кинулась к псу. Тот оскалил ряд белоснежных клыков и грозно зарычал. Бедную тетку словно порывом ветра отнесло подальше.

— Дима, — обратилась она к Дикарю, — скажите своему чудовищу, чтобы отдал. Мне еще два дома мыть нужно.

— Пупсик, — заискивающе обратился к собаке Дикарь. — Подойди сюда. Будь хорошим мальчиком.

Но Пупсик вовсе не желал быть хорошим, он презрительно посмотрел на хозяина, повернулся и потрусил прочь, таща ведро в зубах.

— Что же это делается! — возмутилась уборщица. — Ведь это же грабеж в чистом виде.

— Вот тебе деньги, баба Аня, купи себе новое ведро, а это ему оставь, — сказал Дикарь, сунув тетке в руку несколько мятых бумажек. — Больно оно ему полюбилось. Пусть гуляет, если ему ведро надоест, я тебе его отдам. А сейчас Пупсика лучше не трогать, может порвать.

И парочка отправилась на прогулку. Уборщица ошеломленно смотрела им вслед. Мариша воспользовалась ситуацией и подошла поближе к женщине.

— Жуткая собака, — дипломатично заметила Мариша. — Впервые вижу такую. Надо же, ведро украла!

— Каков хозяин, такая и собака, — сказала уборщица. — Ничего другого нельзя и ждать. Я в этом доме всю жизнь живу, Димку еще маленьким пацаненком знала, рос отъявленным хулиганом, все жильцы были уверены, что он плохо кончит. А вон как все повернулось. Свою коммуналку, где они с братом и матерью столько лет в одной комнатушке ютились, он у соседей выкупил, им отдельные квартиры и себе трехкомнатную получил. А я как жила над ним в коммуналке, так и живу. У нас такого богатого соседа нет. И желающих расселить нашу квартиру тоже нет, может быть, потому что под самой крышей.

— У вас тоже трехкомнатная? — спросила Мариша.

— Да, у нас на площадках везде по три квартиры. Одна двухкомнатная, одна однокомнатная и в середке между ними трехкомнатная.

— А откуда у него такая собака? Как ему не запретят держать, это ведь настоящий убийца.

— Нет, вообще-то Пупсик тихий, — сказала женщина. — Только если ему что-то в башку втемяшится, то лучше не спорить, а то он обижается. Вот как сегодня с ведром. Пойду я, пожалуй, а то мне убираться нужно.

— Хотите, я съезжу вам за новым ведром? — предложила Мариша. — У меня машина. А времени много, и вам помогу, и себя займу.

— Вот спасибо, — обрадовалась женщина. — А то у меня работы невпроворот. Где уж тут по магазинам бегать. Я пока соседнее парадное подмету.

Мариша выждала, пока тетка со своими швабрами и метлами перейдет в другой подъезд, и сама поднялась на четвертый этаж, где должна была располагаться квартира Дикаря. И без объяснений уборщицы было ясно, какая из квартир принадлежит Дикарю. Две соседние двери — старые, обшарпанные и покрашены какой-то мрачно-зеленой краской, а средняя сияла красным лаком.

Вообще лестница была чистая и светлая, везде горели лампочки, стены сверкали белизной, непонятно только, почему ремонт не коснулся дверей соседей Дикаря. Но больше всего Маришу порадовали лестничные площадки, на каждой из которых могла свободно развернуться легковушка. Сразу видно, что дом строился для уважающих себя людей.

Внимательно осмотрев дверь Дикаря, Мариша пришла к выводу, что взломать ее не удастся, а значит, нужно придумывать какой-то другой способ проникнуть внутрь. А в том, что сделать это нужно обязательно, Мариша была уверена. Пока она ездила за новым ведром, на которое уборщица почему-то забыла ей дать денег, Маришу не оставляла в покое мысль, что ее бедный дядя Валериан в это время лежит скорчившись где-нибудь в квартире Дикаря, возможно, в качестве будущего обеда Пупсика. Или же его косточки уже варятся в бульоне для того же Пупсика.

Так или иначе, следовало поторопиться, потому что если дядя еще и был жив, то ему явно угрожала опасность. Мариша схватила в магазине первое попавшееся ведро и помчалась обратно, уборщица еще ковырялась в соседнем подъезде, где ремонтом что-то и не пахло.

— Быстро ты, — одобрила Маришу уборщица. — Вот что значит колеса.

— Пес еще старое ведро не вернул?

— Что ты, они теперь не меньше часа гулять будут, — сказала тетка. — Эта скотина раньше загнать себя домой Димке не позволит. Час прогулки утром, час вечером. Это у него минимум, а если хочет хорошенько развеяться, то может и дольше гулять. Ну и Димке приходится следом трусить. В руки ведь Пупсик не дается, да и силой его домой не потащишь, если упрется, то и несколько мужиков его с места не сдвинут. Димка пробовал нанимать специального собачника, чтобы тот выгуливал Пупсика, но пес его малость покусал. А когда собачник из больницы выписался, то ни о каких прогулках слышать не желал, сколько ему Димка денег ни сулил.

— Ну и бросил бы своего пса, — сказала Мариша, — раз с ним столько хлопот.

— Никогда! — покачала головой уборщица, деловито скребя лестницу. — Димка от своего кобеля просто без ума. Всякие специальные штуки ему покупает, игрушки, а обеды так из ресторана возит.

— Что?! — воскликнула Мариша. — И часто?

— В последнее время почти каждый день, — сказала уборщица. — Мне его из окон видно. Так он то пиццу тащит, то гамбургеры, то еще какую-то снедь.

— И собаку кормит?

— А кого же еще, он ведь один живет, — сказала тетка. — Жены у него нет, детей тоже. Один. Да он мне сам хвалился, что денег у него теперь столько, что может собаку одной бужениной кормить. А видели, какой он ремонт у себя в подъезде сделал?

— Это он? А я думала жэк, — удивилась Мариша.

— Как же, — поджала губы уборщица. — Станет тебе жэк новые плафоны вкручивать. Димка и сделал на свои деньги. А вот двери соседей приказал не трогать, дескать, как жили в дерьме, так и дальше живите. Это он им отомстил таким образом.

— За что?

— Да за все унижения, что ему и матери с братом пришлось от людей вынести. Отца у них не было, то ли умер, то ли что, только вся семья считалась не очень благонадежной. Оно так и было, мамаша попивала, а мальчишки росли без всякого присмотра. Конечно, хулиганили, стекла били, потом связались с такими же хулиганами, на лестницу выйти страшно было от их сборищ. Ну а сама знаешь, людям нужно на ком-то отыграться за свои обиды, вот они и нашли козла отпущения в лице матери пацанов. Дружно устроили на нее травлю. Даже выселить за сто первый километр хотели. Подписи ходили собирали. Ну а потом грянули перемены, и братья как-то удивительно быстро вверх пошли. Только их матери это уже было не важно, она от беспробудной пьянки совсем ничего не соображала. А однажды зимой заснула на лавочке возле дома, да так и не проснулась.

— А братья остались жить в этом доме?

— Гаврила переехал. Сказал, что купил себе квартиру в центре. А старший живет, ездит тут на своей дорогой машине, пускает пыль в глаза тем, кто травил раньше его мать. Думаю, что он тут из садизма остался жить, чтобы ходить красивым и богатым и смотреть, как былые враги его дружбы добиваются и от зависти дохнут.

— И дохнут?

— Чтобы насмерть, так нет, а вот несколько инсультов имелось по его вине, — сказала уборщица и внезапно добавила: — А у их матери сестра в деревне была. Она тоже не одобряла пьянчужку и братьев не любила. Всего раз приезжала, но быстро сбежала, не понравилось ей тут. Денег у нее Димкина мать попросила, так та мало того, что не дала, так еще и оскорбила. Ну, и ей Димка тоже отплатил. Верней, не ей самой, а ее детям.

— Как же?

— А вот недавно к нему его двоюродный брат из той деревни приезжал, так он его с лестницы спустил и Пупсика на него натравил. Вопил, что таких братьев, от которых навозом несет, ему не нужно. Есть у него один брат —

Гаврила, и хватит. А все прочие работяги ему здесь не нужны. Пусть обратно едет в свой колхоз грязь месить.

— Картина ясная, — сказала Мариша, в мозгу которой внезапно забрезжила догадка, как можно попасть в квартиру Дикаря или хотя бы попытаться это сделать. — Должно быть, ему тяжело в детстве пришлось, раз он так на всех обозлился.

— Это уж точно, — ответила уборщица и отвернулась, вплотную занявшись полом.

Разговор был окончен, Мариша спустилась вниз и начала прогуливаться перед домом, поглядывая по сторонам, не возвращается ли Дикарь со своим Пупсиком на поводке. В голове у Мариши одна за другой складывались фразы приветствия, которое должно было послужить ей пропуском в квартиру, а также в сердце Дикаря. Речь окончательно сложилась как раз к тому моменту, когда Дикарь показался из-за угла дома, волоча за собой на поводке упирающегося Пупсика. Мариша оформила на лице самую приветливую улыбку, на которую была способна, и шагнула вперед.

Дело о выпавшем из окна мужчине так и осталось на плечах Картохина. В следственном отделе и без того имелось множество куда более важных, поэтому такое простое на первый взгляд дело было решено оставить для расследования молодому оперу. Сам Картохин был вовсе не в восторге от этой чести. Все казалось простым только на первый взгляд. На второй и третий в нем выползали на свет божий неприятные подробности, не дающие возможности счесть его просто несчастным случаем. Ведь мог же пострадавший не удержаться на подоконнике и вывалиться на улицу. Вот и все! Ан нет.

Картохин тщетно пытался в этой истории видеть лишь то, что было выгодно следствию, но, увы, был он человеком честным и не привыкшим увиливать от трудностей. Поэтому с тяжелым вздохом и принялся выяснять, каким образом погибший мог оказаться в закрытом на ключ офисе и почему, не обратившись за помощью ни к кому, предпочел самостоятельно вылезти из окна пятого этажа.

Но для начала следовало выяснить личность погибшего. Это удалось сделать далеко не сразу. Не было даже его фотографии, которую можно было бы продемонстрировать работникам офиса на предмет опознания. Машина «Скорой помощи» увезла тело, не дождавшись милиции. С какой целью это было сделано, Картохин понять не мог. Но как бы там ни было, а тело исчезло, его же необходимо было найти. Расследование начиналось весьма нетрадиционно, и это опера не радовало. Он был, несмотря на молодость, человеком консервативным и предпочитал, чтобы все шло, как положено. А тут звони по моргам и выясняй, нет ли у них тела с улицы Попова.

То обстоятельство, что тело погибшего у следствия похищено, выяснилось только на следующий день. До этого Картохин пребывал в уверенности, что оно лежит у патологоанатома и вот-вот результаты вскрытия окажутся у него на столе. Конечно, при обычном раскладе что-то подобное вообще исключено. Но Картохин, самый молодой опер в отделе, где работали исключительно юмористы, уже привык к шуткам своих коллег, поэтому исчезновение трупа до прибытия следственной бригады он счел хоть и несколько неуместной, но все же шуткой. Он все еще ждал, когда коллегам надоест хихикать над ним и они отдадут ему фотографии с места происшествия и отчет о случившемся.

Когда же этого не случилось даже на следующий день, у него лопнуло терпение, и он отправился по кабинетам скандалить и требовать фотографии и отчет экспертизы. Коллеги только крутили пальцами у висков и ржали, чем окончательно убедили Картохина в своей причастности к делу. Он отправился к патологоанатому — единственному в отделе, кто никогда не подшучивал над парнем, поэтому Картохин сюрпризов с его стороны не ожидал.

— Что там с моим трупом? — осведомился он.

Врач недоуменно на него уставился.

— Хватит! — взвизгнул Картохин. — Если вы сейчас же не даете мне бумаги по этому делу, я иду к начальству. Пусть после этого я заслужу репутацию стукача, но и вам всем не поздоровится. Надоели мне ваши шуточки!

— В чем дело? — совершенно искренне удивился врач. — Какой еще такой «твой труп»? Тебе разве уже дела с трупами доверяют?

— Не надо прикидываться, тебе отлично известно, чей труп. Тот парень, что вылетел из окна пятого этажа на улице Попова. Скажешь, тебе сго не привозили?

— Нет, можешь сам убедиться, — сказал врач. — Вон они, все тут лежат. Иди выбирай.

Это взбесило Картохина окончательно.

— Ты отлично знаешь, что я в глаза не видел

покойника, — взвизгнул он. — Как я, по-твоему, могу его узнать?

— Ты говоришь, из окна выпал, а у меня все с огнестрельными ранениями, — спокойно сказал врач. — И по каждому уже заведено уголовное дело. Могу тебе показать. Думаю, что твое тело где-то в другом месте.

— Но что же тогда могло случиться? — возмутился Картохин.

— Могло, — сказал врач, невозмутимо прихлебывая из колбы прозрачную жидкость, по запаху сильно напоминающую спирт. — Сейчас лето, на «Скорых» подрабатывают студенты. Иногда шофер и санитар в первый раз видят труп, а врача вообще и в помине нет. Они легко могли отвезти его в любой морг и на этом успокоиться. Если люди вызвали только машину «Скорой», укомплектованную именно такой бригадой, та легко могла забрать тело, не дожидаясь приезда милиции.

— Ясно, спасибо, — буркнул Картохин и отправился обзванивать морги.

Ему удалось найти тело лишь через час. Потом он помчался в больницу.

— Тело уже опознали! — радостно заявил ему санитар. — Жена приходила.

Обрадованный тем, что хоть один вопрос решился, Картохин помчался к жене покойного. Предварительно он выяснил, что погибший был вице-президентом компании «Органикс», занимавшейся производством и распространением косметики на основе чудодейственных водорослей, которые добывались где-то в Тихом океане в районе Камчатки. Покойного звали Сергеем Даниловичем Корякиным, и жил он в просторных апартаментах из пяти комнат на улице Солидарности. Безусловно, не слишком престижный район, но дом новый, улучшенной планировки. В двух шагах находился парк. Новый район возле метро «Дыбенко» расстраивался и благоустраивался. Весь микрорайон должен был в скором времени преобразиться.

Квартира Корякиных располагалась на пятом этаже двенадцатиэтажного дома, построенного из красного и отделанного кремовым кирпичом. Картохин, который проживал в крошечной трехкомнатной хрущевке вместе с сестрой на выданье, водившей к себе женихов, родителями и парой кошек, почувствовал страшную зависть.

— Я занимаюсь делом вашего мужа, — заявил Картохин красивой женщине с усталым лицом и добрыми глазами, открывшей ему дверь.

— Я не замужем, — сказала женщина. — Вы, должно быть, ошиблись. Я экономка. Хозяйка в гостиной, прошу вас.

Картохин зашел внутрь и обомлел. По долгу службы ему пока не часто приходилось бывать на квартирах потерпевших, поэтому он не успел еще осознать величину пропасти, которая разделила наше пестрое общество. Но в этот момент он ее осознал, сравнив эти хоромы со своей жалкой халупой. Он пошел по казавшемуся нескончаемым коридору и скоро заблудился.

Кроме комнат, ему попадались еще какие-то просторные холлы, стенные шкафы и встроенная мебель, так что найти гостиную он смог лишь после того, как экономка сжалилась над ним и проводила к хозяйке. На диване перед те-

левизором сидела молодая женщина. Она щелк-
нула пультом и поднялась ему навстречу. Картохин с удивлением обнаружил, что хозяйка очень
похожа на свою экономку. У нее были такие же
усталые добрые глаза, а одета она была в непри-
тязательные джинсы и какую-то вылинявшую
футболку.

— Я занимаюсь делом вашего мужа, — повторил он. — Ведь вы жена Корякина Михаила?

Женщина утвердительно кивнула и опустилась на диван, жестом предложив оперу сесть в
одно из мягких кожаных кресел.

— Меня зовут Надя, — сказала женщина. —
Если хотите, то курите. Пепельница возле вас
на столике.

Картохин огляделся по сторонам, но единственное, что могло играть роль пепельницы,
была пустая банка из-под пива. Он взял ее в
руки и убедился, что это и есть фарфоровая пепельница, мастерски сработанная под пивную
банку «Хольстен».

— Вы знаете, почему ваш муж мог оказаться
в том доме на улице Попова? — спросил он у
Надежды.

— Нет, я не была в курсе дел мужа, — сказала женщина. — С тех пор, как он пошел работать в эту косметическую фирму, он перестал
делиться со мной своими проблемами.

— Он стал скрытен? — уточнил Картохин.

— Не то чтобы скрытен, просто у него оставалось слишком мало времени, чтобы подолгу
болтать со мной. Грех жаловаться, он стал хорошо зарабатывать. Слишком хорошо, чтобы у
меня была необходимость продолжать работать.
Он сказал, что жене вице-президента не при-

стало просиживать в библиотеке, и мне пришлось уйти. До сих пор жалею, тогда я чувствовала себя нужным человеком, а сейчас не знаю, что я или кто я... Все по дому делает моя экономка. Дети уже взрослые.

— У вас взрослые дети? — удивился опер.

— Разве не похоже, что мне уже под пятьдесят? — улыбнулась женщина. — Приятно, конечно. Но за деньги можно все. Несколько операций, тренажерный зал и липосакция раз в два года. И вот уже двадцать лет летят долой. Только что с того?

— Значит, ваш муж стал реже бывать дома?

— Не то слово, — снова кивнула Надежда. — Я его почти совсем не видела. Он возвращался поздно и таким измотанным, что сразу же заваливался спать. А уходил рано и всегда торопился, так что мы едва успевали переброситься несколькими словами.

— Скажите, мой вопрос может вам показаться бестактным, но у вашего мужа не было любовницы?

Ему так показалось, или женщина действительно вздрогнула.

— Почему вы так решили? — пробормотала Надя.

— Когда мужчина, будь он нищим или миллионером, начинает погуливать, симптомы всегда оказываются одинаковыми, — сказал Картохин.

— Может быть, — сказала Надежда. — Я не могу сказать точно. Но на тех презентациях, где положено бывать женам директоров, муж всегда был со мной.

— Но таковых в последнее время становилось все меньше и меньше, не так ли? — уточнил Картохин.

— Вероятно, да... Но я не вела точных подсчетов.

— А что могло его связывать с охранной фирмой, находящейся на улице Попова? — снова спросил Картохин. — Ведь что-то заставило его оказаться там?

— Выясняйте это у мужа на работе, — сказала Надя. — Вероятно, они имели с той фирмой какие-то общие дела. Я не в курсе. Но в морге мне сказали, что мой муж погиб в результате несчастного случая и никакого расследования по факту его смерти не ведется. Выходит, они ошиблись?

— Ошиблись, — заверил ее Картохин. — Нам ещё предстоит уточнить, один ли был ваш муж в офисе в тот момент, когда с ним случилось несчастье.

— Вы хотите сказать, что моего мужа могли убить? — побледнела Надежда.

— Этого я вам пока сказать не могу. Будущее покажет. А пока спасибо вам, — поблагодарил Картохин вдову. — К сожалению, тело вашего мужа вы сможете забрать не раньше, чем через несколько дней.

— Я не тороплюсь, — вздохнула женщина. — Теперь это уже не важно.

От жены погибшего Корякина опер узнал адрес фирмы «Органикс» и немедленно направился туда. На кабинете Корякина уже висела табличка с другим именем. Такая оперативность заставила опера призадуматься. Жена узнала о смерти мужа утром, он сам всего несколько часов назад, а руководство фирмы уже успело назначить преемника, который к тому же занял кабинет и поменял табличку на дверях.

В бывший кабинет Корякина опер не пошел. К чему? Ведь там шел ремонт и устанавливалась новая мебель. Он прямиком направился к начальнику отдела кадров. Тут эта должность называлась — менеджер по кадрам. В кабинете сидела симпатичная женщина лет сорока, не идущая на экстремальные меры, чтобы побороть свой возраст, но тем не менее следящая за своей внешностью.

— Корякин! — воскликнула она. — Конечно же, я его знаю! Как же я могу не знать человека, который работал в нашей фирме почти со дня ее основания.

— И давно она основалась? — осторожно спросил опер.

— Уже пять лет, — гордо сообщила менеджер. — Корякин одним из первых поверил в нашего основателя. Кажется, они вместе учились. Точно я не знаю. Но дело у них пошло. Общество у нас считается акционерным, но на самом деле уже давно все акции сконцентрированы в руках двух человек — Корякина и нашего генерального директора Николаева. Остальные несколько процентов находятся в руках у мелких акционеров, но те погоды не делают. Все дела фирмы вершили эти двое.

— И к кому теперь перейдут акции?

— Думаю, что к жене Корякина, — удивилась менеджер. — Он ее очень любил. Хотя в последнее время между ними явно наметилась трещина.

— Что вы имеете в виду?

— Ничего серьезного, обычный кризис среднего возраста, — сказала менеджер. — У Корякина появились молоденькие секретарши. Ничего с уверенностью я сказать не могу, но менялись они подозрительно часто.

— Ну и что? Должно быть, они были не слишком профессиональны, вот он их и увольнял, — лицемерно предположил Картохин.

— Да, — иронично улыбнулась менеджер. — Они вели себя слишком нахально и всячески давали понять, что держат их тут не за их профессиональные знания.

— Я могу побеседовать с последней секретаршей?

— Можете, — кивнула менеджер. — Тем более что она перешла по наследству к заместителю Корякина.

— Но в кабинете у Корякина идет ремонт, где же мне найти эту девушку?

— Лидка наверняка в бывшем кабинете Шведова.

— Шведов — это бывший заместитель Корякина? — уточнил опер.

— Точно, — кивнула менеджер. — Такой неприятный тип, но вы сами все увидите. Уже и табличку поменял. Я едва не упала, когда сегодня утром увидела. Никто еще знать ничего не знал, а табличка уже была другая, и в кабинете шел ремонт.

— Назначить Шведова на его нынешнюю должность мог, конечно, только Николаев? — спросил опер.

— Да, но только после заседания совета акционеров, — ответила менеджер. — И я очень удивлена, что Николаев пошел на это. Он ведь знает, что Надя может возразить против такого решения. Ей Шведов никогда не нравился.

После разговора с менеджером Корякин отправился к Лиде. Секретарша оказалась хорошенькой девушкой лет восемнадцати-двадцати. Пухленькой, смешливой и очень недалекой. Глазки у нее были маленькие, рот большой, а фигура несколько расплывчатой. Так что особой красотой девица не отличалась. А после нескольких фраз становилось ясно, что девица провинциалка, приехала в столицу откуда-то из степей Украины.

О своем бывшем шефе Лида отзывалась хорошо. По ее словам, он был не очень требователен, дарил ей мелкие подарки и никогда не забывал брать ее на презентации.

— А с его женой вы знакомы?

— С этой старой теткой? — презрительно скривила губки Лида. — Вот уж скучная особа. Не пойму, зачем он на ней женился и почему терпел так долго? И представьте, еще и ревновала его, вот потеха. А чего ревновать, если он твердо решил от нее уйти и жениться на мне.

— О?! — поразился опер. — Так его смерть явилась для вас тяжелой потерей?

— Что? — презрительно хмыкнула Лида.

— Близкий человек ведь умер, — пояснил ей опер.

— Да у меня таких близких, — выдохнула Лида. — Вот если бы женился, тогда другое дело. А так... Я уверена, что это его жена прикончила. Должно быть, наняла кого-нибудь. Ведь ей после развода шиш с маслом причитался бы, а сейчас она всеми деньгами завладела.

После беседы с секретаршей в самый раз было бы сходить в баню, чтобы отмыться от той грязи, которая плескалась в душе девушки Лиды.

Но Картохин ограничился тем, что тщательно вымыл руки и лицо с мылом и отправился на беседу к Николаеву. Тот оказался на месте.

— Догадываюсь, зачем вы пришли, — грустно сказал он. — Сережа был моим единственным другом. Мы уже долгое время трудились бок о бок. Теперь я даже не представляю, кто сможет его заменить.

Вот этот человек действительно страдал. Искренне и глубоко. Жена Корякина тоже страдала, но оперу показалось, что не столько из-за смерти мужа, сколько из-за того, что было с ней связано. А вот Николаев переживал именно потерю близкого человека, соратника.

— Но вы ведь уже назначили его преемника? — сказал Картохин. — Некоего Шведова.

— Временно. Только потому, что он единственный, кто в курсе дел Сережи, и потому он самая подходящая кандидатура. Но еще не было собрания акционеров, которое вправе утвердить его на этой должности.

— Но он уже поменял табличку!

Картохину показалось, что эта новость удивила Николаева, но он только рукой махнул.

— Табличку поменять недолго, — сказал он. — Трудно найти нужного человека. Я вообще сомневаюсь, что мне удастся найти замену Сережи.

— Почему?

— Видите ли, он был посвящен в некоторые тонкости нашего бизнеса, которые я могу доверить только абсолютно надежному человеку, которому доверял бы как самому себе. Сережа был именно таким человеком, а Шведов... Так что зря он табличку поменял.

— Скажите, Корякин по делам вашей фирмы мог иметь какие-нибудь контакты с охранной фирмой «Барс»?

— Впервые слышу, — удивился Николаев. — Нас охраняет фирма «Полюс». Мы сотрудничаем с ней уже много лет, и я не вижу причины, по которой мы должны были бы отказаться от их услуг.

— А Корякин не мог на свой страх и риск затеять переговоры с другой фирмой?

— Это полностью исключено, — сказал Николаев. — Охрана и производство были на мне. Миша занимался вопросами поставки и экономической частью.

— Ему, наверное, часто приходилось ездить за сырьем? И перевозить с собой крупные суммы денег?

— Нет, у нас крайне редко бывал перебой с сырьем, — покачал головой Николаев. — Лично я могу вспомнить лишь один случай, да и то хватило двух телефонных звонков в Магадан, чтобы исправить положение. Никуда ехать не пришлось. И деньги мы всегда переводили через банк.

— А в личной жизни у него все было благополучно?

— Более или менее, — сказал Николаев. — Он был женат на чудесной женщине, лично я мог бы только мечтать о такой жене. Но, как часто бывает, мы не ценим того, что имеем. По-моему, Сережа слишком привык к Наде, перестал уделять ей внимание. У него было несколько интрижек с девочками, которые работали в разное время в нашей фирме. Последнюю его подружку вы, должно быть, уже видели. Ни одна из них не могла претендовать на что-то серьезное.

— То есть разрушать свой брак он не собирался?

— Насколько я знаю, нет, — сказал Николаев.

После этого разговора Картохину оставалось уповать только на визит в фирму «Барс». Особой надежды, что там ему помогут, у него не было, но все-таки стоило выслушать от руководства фирмы какие-то версии того, почему господин Корякин выпал именно из их окна. Вчера ему плели сущую чепуху, что, мол, этот господин тайком проник в помещение фирмы, с непонятной целью спрятался в подсобном помещении, где хранилась бумага для ксерокса, а потом, дождавшись, пока сотрудники фирмы покинут помещение, он подошел к окну и выбросился из него.

Картохин решил дать директору время придумать что-то более внятное и назначил на сегодня встречу, от которой зависело, будет заведено дело по умышленному убийству, признана ли будет кончина Корякина самоубийством, или все спишут на несчастный случай. Для сегодняшнего разговора очень бы пригодились результаты вскрытия, поэтому опер заехал в покойницкую, где врач деловито ковырялся в очередном трупе.

— А, явился! — обрадовался он Картохину. — Зря ты про меня так плохо подумал. Видел я твой труп. Сразу сказать трудно, но, похоже, ничего в нем криминального нет. Никаких признаков того, что его насильно выпихнули из окна, я не увидел. К тому же уровень алкоголя в крови лишь немного выше нормы. Повреждений, которые бы погибший получил незадолго до смерти, тоже не видно. Хотя при падении получилась сплошная каша, так что точно сказать трудно. Но сопротивляться он не сопротивлялся. Если ты сможешь догадаться, как можно выпихнуть из окна крепкого и здорового мужика, чтобы он при этом не вопил благим матом, не сопротивлялся и при этом был трезв, то заводи дело по факту убийства.

— А наркотики?

— Это я смогу тебе сказать через пару часов. Все! Ты извини, но у меня дела.

С этим и пришлось Картохину отправляться в «Барс». Начальство отсутствовало, и Картохину не оставалось ничего другого, как побеседовать с персоналом фирмы. Разумеется, все в один голос подтверждали вчерашнюю версию директора. Что погибшего они видели один раз. Вчера в середине рабочего дня погибший, которого они видели впервые, зашел в офис, а потом куда-то исчез. Но тогда они не придали значения этому факту. Народу у них ходит много, за всеми не уследишь.

В полном отчаянии Картохин сунул под нос молоденькой и хорошенькой, похожей на Барби секретарше фотографию погибшего Корякина, на которой тот был запечатлен со своей женой. Фотографию эту опер позаимствовал в квартире Корякина, разумеется, без ведома вдовы. Вообще-то ему Надежда на фотографии была совсем не нужна, он даже подумывал, не отрезать ли ее, но стало жаль портить снимок. А отдельного изображения Корякина в доме он не увидел, так что выхода не было.

— Видели вы этого мужчину? — спросил у двойника Барби Картохин.

Секретарша взяла фотографию холеными пальчиками с фиолетовым маникюром и оценивающе посмотрела, но не на фотографию, а на самого Картохина. Вообще-то женщинам редко нравилось созерцать его, но эта девушка оказалась исключением.

— Вы из милиции? — с почтением спросила она. — Мой папа тоже работает в милиции. Он инспектор ГАИ. Уверен, что я должна выйти только за милиционера, а иначе грозится лишить меня и маму наследства и все отписать своей любовнице.

— И вы так спокойно об этом говорите? — удивился Картохин.

— Ничего не спокойно! — возмутилась девушка. — Знаете, какой у меня папка богатый. Да я повешусь, если все достанется этой стерве. А все идет к тому. Если я в ближайшие полгода не выйду замуж за милиционера, то всю жизнь придется вкалывать за гроши.

— Ничего, вы такая красавица, что подцепите себе богатого мужа, — утешил ее Картохин. — Совсем вам не обязательно идти за бедного мента.

— Вы не понимаете, — с досадой сказала девушка. — Одно дело, если я сама буду хозяйкой своим деньгам, а совсем другое, если мне каждый доллар придется клянчить у мужа. А когда я состарюсь, он просто заведет себе молоденькую подружку, а меня вышвырнет пинком под зад. Мой папаша еще благородно поступил, хоть какой-то шанс нам с матерью дал, другой бы просто слинял с деньгами к молоденькой. Знаете, сколько я тут таких историй услышала!

— Неприятно, когда мужчины поступают таким образом, — согласился опер. — Но вы все-таки посмотрите на фотографию.

— Так вы моим предложением не заинтересовались? — спросила девушка.

— Не знаю даже, — растерялся Картохин. — Я думал — вы в шутку.

— Какие шутки! — возмутилась девушка. — Я могу потерять без малого семьдесят тысяч.

— Сколько? — поразился Картохин, одновременно подумав, что сглупил и нужно было прорываться в ГАИ.

— А вы как думали. Считайте, — сказала девушка. — Две иномарки. Одна у нас уже три года, но не битая, так что тысяч пять за нее и сейчас выручить можно. Вторую машину папаша вообще недавно купил. Отвалил за нее пятнадцать тысяч. Уже двадцать. Потом дача на заливе и участок при ней в двадцать соток. Стоит на самого скупого покупателя никак не меньше двадцати пяти тысяч. Вот и сорок пять. Потом квартира, которая на папу приватизирована. Еще двадцать тысяч. Ну и комнату он недавно купил в коммуналке. Хочет потом эту коммуналку к рукам прибрать. Я еще не считаю денег, которые у папаши в загашнике лежат.

— И все это он вам оставит, если вы замуж за мента выйдете? — удивился Картохин. — И вы ему верите?

— У меня папашка, конечно, сволочь, но слово он всегда держит, — сказала девушка. — Половину точно оставит. Я имею в виду и имущества, и денег. Так вы согласны? Если согласны, то я вам отдаю одну из машин или покупаю равноценную. Могу даже ту, что подороже. И к тому же я сама не уродина, но если хотите, то никакого секса не будет. Лишь бы вы в присутствии папаши делали вид, что безумно в меня влюблены.

— Я должен подумать, — сказал Картохин. — А вы пока фотографию все-таки посмотрите.

— Думайте, — кивнула девушка и уставилась на снимок.

Прошло несколько минут, а девушка неотрывно смотрела на фотографию. Картохин не решался отвлечь ее, помешать. Наконец осторожно спросил:

— Ну как? Узнаете?

— Я думаю, — буркнула девушка. — Скажите, а если бы я вам кое-что рассказала про этого мужчину, вам бы это здорово помогло?

— Еще бы!

— Но меня, вероятно, за эту болтовню уволят с работы, если чего не похуже, — сказала Барби. — И уволят так, что потом ни в одну фирму не возьмут. Вы понимаете, к чему я клоню?

— Честно говоря, не совсем, — сказал Картохин.

— Господи, я же вам все так подробно про странности моего папаши рассказала: ну что он собирается уйти от нас к молодой любовнице, но, как человек порядочный, не то что другие, согласен оставить все нажитое, если только я...

— Понял, понял! — вскричал Картохин. — Не нужно повторяться.

— Так если я помогу вам и меня из-за вас уволят, то вы мне поможете?

— Это жениться, что ли? — ошарашенно спросил Картохин.

— Ну да, — кивнула девушка. — Я ведь не уродина, просто все пугаются, когда я им правду начинаю рассказывать. Думают, что я над ними издеваюсь. Я могла бы провести какого-нибудь мента, но не хочу человека обманывать, а тем более будущего мужа. Он ведь мне не простит, когда все раскроется, верно?

— Думаю, что разочарован он будет сильно, — подтвердил Картохин.

— Вот поэтому я и рассказываю, как есть, а мне не верят. Но вы-то мне верите?

— Верю, — машинально сказал Картохин. — Если вы мне поможете в этом деле разобраться и объясните, почему погибший пришел к вам, я на вас женюсь. Честное слово!

— Я вам верю, — сказала девушка. — Хоть вы и не вполне в моем вкусе, но у вас глаза честные. Ну так слушайте. Этот ваш на фотографии вовсе не сам сюда пришел, его принесли.

— Как принесли?

— Обыкновенно. Связали, мешок на голову, рот заткнули и в коробке от телевизора принесли. Знаете, огромный такой телевизор. Наши недавно купили, вот в ней теперь и носят. А раньше приходилось то в линолеум заворачивать, то в сумку запихивать.

— Как?! Вы его уже не первый раз сюда приносите?

— Этого первый, но были же и другие, — объяснила девушка. — Кстати, меня зовут Роза.

— Очень приятно, — машинально буркнул Картохин. — Виктор. А кто эти другие? Они тоже погибли? Почему же нам ничего об этом не известно?

— Нет, с другими все в полном порядке, — заверила его девушка. — С этим тоже все нормально было бы, только он каким-то образом освободился и, когда все наши ушли, поперся к окну на свободу проситься. Но, должно быть, поскользнулся или снотворное все еще действовало, так что он не сумел удержать равновесия, вот и вывалился.

— Ничего не понимаю, — сказал Картохин. — А зачем его сюда принесли?

— Ну как сразу-то скажешь? Это ведь длинная история. Если рассказывать, то я должна быть совершенно уверена, что вы на мне женитесь не позней конца месяца. А то я уже заметила, что нами заинтересовались, с чего бы это вы у меня так долго сидели. Так что вы уж, пожалуйста, еще разок подтвердите свою готовность жениться, так мне спокойней будет.

— Вы не волнуйтесь, до конца месяца мы обязательно поженимся. Если хотите, то прямо сегодня и отдадим заявление в загс. Паспорт у меня с собой.

— Это хорошо, — одобрила Роза. — Только сначала я должна вас своему папе показать, чтобы потом не выяснилось, что зря старались. Вдруг он в вас какой-то скрытый дефект углядит.

— Ладно, — покорно согласился Картохин. — Так что там за история?

— Начался этот бизнес давно и случайно, — начала рассказывать Роза. — Однажды к нам забрела какая-то гражданка среднего возраста вся в слезах. Мы тогда арендовали офис в полуподвальном помещении, должно быть, она нас перепутала с туалетом, потому что глаза у нее от слез совершенно распухли. Но наш Дима женских слез видеть не может, поэтому сразу же пригласил женщину к себе, и они о чем-то долго говорили. Не знаю, что уж он там ей сказал, только ушла она от него, помолодев лет на десять и с надеждой в глазах. А через несколько дней принесли первого мужика.

— И что?

— И спрятали в кладовке. А всем нам Дима выдал премиальные и посоветовал держать язык за зубами. Дескать, мы все участвуем в добром деле, а добровольно или нет, это уж как мы хотим. Только лично он никому протестовать не советует. Никто и не стал. Диму у нас уважают.

— А мужчина?

— А мужик полежал в кладовке пару дней, что ему станется, а потом отвезли за город и там отпустили.

— Почему за город?

— Представьте, как он после двух дней в чулане, когда к нему никто не заходил, выглядел? — объяснила Роза. — А там он мог помыться и вообще прийти в себя и хорошенько подумать. Тогда тоже лето было, так что он не замерз. Вот и пошло. Та женщина рассказала о нас своим подругам, и Диме пришлось расширить помещение и взять к себе брата, потому что он один уже не успевал принимать посетительниц, желающих таким образом припугнуть неверных мужей.

Картохин слушал и не верил своим ушам.

— А неделю назад к нам пришла вот эта женщина, — сказала Роза, указывая на фотографию, где были запечатлены Корякин и его жена Надежда. — У нее была точно такая же проблема, что и у всех наших клиенток. Она подозревала, что ее муж начал гулять, и боялась, что он ее бросит, а она на старости лет останется одна и без гроша в кармане.

— И что вы с ним сделали?

— То же, что и с остальными. Сначала наши детективы выясняют, точно ли у клиента есть любовница. А если их несколько, то какая самая любимая. А потом на него нападают ребята Гарика, а сам Гарик выступает в роли ревнивого любовника. Ну и этого мужика немного попугали, в красках обрисовали, что с ним сделают, а потом связали и привезли сюда. Через пару дней его должны были выпустить, посоветовав вернуться к жене и больше не искать счастья на стороне. Потому что в другой раз ему может так уже и не повезти.

— И это что, срабатывало?

— Обычно да, — пожала плечами Роза. — А если не срабатывало, то мы могли по гарантийному обязательству еще раз сцапать неверного мужа, только тогда ему уже было не так спокойно лежать у себя в чуланчике. Так что третьего раза никогда не требовалось. Но в этот раз получилась осечка. Просто удивительно, как этому мужику удалось освободиться. Может быть, он в молодости увлекался фокусами? И умел освобождаться от наручников? Не знаю, но в любом случае он должен был в милицию звонить, чтобы она приехала и его спасла. А он зачем-то поперся к окну, чтобы его спасали прохожие. Просто идиот! И вот теперь у нас из-за него проблемы.

— Я понял, — сказал Картохин. — И это все?

— Все, — пожала плечами Роза. — А теперь пошли ко мне в гости, Гарика с Димой сегодня все равно вы не дождетесь, они сказали, что в офис не приедут, так как не желают разговаривать с милицией, то есть с вами.

— А где же мне их найти? — растерянно спросил Картохин у невесты.

— Если ты будешь хорошим мальчиком и понравишься моему папе, то я тебе скажу, — улыбнулась Роза и стала чертовски хорошенькой.

Обалдевший от всего, что сегодня на него свалилось, Картохин послушно вышел из офиса под руку со своей красавицей-невестой и отправился знакомиться с будущим тестем.

Мы с Гариком доели мороженое со свежими фруктами, которое заказали на десерт, и, кажется, достигли полной гармонии отношений. Во всяком случае, я выпила достаточно крепкого вина, чтобы манеры Гарика перестали ежесекундно вгонять меня в краску.

— Так мы едем ко мне на «Ветеранов»? — спросил Гарик в сотый раз.

— Едем, — решилась я.

— Тогда я мигом, — сказал мой жених. — Нужно один вопрос уладить.

И, достав свой мобильник и потыкав в кнопочки, он деловито закричал в трубку:

— Ты, слышь, сваливай с хаты. Мне она самому нужна!

Кажется, в ответ его послали ко всем чертям, потому что Гарик раздулся от возмущения.

— Ты с кем разговариваешь! — завопил он. — Ты хоть соображаешь!

Трубка что-то прокричала в ответ.

— А меня не... куда ты поедешь, — продолжал вопить мой жених. — У тебя квартира своя есть, там и живи. Какие еще менты? При чем тут ты? Ты жертва похищения, тебе что, не ясно?

После этих слов мне уже стало ясно, что разговаривает он с Ленкой, приказывая той собирать вещички, а Ленка отказывается.

— Отвезли куда-то в лес, тебя высадили, а твоего дружка увезли дальше. Пока ты с себя веревки стягивала и повязку с глаз снимала, никого уже рядом не было. Так что ты ничего не знаешь, никого не видела, — объяснил все Гарик.

Трубка еще что-то прошелестела.

— Какие тебе еще деньги? — возмутился Гарик. — Благодари бога, что я тебя вообще не пристукнул, когда застал вас вдвоем. И что ты, хотел бы я знать, в этом старом осле нашла? Ах, не мое дело?! Ну так знай же, я женюсь и сейчас еду к себе домой со своей невестой. Так что проваливай!

В ответ ему было сказано нечто такое, что он не сдержался и швырнул трубку в чашу со льдом, стоящую на столе.

— Проблемы? — деликатно осведомилась я.

— Никаких проблем, — заверил меня Гарик. — Просто съездим, если не возражаешь, сначала к моему брату. Познакомлю тебя с ним, а квартиру пока освободят.

— Отлично! — совершенно искренне обрадовалась я. — К брату так к брату. А вы с ним похожи?

— Очень, — кивнул Гарик. — У нас даже машины одного цвета, только марки разные: «мерс» и «Форд». Мы ими время от времени меняемся, чтобы не так скучно жить было.

Мою машину было решено оставить в автосервисе, так как я ни за какие коврижки не соглашалась снова сесть за руль, да еще в полупьяном виде. Ловко разыграв неподдельное изумление и страх, я заявила, что сегодня с утра забыла права дома в тумбочке. А поэтому снова рисковать не хочу. Гарик без слов покрутил пальцем у виска и посадил меня в свой «Мерседес».

— У брата поменьше болтай, — предупредил он меня. — Мой Димка женский пол плохо переносит. Была у него с вашей сестрой одна история, еще до армии. Та шалава его бросила, за какого-то богатенького сынка замуж выскочила. Уже больше десяти лет прошло с тех пор, а Димка все в себя не пришел от женского коварства. И к женщинам всякий интерес потерял.

«Зато ты за двоих стараешься», — злобно подумала я про себя.

До дома братишки мы добрались из-за пробок лишь через час. За это время Гарик успел посвятить меня в историю своей семьи. Отец их бросил, завел себе молодую жену, а квартиру разменял. Причем, получилось так, что при обмене матери с двумя сыновьями досталась комната в коммуналке, а отцу отдельная квартира, в которой он поселился с молодой женой и куда к тому же перетащил все совместно нажитое добро. Мать и братья остались ни с чем, у разбитого корыта. Мать мальчиков с горя начала пить, отец сыновьями больше не интересовался, начисто вычеркнув их из жизни. Так что после развода родителей мальчишкам пришлось хлебнуть горя.

— А родственники вам не помогали? — спросила я.

— С отцовской стороны у нас никого не было, а с материнской лишь тетка Наталья, но она нас знать не желала. Она мать не одобряла, что та уехала из колхоза, замуж вышла и в городе живет. А когда мать пить начала, так и вовсе нас презирать начала. Она-то сама в то время богато жила, колхоз их в передовых ходил.

— Она одинокая?

— Да нет, сын у нее есть, — сказал Гарик. — Недавно являлся. Так Димка его на порог не пустил. Димка у меня вообще мстительный.

Мы поднялись на четвертый этаж и остановились возле красивой лакированной двери, снабженной камерой наблюдения и прочими прибамбасами. Мелодичный звонок оповестил мелодией Моцарта о нашем появлении.

— Кто там? — спросил женский голос из-за двери, от которого меня кинуло в дрожь, потому что мне показалось...

— Дивно, у братана баба, — удивился Гарик. — Откуда бы это ей взяться?

Мне чудилось, что я знаю, «откуда», но я предпочла до поры не комментировать происходящее.

— О, — неожиданно обрадовался голос за дверью. — Никак Гаврила!

И дверь распахнулась. На пороге стояла Мариша собственной персоной и сияла счастливой улыбкой.

— А с ним совершенно незнакомая девушка, — сказала она, глядя мне прямо в глаза.

От такой наглости я обалдела и, совершенно ничего не понимая, вытаращилась на нее.

— Да, да, — подтвердила Мариша. — В жизни ее не видела. Гаврила, ты все такой же баб-

ник, как мамка рассказывала? Все девушки у
тебя на уме.

— Это моя невеста, — машинально пояснил
Гарик.

Настал черед Мариши недоуменно таращиться на нас.

— Вот как, — немного завистливо сказала
она. — Ну, заходите.

В это время из задних помещений квартиры
появился старший брат.

— Знакомься, Гарик, — наша сеструха, —
сказал он, показывая на Маришу. — Классная
девка. Сегодня от тетки из деревни прибыла.
Буквально минуту назад.

— Не знал, что у тетки Натальи еще и дочь
была, — сказал Гарик. — Думал, что у нее только Пашка.

— Пашка, — закивала головой Мариша. —
А меня мамка всю жизнь почему-то стыдилась
и у бабки держала. Поэтому про меня мало кто
знает. Вот Пашка к вам недавно приезжал, а мне
мамка даже про вас ничего толком не рассказывала.

— Очень странно, — с сомнением протянул
Гарик.

— Ничего не странно, — вступилась я за Маришу. — История знает массу примеров, когда
матери ненавидят и сживают со свету собствен-
ных дочерей. Вот, например, девица Дурова,
про которую потом даже фильм сняли, «Гусар-
ская баллада» называется. Так ту мать даже в
грудном возрасте из окна кареты вышвырнула,
потому что ребенок раздражал ее своим пис-
ком, а пищала девочка потому, что голодная

была. Мать ее своим молоком кормить отказывалась, а детских смесей тогда еще не было.

— Ну надо же! — поразился Дикарь. — Я знал, что бабы те еще твари, но чтобы собственного ребенка...

И он подавленно замолчал.

— Это потому, что мать Дуровой хотела сына, а родилась девочка, — сказала я. — Отец взял крошку к себе на коня, и так они ехали дальше.

— И у нас похоже, — подхватила Мариша. — Меня мамка не любила. Я родилась первой. Должно быть, мамка сына хотела, поэтому меня и невзлюбила.

— Мне мать рассказывала, что у нее сестра гулена в молодости была, — задумчиво сказал Гарик. — Ты уж, сеструха, извини, но, должно быть, она тебя не от твоего папаши принесла. Коли так тебя далеко запрятала и даже никому про тебя не рассказывала. А как она сейчас?

— Померла, — ответила проинформированная уборщицей Мариша. — Потому я к вам и приехала. Думаю, раз вам Пашка не по сердцу пришелся, так, может быть, я ко двору придусь.

— Живи, раз уж такое дело, — сказал Дикарь. — Квартира большая. Только мужиков не водить, знаю я ваш род.

— Да ты что! — очень натурально покраснела Мариша. — Я вообще с мужчинами еще не встречалась. Я еще невинная девушка.

Я чуть не задохнулась от сдерживаемого хохота. Но на Дикаря ее слова произвели совершенно иное впечатление. В его взгляде, устремленном на Маришу, теперь читалось нечто среднее между удивлением и восхищением. В общем, этот дурак поверил. Ничего удивительного, мужики охотнее всего верят в беспардонную ложь. И прекрасно, что этот Димка до сих пор новую девку себе не завел. Если он всегда такой лопух, то и пусть холостяком ходит, так ему лучше будет.

— Погоди, — остановил брата Гарик. — Кто ее знает, а вдруг она никакая нам не сестра. А ты ее спокойно в дом пускаешь жить.

— Это мой теперь дом, — мрачно сказал Дикарь, и мне стало ясно, почему его так прозвали. — Кого хочу, того и пускаю. Я тебе жить не мешаю.

Слова брата напомнили Гарику, что у него дома тоже не все в порядке, и он приумолк.

— Ладно, — пробормотал он. — Ты старший, тебе видней.

— Вот именно, — сказал Димка. — К тому же она Пупсу понравилась. Он прямо от нее отойти не может.

И он показал на огромного морщинистого пса, который вертелся поблизости и только и выжидал удобного момента, чтобы протиснуться поближе к Марише. При этом его пасть была приветливо распахнута, и все его белоснежные зубы можно было при желании пересчитать.

«Ну еще бы не понравилась, — подумала я. — У Маришиных Белки со Стрелкой как раз наступил такой жизненный цикл, когда все окрестные кобели считают их первыми красавицами. А ведь свою одежду Мариша вечно по всей комнате раскидывает. Так что она должна была пропитаться их запахом. И любой нормальный пес просто не может не среагировать на это».

Но свои умозаключения я благоразумно попридержала при себе.

Мы всей компанией прошли на кухню, потому как Дикарь сказал, что мы тут все в некотором роде родственники, так что не до церемоний. Впрочем, очень скоро оба брата слиняли в гостиную, оставив нас знакомиться друг с другом за бутылкой красного вина и в компании совершенно влюбленного в Маришу Пупсика.

— Ты что, свихнулась? — прошипела я, наклонившись к Марише и опасливо косясь на пса, который ревниво наблюдал за мной. — Они же тебя в два счета раскусят.

— А что мне было делать? — пожала плечами Мариша. — Я же не знала, что тут появишься ты.

— И что тебе удалось выяснить?

— Ничего, я только успела внушить Димке, что я и в самом деле его сестра, как вы пожаловали. А ты что узнала?

— Гарик решил расстаться с Ленкой и угрожает выгнать ее со скандалом из своего дома, если она сама оттуда до вечера не уберется. А еще велел ей притвориться, что она тоже жертва похищения, как и Валериан, но деньги ей отказывается выплатить.

— Какие деньги?

— Должно быть, речь идет о вознаграждении, которое ей полагается за участие в похищении ее любовника, — сказала я.

— А где они прячут дядю, ты случайно не узнала? — спросила Мариша.

— Нет, надо же было что-то и на твою долю

оставить, — ехидно ответила я. — Может быть,
они его здесь держат?

— Я тоже так думаю, — прошептала Мариша. — Иначе кому Дикарь носит уже несколько
дней ресторанные ужины?

— Может, псу? — кивнула я на Пупсика, который не сводил влюбленных глаз с Маришиной юбки.

— И я так подумала, но ты посмотри, у него
в миске лежит сухой корм, — прошептала Мариша. — А в холодильнике пусто.

— А почему твой дядя, если они его держат
тут, не подает знаки? — спросила я. — Мог бы
поскулить или покашлять.

— Наверное, он под наркотиками и лежит в
бессознательном состоянии.

— Тогда зачем его кормить? — резонно предположила я.

На этот вопрос Мариша ответить не смогла,
и мы приступили к обследованию квартиры —
огромной, с какими-то нехарактерными высту-
пами, нишами и углами. Любой из них мог при
некоторой смекалке в темницу на одного человека превратиться. Пупсик преданно сопровож-
дал нас, помахивая хвостом и скалясь во всю
свою огромную пасть. Но как только мы приступили к простукиванию стен на предмет обнаружения в них пустот, как из гостиной вышел
Дикарь и изумленно уставился на нас.

— Вот, заскучали, — идиотски улыбнулась
Мариша. — Решили вас поискать.

— А чего нас искать? — появился за спиной
брата Гарик. — Вот они мы. А что, девочки, не
отметить ли нам такое событие? Не каждый день
находишь родственниц и любимых. К тому же

еще неизвестно, как жизнь повернется. Бизнес ошибок не прощает, кто знает, что с нами завтра будет. Поехали гульнем.

И мы поехали. Простукивание стен пришлось отложить на потом. По пути в ночной клуб мы с Маришей тщетно пытались выпытать у Гарика, что он имел в виду, говоря, что бизнес ошибок не прощает.

— Так что вы натворили? — наседала Мариша. — Кого-то не того пришили?

— Вовсе нет, — отнекивался Гарик. — Ты о нас слишком плохо думаешь. Это тебе тетка Наталья напела. А мы люди простые и добрые, никого не убиваем.

— Так что же случилось? — не сдавалась Мариша.

— Давайте говорить о приятном, — предложил Дикарь таким тоном, что мы не решились ослушаться, но так как ничего приятного нам на ум не приходило, то дальше мы ехали молча.

Севе поначалу повезло меньше всех. Лена упорно отказывалась идти на контакт. Все его попытки втереться к ней в доверие проваливались самым безжалостным образом. Лена не реагировала на предложение поднести ей сумки, не желала сказать, который сейчас час, и не хотела выпить чашечку кофе с молодым человеком, которому наскучило его одиночество. Девушка в лучшем случае лишь презрительно фыркала. Сева впал в отчаяние и уже не знал, что придумать.

Он проводил свою упрямую подопечную до кирпичной девятиэтажки на Ветеранов и уселся ждать дальнейших событий на лавочку под ее окном. Лена время от времени подходила к окну, и каждый раз Сева устремлял на нее выразительный взгляд, прикладывая для убедительности к груди руку или посылая воздушные поцелуи предмету своего обожания.

Сначала Лена испуганно отскакивала в глубь квартиры, потом захлопнула все окна, но жара сделала свое дело, и ей пришлось вновь приоткрыть створки. Но на Севу она демонстративно не смотрела. Парень совсем приуныл, но ближе к вечеру, когда он грустно сидел на лавочке и уже подумывал, что совсем никуда не годится, небеса смилостивились над ним.

— Эй ты! — раздалось у него над ухом. — Иди сюда.

Сева обернулся и увидел, что его манит к себе Лена.

— Я? — дребезжащим голосом, не веря своему счастью, спросил парень.

— Конечно, ты! — рявкнула Лена. — Чего штаны просиживать зря, иди-ка сюда, поможешь.

Сева стремительно влетел в парадное. Первая же дверь уже была распахнута, и на пороге стояла Лена в окружении многочисленных чемоданов. Вообще-то их было всего три штуки и еще одна сумка, но сначала Севе показалось, что их не меньше десятка.

— Что таращишься? — довольно невежливо осведомилась Лена. — Бери чемоданы и ступай ловить такси. Поедем ко мне.

Сева не стал уточнять, зачем им туда ехать, — ему был дан шанс войти в доверие, и он не собирался его терять. Машину он поймал быстро, Лена тоже не заставила себя ждать, и вот они уже мчались по Московскому проспекту. Адрес водителю Лена сообщила сама. Несколько странным путем они направлялись к набережной Обводного канала.

— Ну подонок! — неожиданно произнесла Лена.

— Что! — немного испугался Сева, решив, что это замечание относится к нему.

Но Лена не обращала на него никакого внимания.

— Это тебе просто так с рук не сойдет, — продолжала скрежетать зубами девушка. — Напрасно ты думаешь, что я такая дура.

«Эге, — подумал Сева, — а девушка-то с приветом. Как бы мне с ней лиха не хлебнуть».

— Я тебе еще покажу, — бормотала себе под нос Лена. — Ты у меня горючими слезами на нарах рыдать будешь.

— Я не совсем понимаю, в чем дело, — решился Сева. — Я тебя чем-то обидел?

Лена непонимающе уставилась на него.

— Вот еще! — фыркнула она. — Попробовал бы ты.

— Тогда кто тебя обидел? — спросил Сева. — Ты только скажи, и я с него шкуру спущу.

При этих словах девушка впервые внимательно посмотрела на спутника.

— Ты и в самом деле готов ради меня?..

— На все! — пылко заверил ее Сева.

— Это хорошо, — задумчиво пробормотала себе под нос Лена.

В это время машина затормозила перед знакомым ему домом. Сева вытащил из багажника все вещи, расплатился с водителем и потащил чемоданы наверх. Раскуроченная дверь нисколько не смутила девушку, она быстро отперла ее и прошла внутрь.

— Заходи, — коротко пригласила она своего кавалера. — И вещи заноси.

Сева зашел внутрь и с деланым изумлением огляделся по сторонам.

— Что тут произошло? — удивленно спросил он. — Вроде был бандитский налет?

Внезапно Лена опустилась на кровать и принялась горько рыдать. От такого вступления Сева немного растерялся.

— Это все мой бывший любовник, — прорыдала Лена, и Сева навострил уши.

Но, увы, первая фраза была единственной, которая соответствовала истине. Дальше пошло уже сплошное вранье. Сева меланхолично слушал ее и время от времени кивал головой.

— Гарик такая ревнивая скотина, — начала свой рассказ Лена. — Он не разрешал мне никуда выходить из дома без него. Представляешь, даже чтобы в магазин сходить, я должна была дожидаться его прихода и идти с ним вместе. И там я тоже должна была покупать только те продукты, которые он одобрял. А я, например, не ем рыбных палочек и вообще рыбы. Мне просто плохо от нее делается. А он заставлял меня ее покупать. Но плевать на рыбу, можно и не есть ее. Но сидеть целыми днями в такую жару в доме я не могла. Зимой еще куда ни шло, а летом уж извините. Мне хотелось и позагорать, и погулять на свежем воздухе. Скажи, разве в этом есть что-то предосудительное?

— Конечно, нет! — горячо воскликнул Сева. — Ты свободная женщина и можешь делать то, что тебе хочется.

И он придвинулся поближе к Лене. Та не стала протестовать.

— Этот человек совершенно измучил меня, — заныла она. — Он контролировал каждый мой шаг, а на прошлой неделе совсем уж обозлился, — увидел, подонок такой, что я покупаю абрикосы у продавца. Понимаешь, не у продавщицы, а у продавца. Так чуть не изувечил меня.

Тут Лена закатала правый рукав и показала шрам от ожога, явно весьма старый.

— Облил меня кипящим жиром, — пояснила девушка, и Сева зацокал языком, стараясь, чтобы это получилось у него очень сочувственно.

— Мерзавец! — воскликнул он, и Лена улыбнулась.

— Но ты же отомстишь за меня? — пролепетала она. — Ты же мой рыцарь.

— Да, — воодушевился Сева, — отомщу. Но я боюсь, ты стесняешься рассказать мне всю правду. Что еще делал этот негодяй с тобой?

— О, много чего. Он бил меня в припадке ревности. А недавно вломился в мою квартиру, скрутил меня, побросал в чемоданы мои вещи и увез к себе домой. И вот сегодня мое терпение лопнуло, и я решила покончить с прошлым. Но этот негодяй не отстанет от меня, и я не смогу начать новую жизнь с более достойным человеком.

Тут она кинула на Севу многозначительный взгляд и подвинулась к нему еще ближе. Девушка была хороша собой, Сева отметил это сразу, когда шел за ней в метро. Поэтому его выдержки, когда Лена порывисто и нежно обвила руками шею, хватило ненадолго. Он и сам не заметил, как оказалось, что страстно целует девушку, а та отвечает ему не менее страстно. А дальше началось такое, что Сева и вовсе потерял голову и почти поверил в то, что Лена влюбилась в него.

Он повалился на диван и, ощутив под собой податливое тело, страстно впился губами в ее губы. В ответ он услышал протяжный стон и окончательно перестал соображать, что к чему и почему он здесь находится. В данную минуту для него не существовало ничего, кроме этого нежного женского тела и этих горящих глаз. Вселенная сократилась до ничтожно малого размера и оказалась распростертой прямо перед ним, трепещущая и покорная.

А у Картохина дела шли не так блестяще. Его будущий тесть оказался мрачным огромным детиной с сумрачным проницательным взглядом, которым он мерил будущего родственника с ног до головы. Роза стояла рядом с опером и всеми силами старалась поддержать его, но у нее это не очень получалось. Картохин чувствовал себя первоклассником, который попался строгому завучу на своей первой в жизни школьной шалости. Точно так же, как тогда, дрожали колени и пересохло во рту.

— Так, — подытожил отец Розы, — значит, тебя моя дочь и выбрала. Ну что же, могло быть и хуже. Ты где работаешь?

Запинаясь и заикаясь, Картохин в немногих словах рассказал о себе.

— Мент, — удовлетворенно констатировал отец. — Это неплохо. Будем знакомы, Аркадий

Романович. А это моя жена — Елена Борисовна. Женщина глупая, но добрая. Будет тебе вместо матери.

Розина мама Картохину понравилась значительно больше самодура-папаши. Она была ма-
ленького роста, просто одета и с добрыми вни-
мательными глазами. Говорила тихим голосом,
опасливо поглядывая на своего великана-мужа.

— Ты совсем застращал мальчика, — укоризненно заметила она. — Вы проходите, не
стесняйтесь.

— Пройдет, когда я разрешу, а я такой ко-
манды не давал! — рявкнул на нее муж. — Ты,
парень, если думаешь, что тут тебе халява будет,
так рот не разевай. За Розой я хорошее прида-
ное даю, а что с твоей стороны?

— Папа, — возмутилась Роза. — О чем ты
говоришь?

— О самых важных вещах, о том, как твой
муженек будет тебя содержать, — сказал Аркадий Романович. — Я вот твою мать всю жизнь
дома продержал, они никогда на чужих людей
спину не гнула, а сможет ли твой так же поступить?

— Зато маме всю жизнь приходилась под тебя подстраиваться, чтобы ты всем доволен был, —
возразила Роза.

— Вот, а что худого в том? — удивился Аркадий Романович. — Муж в семье глава. А если ба-
бе слишком много воли дать, то это уже непорядок. Слышишь, зятек? Тебя как звать-то?

— Сергей, — пробормотал Картохин.

— Ну, проходи, Серега, в дом, — пригласил
его Розин папаша. — А невеста пусть к матери в

кухню идет, пока мы с тобой по-мужски побеседуем.

Картохин кинул на Розу затравленный взгляд и прошел следом за Аркадием Петровичем в тесно заставленную разнокалиберной мебелью комнату. Она и сама-то по себе была небольших размеров, но из-за напиханной в нее мебели казалась и того меньше. Картохину показалось, что из-за деревяшек, ковров и хрусталя тут вообще некуда протиснуться двум людям. Но оказалось, можно.

Аркадий Романович утвердился в просторном кресле, согнав из него кошку, а будущему родственнику кивнул на стул в углу.

— Обедать в столовую пойдем, — сказал он. — А пока в гостиной побеседуем, хочу знать, что ты за человек, кому свою дочь вручаю. Кому оставляю.

— Зачем же оставлять? — с неожиданной дерзостью спросил Картохин. — Никто вас не гонит. Оставайтесь с женой и дочкой.

— Тихо ты, разговорился тут! — рявкнул на него тесть. — Много ты понимаешь, щенок. Молодо — зелено, молоко на губах не обсохло, а туда же, учить лезешь. Мне и самому тяжело. Но доживешь до моих лет, поймешь. Только берегись, если я тогда жив еще буду, шкуру с тебя спущу.

После этого вступления несчастного Картохина посадили за обеденный стол, на котором уже дымилась супница с грибным супом, стояло блюдо с жареной курицей и несколько мисок с разнообразными салатами.

— Вы уж простите, что так скромно вас принимаем, — сказала Елена Борисовна. — Если бы Роза предупредила, что не одна придет, я бы уж расстаралась для сыночка.

«Они тут что же, каждый день так лопают? — подумал про себя Картохин. — Ничего себе влип».

— Скушай курочки, — послышался тем временем ласковый голос Розы.

И Картохин с удивлением понял, что это его угощают, а на столе тем временем появилось еще несколько тарелок с нарезанным беконом, карбонатом и бужениной, красной и белой рыбой.

— Ешь! — приказал ему тесть. — Тебе полезно, а то вон какой тощий.

Картохин послушно принялся поглощать поставленные перед ним яства, прикидывая, удастся ли ему удрать, или все-таки придется жениться.

— Поздравляю, — шепнула ему на ухо Роза. — Ты пришелся моему папе по душе. Думаю, что он разрешит нам пожениться.

— Роза, у меня расследование не закончено, — прошептал в ответ Картохин.

Его слова расслышал Аркадий Романович.

— Молодец, парень! — одобрил он. — Работа прежде всего. Чувствую, что с моей помощью ты далеко пойдешь.

— Папа, — прервала его дочь, — ну что ты торопишься?

— А чего тянуть? — удивился Аркадий Романович. — Ты ведь к нам своего жениха привела знакомиться? Это ведь твой жених?

Что-то в голосе Аркадия Романовича заставило Картохина поспешно закивать в ответ. От такого деспота можно ожидать всего, и Картохин счел за лучшее не спорить с будущим тестем.

— Так и быть, отдам за тебя дочь, — решил Аркадий Романович. — Парень ты неплохой, а что молодой и глупый, так это дело наживное. Подавайте заявление. Постарайтесь, чтобы побыстрей все сделать.

— Ладно, — сказала Роза. — Но ты помнишь свое обещание?

— Не бойся, не обижу, — буркнул отец.

— Я бы все-таки хотела уточнить, что именно ты оставишь нам, а что заберешь с собой?

— Мне вообще ничего не нужно! — неожиданно бухнул кулаком по столу Аркадий Романович. — Это вы с матерью такие корыстные, что мерзко становится, как домой придешь. А я готов голым уйти, лишь бы вы ни в чем недостатка не знали. Все, что заработал, все вам оставлю. А себя и свою новую жену я уж прокормить всегда смогу.

— Значит, оставляешь все? И машину, и квартиру, и дачу, и деньги? — еще раз уточнила Роза.

— Да, — согласно кивнул Аркадий Романович.

Картохина эта сцена заставила испытать смешанные чувства. С одной стороны, грубиян и хам Аркадий Романович не очень-то понравился Картохину, но еще больше ему не понравилось откровенное стяжательство Розы. В общем, дело было ясное: они тут все друг друга стоили, а ему нужно поскорее уносить отсюда ноги. Картохин постарался побыстрее закончить семейный ужин и распрощаться с невестой и ее родителями.

Это удалось ему далеко не сразу. Семье он полюбился, и его долго не желали выпускать.

А так как на двух дверях было больше десяти замков, некоторые из которых оказались очень сложной конструкции, то самому Картохину удрать не удавалось, разве что через окно. Но жила семья Розы на шестом этаже, а внизу он успел заметить ровную бетонную площадку, так что Картохину пришлось мужественно выдержать ритуал прощания, он успел даже выведать у Розы адрес ее начальника, а затем уж убраться из неприятного ему дома.

— Ну, бабы, — бормотал он себе под нос, — одни бандитов нанимают, чтобы те их мужей постращали, а другие, — подумал он про Елену Борисовну и Розу, — еще похлеще. Надо же, у них муж и отец навсегда уходит в другую семью, а они только и думают, как бы он с собой чего ценного не прихватил. Вот так любовь. И на такой девке еще жениться! Да упаси господь!

Картохин нанес визит по полученному от Розы адресу, но ни одного из братьев дома не оказалось. Там вообще никого не оказалось, кроме большой собаки. Что собака большая, Картохин понял по тембру ее лая и по высоте расположения царапин на двери. Но он рассудил, что какая бы собака ни была, большая или маленькая, а гулять с ней нужно. Значит, рано или поздно хозяин пса объявится. Картохин вышел на улицу, уселся на лавочку, сокрытую в густой зелени кустов, и принялся ждать.

Серафима Ильинична лежала на больничной койке и задумчиво смотрела в потолок. Собственно говоря, там не было ничего заслуживающего внимания. Несколько желтых пятен и парочка мух, деятельно предающихся разврату.

Как ни странно, именно это зрелище пробудило в Серафиме Ильиничне невиданную энергию. Она вскочила с постели и прошлась по палате.

Ее позавчера перевели в палату общей терапии, и теперь лечение заключалось в том, что ей пока не разрешали двигаться и время от времени скармливали какие-то противные желтенькие и беленькие таблеточки, от которых у Серафимы Ильиничны появлялись разные навязчивые идеи. Вот и сейчас она не могла выбросить из головы мысль, что ее любимый и неверный муж уже вернулся домой или звонит, умоляя принять его обратно, а она лежит здесь и мается дурью вместо того, чтобы достойно встречать мужика.

Больница закрывалась в восемь, но на самом деле последние посетители выскальзывали из нее ближе к десяти часам вечера, так что время на размышления еще было. Сегодня Серафиму Ильиничну навещала только сестра, а любимая племянница, обещавшая достать живым или мертвым ее мужа, болталась неизвестно где, не давая о себе знать. Это тоже спокойствия Серафиме Ильиничне не добавляло. И она приняла решение: смотаться домой, все выяснить самой, а утром вернуться обратно в больницу.

На пути этого замечательного плана имелось всего два препятствия. Первое — почти полное отсутствие одежды. Если не считать халата, тапочек и смены нижнего белья, у Серафимы Ильиничны в больнице больше ничего не было. Ту одежду, в которой ее привезли, сестра взяла домой постирать, так как она была вся в грязи. Но в конце концов на дворе июнь, тепло, так что можно было бы прогуляться в халате и тапочках.

А вот второе препятствие куда существеннее. У Серафимы Ильиничны не было ни копейки денег. И, черт возьми, ключей от квартиры! Про это тоже не следовало забывать. Ключи были у сестры, вместе с деньгами и одеждой. Серафима Ильинична заскрежетала зубами и тут же охнула от боли, проклятый протез врезался в десну.

— Этого я не потерплю! — возмутилась Серафима Ильинична. — Это уж слишком!

И она решительно направилась к выходу из палаты. В палате она лежала одна, поэтому занять денег ей было решительно не у кого. Пришлось пойти и позвонить сестре. Той не было дома. Племянницы — тоже, а ее мобильник не отвечал. Доведенная до отчаяния, Серафима Ильинична пошла на мелкую кражу. Для начала женщина заглянула в кабинет дежурной медсестры и живо обшарила карманы в висящем на вешалке халате, после чего стала обладательницей зажигалки и пары пустых коробочек из-под ношпы.

Потерпев фиаско с медперсоналом, она решила отыграться на больных. По очереди заходила в несколько палат, и наконец в одной из них Серафиме Ильиничне повезло — там никого не оказалось. Она с жадностью кинулась к тумбочке и принялась в ней шарить. Увы, тут явно лежала какая-то нищенка, деньгами в тумбочке и не пахло, зато лежали пироги с капустой. Точно такие же пекла сестра Серафимы Ильиничны.

Оглядевшись по сторонам, женщина поняла, что оказалась в своей же палате и шарила в собственной тумбочке. Взбешенная, она выскочила в коридор, и в следующей палате ей повезло больше. В тумбочке она нашла мужской бумажник с проездной карточкой на июнь. Схватив вожделенную карточку и какие-то вещи со стула, Серафима Ильинична поспешно бежала с места преступления.

Из больницы ей удалось выбраться без проблем.

— Я подышать воздухом, — сказала Серафима Ильинична охраннику.

— Не забудьте вернуться, — не без иронии посоветовал ей сонный охранник, не обращая внимания на узел в руках у странной пациентки, и снова заснул.

Серафима Ильинична рысью промчалась через фруктовый сад и оказалась возле забора. Она торопливо развернула позаимствованные вещи и с ужасом обнаружила, что все они явно принадлежат мужчине, к тому же очень большому и толстому.

— Кошмар! — простонала Серафима Ильинична, разглядывая необъятные брюки и такую же огромную рубашку, вдобавок с изрядно потертым воротничком.

Но капризничать было некогда. Серафима Ильинична с внутренним содроганием облачилась в брюки, подвернув их везде, где было можно, подвязав поясом от халата. Сверху она накинула мужскую рубашку, напрочь оторвав у нее грязный воротничок. Хорошо еще, что тапочки были обычными пляжными шлепанцами, в каких можно и по городу пройтись.

— Хороша бы я была, если бы сестра принесла мне мои любимые, пушистые, с кошачьими ушками, — сказала Серафима Ильинична самой себе. — А вещи и деньги я владельцу потом верну, — клятвенно пообещала она.

Перебраться через забор и добежать до метро было для Серафимы Ильиничны делом нескольких минут. Сотрясение мозга совершенно не мешало ей жить и действовать. Первым делом Серафима Ильинична направилась к сестре, чтобы забрать у нее ключи от квартиры. К счастью, сестра была уже дома.

— Ты?! — поразилась она. — Почему в таком виде?

— Почему, почему, — злобно передразнила ее Серафима Ильинична. — Потому что кто-то забрал мою одежду, да так и не принес.

— А, это... — смешалась Тамара Ильинична. — Да, я взяла, но я никак не думала...

— А надо было бы! — закричала Серафима Ильинична. — Бросили меня там, в больнице, голую и без денег, а я знать ничего не знаю, что тут происходит. Где твоя дочь? Удалось ей что-то узнать про Валериана?

— Если Мариша обещала что-то сделать, то она сделает, — с достоинством ответила Тамара Ильинична.

— Я не могу ждать. Может быть, Валериан уже мертв или умирает в этот момент, — простонала Серафима Ильинична. — Я немедленно иду в милицию.

Насилу Тамаре Ильиничне удалось уговорить сестру не пороть горячку, а сначала съездить к себе домой и привести себя в порядок.

— Ты сейчас так плохо выглядишь, что в милиции тебя даже и слушать не станут, — внушала она сестре. — И Мариша может до утра что-то сообщить. В любом случае нужно посмотреть, может быть, похитители оставили записку в дверях или опустили ее в почтовый ящик.

— Это правда! — согласилась Серафима Ильинична. — Поеду домой.

— Я поеду с тобой, — сказала сестра. — Ты в таком состоянии, что того и гляди под машину попадешь. А заодно расскажу тебе, что Марише удалось узнать за это время.

И обе женщины вышли на улицу и принялись ловить такси, так как Серафиму Ильиничну внезапно оставило возбуждение, которое помогло добраться до сестры, и она почти падала, лишившись последних сил.

— Куда тебе в милицию идти, — твердила сестра, — тебе лежать нужно. Вся бледная и осунулась. Смотреть страшно. Похудела, зубы даже просвечивают.

Это было последней каплей. Узнав, что проклятый протез теперь виден, даже когда она держит рот закрытым, Серафима Ильинична откинулась на спинку сиденья в такси и потеряла сознание. Пришла она в себя лишь от телефонного звонка. Открыв глаза, она осмотрелась и увидела, что лежит дома, а трезвонит ее собственный телефон, стоящий под боком. В тот момент, когда она, осознав все это, взяла трубку, из кухни примчалась сестра с выпачканными в муке руками.

— Алло, — сказала Серафима Ильинична.

— Боже мой, наконец-то у вас кто-то снял трубку! — закричал взволнованный женский голос. — Серафима Ильинична, дорогая, только не вешайте трубку. Мне обязательно нужно с вами поговорить. Скажите, где ваш муж?

— Вы кто такая? — не очень вежливо спросила Серафима Ильинична.

— Я Софочка, — ответил тонкий женский голосок.

— Какая еще Софочка и что вам нужно от моего мужа?

— Как это какая Софочка? Я заместитель вашего мужа. Помните, мы еще с вами встречались на презентации по случаю открытия нового филиала нашей фирмы. Мы с вами беседовали о Гогене.

— О Гогене? — ошарашенно переспросила Серафима Ильинична.

Она старательно принялась вспоминать, кто такой Гоген и почему она о нем разговаривала. Действительно, смутно припоминалась какая-то презентация, на которую ее потащил Валериан. Но это было несколько лет назад. Да-да, и в самом деле там к ней подлетела какая-то пухленькая блондиночка с пышными волосами и принялась щебетать о каких-то глупостях. Должно быть, это и была Софочка. Во всяком случае, ни с кем другим на той презентации Серафима Ильинична не разговаривала.

— Кто там? — полюбопытствовала Тамара Ильинична.

— Знакомая, — прошептала ее сестра, прикрыв трубку рукой. — Иди на кухню. Не мешай.

— Вспомнили? — допытывалась собеседница.

— Ну как же, очень было приятно побеседовать с умным человеком, — солгала Серафима Ильинична. — Рада, что вы позвонили. А то мне кажется, что весь мир про меня позабыл, оставив наедине с моим несчастьем.

— Господи, да мы только о вас и говорим в последние несколько дней! — воскликнула Софочка. — Мы же совершенно не в курсе, как обстоят дела у Валериана Владимировича. Мне поручили дозвониться до вас во что бы то ни стало. Но у вас все время отвечал автоответчик, а я не могу с ними разговаривать. А еще один раз подошла какая-то юная, но очень наглая особа, так она только сообщила, что вы в больнице, но, ни в какой, ни когда вернетесь, ни что с вами, не пожелала сказать. Бросила трубку, и все. Я снова перезвонила, но уже никто не ответил.

— Это моя племянница! — страдальческим голосом произнесла Серафима Ильинична. — Не судите ее строго, она плохо воспитана. Понимаете, ее отец...

И Серафима Ильинична сделала многозначительную паузу, которой воспользовалась, чтобы проверить, не слышит ли ее разговор сестра. Но Тамара Ильинична была на кухне, где заканчивала последнюю порцию пирожков.

— Вы должны простить мою племянницу, она неплохая девочка. Не обижайтесь на нее за плохие манеры.

— Да бог с ней, — рассмеялась Софочка. — Я и думать забыла, просто обидно, что ничего не удалось у нее узнать. Но скажите хоть вы, от Валериана Владимировича есть какие-то новости?

— Нет, — простонала Серафима Ильинична. — Я ушла из больницы, теперь сама буду заниматься расследованием. Не знаю, куда обратиться.

— Главное, вы не переживайте, — сказала

Софочка. — Возьмите себя в руки. Я еду к вам. У меня случайно есть отличный частный детектив. Он может на дне морском найти клиента, если ему за это заплатят. Я вам не помешаю, если сейчас приеду?

— Приезжайте, — согласилась Серафима Ильинична.

Продиктовав собеседнице адрес, она повесила трубку. Затем снова прилегла на кровать, решив обдумать, как ей быть дальше. Но телефон зазвонил почти тотчас же. Решив, что это снова Софочка, которая захотела еще что-нибудь уточнить, Серафима Ильинична взяла трубку и приветливо произнесла:

— Алло, я вас слушаю, Софочка.

— В общем, так, — сказал ей мужской голос. — Твой муж у нас. Хочешь получить его обратно, собирай бабки. Не скупись, продавай все. Мы хотим сто тысяч долларов. Завтра позвоним еще, расскажешь, как у тебя дела продвигаются.

И в трубке раздались короткие гудки.

— Кто на этот раз? Мариша?! — закричала из кухни Тамара Ильинична.

— Нет, похитители, — едва слышно прошептала Серафима Ильинична.

— Не слышу, что ты тут лепечешь? — спросила сестра, появляясь из кухни.

— Это похитители, они хотят сто тысяч долларов.

— Боже мой! — ужаснулась сестра. — Откуда ты возьмешь такие деньги?

— Ниоткуда, — прошептала Серафима Ильинична. — Нет их у меня. Утром надо идти в милицию.

— Так уже утро, — удивилась сестра. — Ты, как отрубилась в такси, так и спала все время. Нам с таксистом пришлось тащить тебя в дом. Неужели не помнишь? А потом ты рухнула на постель и проспала всю ночь.

Серафима Ильинична посмотрела в окно и убедилась, что сестра права. Окна ее спальни выходили на восток, и сейчас солнце вовсю светило в них. Наспех одевшись, собравшись и даже не поев знаменитых пирожков Тамары Ильиничны, женщины вылетели из дома.

— А ты уверена, что они за тобой не следят? — спросила Тамара Ильинична сестру. — Вдруг они будут недовольны, что ты побежала в милицию?

— У меня нет другого выхода, — мрачно ответила Серафима Ильинична.

Петроградская сторона велика, но так уж сложились обстоятельства, что Серафима Ильинична пришла в тот участок, где работал Картохин. И мало того, что пришла, так она еще на него же первого и наткнулась.

— У меня похитили мужа, — сообщила она ему. — Помогите!

Картохин после целой бессонной ночи, когда он поджидал Дикаря и Гарика под окнами их дома, соображал плохо и вместо того, чтобы избавиться под каким-нибудь благовидным предлогом от неудобной посетительницы, пригласил ее к себе.

— Мариша! — искренне удивилась Серафима Ильинична и ее сестра, увидев в кабинете свою дочь и племянницу. — А ты уже знаешь?

— Что знаю? — мрачно глядя на родственниц, спросила Мариша, которая была уверена, что тетку и мать пригласил сюда Картохин.

— Ну ты ведь тут из-за дяди Валеры? — спросила Серафима Ильинична. — Из-за похищения. Ведь верно?

— Можно сказать и так, — пробурчала Мариша.

— А откуда ты узнала, что его похитили, если я сама об этом только что узнала — по звонку похитителей? — свирепо глядя на племянницу, спросила Серафима Ильинична. — А! — дико взвизгнула она. — Это ты его и похитила или подговорила кого-то из своих сомнительных дружков! А сама тем временем затеяла дурацкое расследование, чтобы отвести от себя подозрения. Господи, как же глупа я была! Ты же всегда не любила моего Валериана!

— Что это с ней? — спросила я у Мариши, внутренне холодея под нехорошим взглядом Картохина. — Что она плетет? Она же нас своими обвинениями за решетку засадит. Сделай с ней что-нибудь!

Но Серафиму Ильиничну уже несло. Рыдая, она обвинила Маришу во всех смертных грехах. В том числе и в том, что в детстве она воровала у нее из шкафа варенье. А как-то раз слопала у остывающего пирога все серединки, оставив теткиным очень важным гостям лишь корочки. Попутно она рассказала про то, что племянница несколько лет ездила по поддельным проездным документам, а еще — имеет фальшивое удостоверение лейтенанта милиции.

— Так, так! — оживился Картохин. — Это уже интересно.

В общем, по словам Серафимы Ильиничны,

Мариша катилась от преступления к преступлению, и ее отнюдь не удивляет, что сегодня утром она докатилась до звонка с требованием о получении выкупа за похищенного родного дядю.

— Где ты его прячешь, мерзавка?

— Минуточку, — прервал ее Картохин. — Давайте разберемся по порядку. Когда похитили вашего мужа?

— Три, нет, пять дней назад. Нет, не помню, — сказала Серафима Ильинична. — Дело в том, что я присутствовала при похищении и меня ударили по голове, так что пришлось в больнице лежать с сотрясением мозга. Но вчера я сбежала оттуда и как чувствовала: сразу же позвонили похитители.

Картохин, выслушав ее, несколько скис. Свидетельница со своим сотрясенным мозгом доверия у него не вызывала. Как записывать ее показания, и как на них посмотрит суд, тоже оставалось неясным. Заморочиваться с медицинской экспертизой на предмет выяснения вменяемости свидетельницы тоже не хотелось.

— Так вы присутствовали при похищении вашего мужа? — все-таки уточнил он. — Почему же вы обвиняете свою племянницу только сейчас?

— А ее там не было, — запальчиво сказала Серафима Ильинична. — Она наняла этих людей, чтобы они похитили моего мужа.

— Да кому он был нужен! — взорвалась Мариша.

— Значит, нашлись, раз его похитили, — возразила Серафима Ильинична. — А не ты ли не разрешила мне идти в милицию? Я еще тогда заподозрила, что дело нечисто. А теперь я все поняла. Моя племянница не присутствовала при том, когда раздался звонок от похитителей. Однако примчалась в милицию и утверждает, что знала про звонок. Откуда, хотела бы я знать?

— Ни про какой звонок я не знала! — завопила Мариша. — Недаром тебе бабушка всегда советовала: ты, дура, хоть немного думай, прежде чем говорить.

— Тихо, тихо! — вклинился между двумя родственницами Картохин. — Сейчас мы во всем разберемся. Гражданка, у вас похитили мужа, но вы не помните, как давно это случилось, так? А звонок от похитителей раздался только сегодня?

— Минут двадцать назад.

— Двадцать минут назад ваша племянница звонить вам не могла, так как она сидит тут уже почти четыре часа с того момента, как я доставил ее с подругой в участок.

— А я и не говорю, что это она звонила. Звонил мужчина.

— Очень хорошо, а вы можете описать нам его голос?

— Нет, он был хриплый и какой-то приглушенный, — сказала Серафима Ильинична. — Должно быть, он говорил, прикрыв рот тряпкой.

— Но вам не показалось, что это кто-то знакомый?

— Нет, — покачала головой Серафима Ильинична.

— А того человека или тех людей, которые похищали вашего мужа, вы нам можете описать?

— Нет нужды, — перебила его Мариша. — Похищал моего дядю один из тех двух парней, с которыми вы нас встретили и которые сегодня четыре часа назад от вас сбежали. А если точнее, то я думаю, что похищал дядю Валериана, по словам соседки, дружок любовницы дяди, на квартире которой и произошло похищение, парень по имени Гарик, хотя Дима тоже должен быть в курсе дела. Но как же вы один решились идти на их задержание? Хоть бы группу захвата вызвали.

— В ваших советах не нуждаюсь, — машинально огрызнулся Картохин, думая о чем-то своем. — Я всего лишь хотел у них кое-что выяснить.

— Вот видите! — торжествующе прокричала Серафима Ильинична. — Она сама призналась, что знакома с похитителями моего мужа.

— Тетя, заткнись, не то я за себя не отвечаю, — сказала Мариша. — Мама, скажи ей, что я познакомилась с этим типом уже после того, как начала искать дядю. Может быть, тебя она послушает.

— Это ты сейчас так говоришь, — вяло возразила Серафима Ильинична.

— Тетя, я понимаю, тебе хотелось бы верить, что это я умыкнула твоего любезного мужа, но, увы, это не я, — сказала Мариша. — Я на тебя не сержусь, поскольку у тебя сейчас с головой не все в порядке, но все-таки ты думай, прежде чем...

— Так, — вдруг сказал Картохин. — Мне все ясно. Все могут считать себя свободными, а вы, гражданка, — и он показал пальцем на Серафиму Ильиничну, — останьтесь.

— Зачем это? — удивилась та.

— Расскажите мне, кто из ваших подруг посоветовал вам обратиться в фирму «Барс» и заказать там похищение собственного мужа. Ай, как нехорошо, уважаемая дамочка. А еще пытались вину на племянницу свалить.

— Я, я? — начала заикаться Серафима Ильинична.

— Да, вы, — твердо ответил Картохин. — Думаете, мы в милиции только ушами хлопаем и ничего про делишки этой фирмы не знаем? Лучше бы вам к нам не обращаться. А так, боюсь, именно вам придется отвечать по всей строгости закона. Похищение человека, даже если это ваш собственный муж, карается законом. Так что отвечать придется.

— М-мне, — замычала Серафима Ильинична. — При чем тут я?

— Ах, — закатил глаза Картохин, — скажите, какая невинность. Да эта фирма по всему городу прославилась тем, что по заказу ревнивых жен похищала их мужей на квартирах любовниц и несколько дней держала их в плену, в ужасных условиях. Чаще всего связанными и с кляпом во рту. Ну, и после этого мужья узнавали, что так поступили с ними для острастки, чтоб забыли про утехи на стороне. Если еще раз попадутся, с ними обойдутся еще покруче. После этого у мужей, разумеется, надолго пропадала охота искать приключения в чужих постелях. Чего, собственно, и добивались жены.

После его слов в кабинете воцарилось молчание.

— Ну, тетя, — наконец нарушила его Мариша. — От тебя я такого никак не ожидала.

— Я ничего не понимаю, — забормотала Серафима Ильинична. — Какая-то фирма, какие-то чужие мужья. При чем тут я? Скажите, где мой муж?

— А об этом вам лучше спросить у тех, кому вы заказывали его похищение, — сказал Картохин.

Затем он принялся деловито перебирать чистые листы бумаги, отыскивая наиболее симпатичный для заправки в пишущую машинку. Покончив с этим занятием, он предложил нам всем удалиться из кабинета и подождать в коридоре, пока он закончит разговор с Серафимой Ильиничной.

— Просто не могу поверить, что Сима пошла на такое, — сказала Тамара Ильинична. — Она обожала своего Валериана, готова была пушинки с него сдувать, и чтобы она согласилась держать его связанным где-то в чулане, где его подвергали всевозможным унижениям, — да никогда!

— Она его обожала, пока он был при ней, а как только выяснила, что он ее собирается бросить, возненавидела и решила отомстить, — сказала Мариша.

— Все-таки странно, как и когда она узнала адрес этой фирмы, — продолжала сомневаться Тамара Ильинична. — Она же только в пятницу вечером рыдала по телефону, что узнала про измену Валериана, а в субботу днем его уже похитили.

— Тетка, когда ей что-то нужно, на редкость оперативная особа, — не сдавалась Мариша, которая продолжала дуться на свою тетку из-за ее подозрений и обвинений в адрес племянницы. — Могла и успеть.

— Но откуда она могла за такой короткий

срок узнать адрес его любовницы? — удивлялась Тамара Ильинична. — Нет, это невозможно.

— Вообще-то мне тоже так кажется, — заметила я. — Слишком все быстро произошло. Твоя
тетка не успела бы моментально провернуть
столько всего — и адрес Лены узнать, и фирму
вычислить, и заказ в ней сделать за то время,
которым располагала.

— Это лишь подтверждает, что тетка уже
давно все про муженька знала и готовилась отомстить ему. А все остальное было лишь пред-
ставлением, давало ей в случае чего алиби.

— Тогда надо было бы ей сидеть у себя дома
или в гостях для отвода глаз и ждать результа-
тов, — сказала я. — А она попёрлась прямо в
самое пекло.

— Ты не учитываешь, что хотя она все и рас-
считала, но нервы у нее были на пределе, —
сказала Мариша. — Вот и не выдержала, помчалась проконтролировать, как выполняется ее
заказ.

— Но где же все-таки Валериан? — воскликнула Тамара Ильинична, и мы с Маришей мигом перестали препираться, вспомнив, что
самого главного-то мы и не знаем.

— И в самом деле, где?

— Как ни крути, а об этом должен знать Гарик, — сказала я. — Он ведь его умыкнул. Если
бы этот Картохин не вылез из кустов со своим
дурацким незаряженным пистолетом, то Гарик
и Димка никуда бы от нас не сбежали. А то раз-
вопился им вслед, а что толку. Хоть бы пистолет проверил, пока нас ждал, олух несчастный.
И мы бы к этому времени уже вполне могли у
них лаской или угрозой выяснить, куда они
дели нашего дядю. А теперь даже не представ-

ляю, где нам искать Гарика и его братца. Теперь братья-комбинаторы вполне могли уже смыться в самые дальние края. Самолеты, слава богу, летают исправно, а в розыск этих ребят пока никто не подавал.

— Вот именно! — воскликнула Мариша. — А может, они никуда и не улетели, а спрятались где-нибудь в надежном месте.

— И где оно, это место?

— А об этом они нам сами сообщат, — сказала Мариша. — Ты ведь невеста Гарика, не может же он тебя так просто, без всяких объяснений, бросить.

— Почему это не может? — усомнилась я. — Очень даже может. Меня многие бросали без всяких объяснений.

— Но не те, которые только днем раньше сделали тебе предложение и познакомили со своим единственным родственником?

Я покопалась в памяти и вынуждена была признать, что такого со мной и правда еще не случалось.

— Если у Гарика есть хоть капля порядочности, он обязательно сообщит тебе, где находится, — сказала Мариша.

Тут я очень некстати вспомнила, какими словами Гарик предлагал Лене освободить жилплощадь для его будущей жены, то есть для меня, и сильно усомнилась, что в Гарике есть эта самая капля порядочности. На мой взгляд, он поступил с Леной просто по-свински. Так что ему помещает поступить и со мной подобным образом?

— Любовь, которую он испытывает к тебе, — объяснила мне Мариша, когда я выложила ей свои сомнения. — Ты что, не видела, как он на тебя смотрит. Да он от тебя влюбленных глаз прямо не отрывал. Словно он кот, а ты блюдечко со свежими сливками. Спорю, что к Лене он не испытывал ничего подобного. Просто деловое партнерство.

— М-да?..

— Вот увидишь, что я окажусь права, и уже к вечеру он тебе позвонит.

— Не позвонит, — заверила я ее.

— Почему?

— Потому что я не оставила ему своего телефона.

— Вот это номер, — осела Мариша. — Как же ты так оплошала?

— Кто мог ждать, что мы так скоро расстанемся, — объяснила я. — Сама понимаешь, появление Картохина с пистолетом в руках не было мною запрограммировано. А когда братья дали стрекача, то мне как-то было неловко догонять их и пытаться на ходу всучить номер своего телефона. К тому же, если помнишь, Картохин вцепился в меня одной рукой, а другой угрожал пистолетом тебе. Мы же тогда не знали, что он у него не заряжен.

— И что нам теперь делать? — спросила Мариша. — Мы с тобой провалили операцию. Остается лишь уповать на то, что Сева проявил себя с лучшей стороны. Надо ему позвонить, вдруг парню удалось выяснить у Ленки, где дядя?

Но Севе было не до поисков дяди. Он погибал в океане страсти, которым затопила его Лена. Девушка оказалась профессионалкой высшего класса, а сейчас ей еще было необходимо добиться от Севы особого расположения, поэтому она старалась не за плату, а за совесть. Наконец она немного угомонилась, и Севе удалось перевести дух и спросить у самого себя, за что ему такое счастье?

— Ты меня любишь? — внезапно услышал он голос Лены.

— Да, — почти искренне ответил он.

Впрочем, в эту минуту он и сам верил в то, что произносили его губы.

— Это хорошо, — пробормотала Лена. — Я так устала жить без любви. Ты не поверишь, меня окружали такие негодяи, что просто страшно теперь вспомнить. Они использовали мою доверчивость в своих целях, а потом отшвыривали меня словно... словно проколотый шарик.

— Теперь тебя никто не посмеет обидеть, — пылко заявил Сева.

— И при случае отомстишь моим обидчикам? — с надеждой спросила Лена.

«Эге, а ты не такая уж простая штучка, — наконец пришла в голову рыцаря трезвая мысль. — Надо с тобой ухо держать востро, не то ведь пропадешь». Но вслух он лишь сказал:

— Конечно, какие могут быть сомнения. Назови мне только имя негодяя — и увидишь, что я с ним сделаю.

— Ты его не знаешь, — кокетливо опустив ресницы, пролепетала Лена. — Это очень опасный человек. Нет, я не должна называть тебе его имя. Я не переживу, если с тобой что-нибудь случится по моей вине.

— Я не так слаб, как тебе кажется, — заявил Сева. — Можешь без опаски рассказать мне все.

— О, ты мой герой! — воскликнула Лена. —

Я боготворю тебя. И знаю, что ты вернешься ко мне с победой.

«Прямо кино какое-то. Сейчас самое время показаться белоснежному плечу миледи с выжженным на нем цветком лилии, а мне упасть в обморок», — подумал Сева, сжимая в руках белокурую красавицу, представив себя д'Артаньяном.

Но у Лены плечи были гладкие и покрыты золотистым турецким загаром, а темные волосы коротко подстриженные.

— Так кто же он? — спросил Сева, обняв прекрасное женское тело и зарывшись в пушистые кудряшки, чтобы скрыть выражение своего лица.

— Один бизнесмен. У него собственная фирма. Но это только так называется, а на самом деле...

— Он бандит, — перебил ее Сева.

— Нет, не угадал, — недовольно проворчала девушка. — То есть он, конечно, бандит, но это у него в прошлом. Теперь он старается быть законопослушным гражданином. А его фирма занимается похищениями людей.

— Что?! — делано ужаснулся Сева. — Ты это серьезно? И кого они похищают?

— Я знаю точно лишь про один случай, но Гарик рассказывал мне, что они занимаются этим уже несколько лет, все у них давно отрепетировано, и волноваться не о чем.

— Ты тоже участвовала в этом? — спросил Сева.

— Мне пришлось, он меня заставил, — прорыдала Лена. — Честное слово, он пригрозил, что обольет меня кислотой, если я не соглашусь помочь ему.

— Какой негодяй! — возмутился Сева.

— Да, и вот этому человеку ты и должен отомстить за меня, — сказала Лена.

— Когда?

— Сей... Сегодня, — поправилась Лена.

— Но мне нужен его адрес или какие-нибудь координаты, — сказал Сева.

— Я дам тебе и то, и другое. И вообще расскажу все, что знаю про него. А как ты собираешься за меня мстить? — кокетливо улыбнулась Лена.

— Это мое дело, — сухо сказал Сева, и Лена немного встревожилась такой переменой в его настроении.

— Ты не веришь мне, что я действовала лишь по принуждению? — спросила она. — Но поверь, это действительно так. Он угрожал мне.

— Видишь ли, я должен знать, насколько глубоко ты влипла в это дело, — сказал Сева. — От этого зависит, как я поступлю с твоим обидчиком. Что ты знаешь про того человека, которого помогла похитить?

— Он какая-то важная шишка у себя в фирме, — сказала Лена. — По-моему, он даже директор.

— Что за фирма?

— Не знаю, — растерялась девушка. — Я никогда у Валеры не спрашивала.

— Значит, имя ты его все-таки знаешь?

— Да, Валериан, — кивнула Лена. — Но так его жена называла, мне не нравилось. Я звала его Валериком.

— Ты познакомилась с ним по приказу этого Гарика?

— Что ты, вовсе нет. Сама удивляюсь, откуда Гарик пронюхал, что я встречаюсь с ним. То есть он, конечно, знал, что я с кем-то встреча-юсь, но они никогда не сталкивались нос к но-су, так что для Гарика Валерик всегда оставался чем-то призрачным. А тут на прошлой неделе Гарик является ко мне и говорит, что я должна помочь ему в одном деле. А если я не согла-шусь, то у него будут неприятности, а меня он изуродует, — и девушка снова начала всхлипы-вать.

— Не плачь, — расстроился Сева. — Не могу видеть женских слез. Что еще приказал тебе сделать этот Гарик?

— Он велел мне привести Валеру к себе до-мой и не ходить ни в какие рестораны. А дверь запереть только на один замок. И отдать ключ от этого замка ему, то есть Гарику.

— И ты?..

— А что я могла? Я испугалась и согласилась. Сначала все шло нормально. Гарик приехал со своими ребятами, они вломились в квартиру, связали Валеру и потащили нас к выходу. И толь-ко тут я сообразила, что моя соседка все видит. И если я сегодня же вернусь домой, не сообщив в милицию о похищении, то она заподозрит не-ладное. А в милицию мне идти не хотелось, мало ли что они там пронюхают про меня.

— И что ты сделала?

— Домой я решила не идти, а осталась жить у Гарика. Он не возражал, я даже подумала, что ему удобно, ведь я всегда под рукой и можно насчет меня не волноваться.

— А ваш похищенный? Где он?

— Не знаю, — пожала плечами Лена. — А за-чем тебе?

Сева не знал, что ответить, но быстро нашелся.

— Нельзя, чтобы он попал в руки милиции, еще начнет рассказывать, что в его похищении участвовала собственная подружка, то есть ты, — вдохновенно импровизировал Сева, оправдывая свое любопытство.

К счастью, Лена не отличалась большим умом, поэтому с готовностью приняла это объяснение и сказала:

— Не бойся, дорогой. Валера ничего такого рассказать не сможет, потому что его сразу же оглушили. Так что он вряд ли заподозрит меня.

— Но у него обязательно возникнет вопрос, почему ты не поспешила в милицию, когда тебя освободили, — заметил Сева.

— А я скажу, что похитители запретили мне обращаться в милицию, — сказала Лена. — Грозили, что сразу же узнают и немедленно уничтожат Валеру.

— А тебе его вообще-то не жалко?

— Немного жалко, — пожала плечами Лена. — Но всех жалеть, жалелки не хватит. А мне про себя подумать нужно. Если Гарик узнает, что я пошла против его воли, он обязательно меня накажет. И ты меня не спасешь, я теперь вижу, что тебя больше интересует этот противный старикашка, чем я.

Сева почувствовал холодок в животе — Лена, сама до конца не подозревая, очень близко подобралась к истине.

— Что ты, дорогая! — пылко воскликнул он. — Ты сама подумай, какое отличное оружие было бы у нас в руках против Гарика, если бы мы нашли похищенного Валериана. Впрочем, я бы и сам мог этим заняться, если бы ты хоть немного подсказала, где его искать.

— А и в самом деле! — воодушевилась Лена. — Хорошо бы засадить этого мерзавца в тюрьму. А ты уверен, что мне удастся оказаться в стороне?

— Конечно, мы устроим так, что ты будешь только свидетельницей. А вот Гарик получит по заслугам. И ты даже сможешь намекнуть ему, что это ты упекла его за решетку.

— Вот еще, — хмыкнула Лена, — чтобы он потом меня прирезал, когда освободится? Нет уж, я не честолюбива. Пусть теряется в догадках, откуда на него беда свалилась. Так вот, у Гарика есть дача. Он может держать Валеру там. Или же у себя в офисе. У них там специальная комнатушка оборудована. Я раньше думала, что Гарик или его брат в ней развлекается с девочками. Знаешь, всякие там наручники, цепи на полу и тому подобное. А теперь понимаю, что в той комнатке без окон они держали своих пленников.

— Ясно, — сказал Сева, тут же отметая предположение насчет офиса. — А где находится дача Гарика?

— Вообще-то они недавно купили дом возле Зеленогорска, почти у самого залива, — сказала Лена. — Я там была несколько раз. Так что могу показать.

— Это было бы здорово! — одобрил Сева. — Давай сегодня же и съездим?

— Уже поздно, — сказала Лена. — А машины у тебя нет.

— Как нет? — испугался Сева. — Просто я

ее временно одолжил одному человеку. Но могу забрать в любое время.

Насчет любого времени — это он погорячился, так как даже просто выяснить, где находится в данный момент его машина, он смог лишь под утро, когда мы с Маришей вернулись из милиции, и звонок Севы мы услышали, едва вошли в дом.

— Беги скорей! — скомандовала Мариша. — Наверняка это Гарик звонит.

— Где моя машина? — услышала я в трубке голос Севы. — И где вы шатаетесь обе? Я до вас всю ночь дозвониться не мог.

— Ночью надо спать, а не нам звонить, — сказала я. — А с машиной твоей все в порядке, можешь завтра забрать ее из ремонта.

— Ремонта?! — задохнулся Сева. — Из какого ремонта? Что ты с ней сделала?

— Успокойся ты, — выдохнула я. — Нервы у меня и так на пределе. Наши братья сбежали.

— Какие братья? У вас же вроде бы дядя пропал?

— Дикарь с Гариком сбежали.

— Куда?

— Ничего глупей ты спросить не мог! — рассвирепела я. — Откуда мы знаем, куда. На кудыкину гору. Они нам не сообщили. Если хочешь, приезжай к нам. Только не раньше полудня. Мы выспимся, а потом я отвезу тебя к твоей машине.

Но Сева оказался у наших дверей значительно раньше полудня. А если точно, то уже через сорок минут. Мы с Маришей только успели принять душ и смыть с себя неприятный запах тюрьмы, как в дверь уже ломились. С некоторых пор я стала очень осторожна по части отпирания дверей. Гостей мы не ждали, поэтому я решила голоса не подавать и вообще сделать вид, что дома никого нет. Но в дверь продолжали ломиться, заснуть при таком шуме было решительно невозможно, поэтому пришлось открыть.

Но я немедленно пожалела о своем решении, когда в прихожую ввалился Сева и потребовал, чтобы мы немедленно ехали с ним в Зеленогорск.

— Зачем это?

— За вашими братьями, а если повезет, то и за вашим дядей.

После этих слов с нас сон словно рукой сняло.

— Как ты узнал, где они? Откуда?

Но Сева не произнес ни слова до тех пор, пока мы не выкатились из дома. Во дворе к нам присоединилась смазливая девица. Благодаря модным тряпкам и обилию краски на лице этой особы ее возраст можно было угадать лишь очень приблизительно. Мы впервые увидели Лену вблизи и были поражены тем, что шестнадцатилетняя девчушка, какой она казалась издалека, вблизи оказалась старше нас.

— Лена, — представил нам девицу Сева. — Она согласна помочь нам в поисках вашего дяди.

На Маришином «Опеле» мы домчали до Лиговки довольно быстро. Забрали машину Севы (гад Гарик, оказывается, не оплатил вчера ремонт, и нам пришлось выложить кругленькую сумму), а потом покатили в Зеленогорск. По пути мы поделились с Севой своими новостями, а он выложил нам то, что ему удалось узнать от Лены.

— Вообще-то я думала, что Валериан был не первой жертвой Гарика, — сказала Лена, когда услышала про версию Картохина. — Но действовал Гарик как-то не слишком умело. И долго не мог решить, куда везти Валериана. Он при мне несколько раз звонил брату и спрашивал, что делать с пленным.

— А тот что?

— По-моему, ничего толкового так и не сказал. Потому что Гарик в конце концов зашвырнул трубку подальше, отвез меня к себе на «Ветеранов», а куда подался потом, я не знаю. Но вернулся только к ночи, был очень злой и сразу же помчался звонить брату.

— И что сказал?

— Вообще-то он ушел в другую комнату, но некоторые слова мне подслушать удалось. Он ругался на Димку, что тот втравил его в эту историю. Орал, зачем ему понадобилось угождать этой твари, когда раньше все и так отлично шло. И нечего было всякие новшества придумывать. Мол, он, то есть Дима, должен был послать его подальше.

— Кого — его?

— Ну, я так поняла, того человека, который попросил Диму похитить Валериана.

— А Дима что ответил?

— Не знаю, но Гарик завопил в ответ, что плевать ему на интересы фирмы. Что ему своя шкура дорога, а под суд, да еще по такой статье, ему идти неохота. Одно дело мужей для дамочек пугать, а совсем другое похищать человека по заказу.

— Так что, похищение дяди заказала вовсе не моя тетка? — разочарованно спросила Мариша.

— Не знаю, но Гарик говорил о своем заказчике в мужском роде, — пожала плечами Лена.

— А что еще тебе удалось подслушать?

— Больше ничего. Разве что Гарик сказал на прощание: «Куда договорились, туда и увез. Три дня в полном покое пролежит».

— Три дня? — воскликнула Мариша. — Но они уже прошли, они должны были дядю уже отпустить. А где же он?

— Совсем не обязательно, что Гарик говорил про то, чтобы отпустить твоего дядю, — сказала я. — Может быть, он имел в виду, что они будут требовать выкуп только через три дня. Жаль, что твоя тетка не догадалась записать разговор с похитителем. На суде это было бы еще одним доказательством обвинения.

— Они еще обещали позвонить, — сказала Мариша.

— А чего голову ломать, это братья и были, — сказала Лена. — Раз они теперь в бега подались, то им деньги нужны. А где они их возьмут? В фирму к своему сейфу за наличными сунуться не решатся, все счета фирмы уже наверняка опечатаны. Вот они и решили получить денежки в качестве выкупа с жены Валерика.

— Не называй моего дядюшку Валериком, ладно? — попросила Мариша. — Мне как-то не по себе делается.

— Ах, скажите! — обиделась Лена. — Какие чувствительные. Да если хочешь знать, он сам меня просил так его называть.

— Этот старый козел? — поразилась Мариша. — Совсем спятил.

За приятной беседой мы доехали до Зеленогорска. Дом братьев и в самом деле стоял прямо на заливе, на окраине города. Выглядел он довольно скромно. То есть для домов «новых русских». Нам же с Маришей было бы не по карману приобрести даже один третий этаж особняка, как и моим родителям, и Маришиной маме, выложи они на эту покупку все свои сбережения, скопленные за долгую трудовую жизнь.

Мы поставили наши машины в сотне метров от дачи и дальше пошли пешком, опасливо оглядываясь по сторонам. Не знаю, чего или кого мы боялись увидеть, уж не удирающих ли от нас снова братьев. Лена шла впереди и указывала дорогу. Наконец она остановилась у железных ворот и кивнула. Возле дома мы не увидели ни одной машины, но тем не менее он был обитаем. Мы догадались, что машину братья должны были поставить в гараж, оборудованный в подвале.

Дверь дома была не заперта. Мы толкнули ее и осторожно, по цепочке, вошли внутрь, осмотрелись и обнаружили, что в дачке имелись сауна, водопровод с горячей водой, полы с подогревом, камин, туалет и прочие приятные бытовые мелочи, без которых отдых за городом превращается в ежеминутную схватку с окружающей средой. Уж не говоря о том, что обставлен дом был роскошной мебелью — странно, что его не пытались до сих пор ограбить.

— Он на сигнализации, — пояснила мне шепотом Лена. — Сейчас она, слава богу, отключена, а то бы тут от ментов не протолкнулись.

Продолжив наш осмотр, мы установили, что воры в эти стены не входили, а вот братья или какой-то из их гостей явно побывали тут перед нами. А куда делись? Возможно, пошли купаться на залив, благо погода стояла теплая. Уж не прихватили ли они с собой и беднягу Валериана?.. Обыск дома не дал нам ответа на этот вопрос.

— Пошли на залив, — предложила я. — Поищем их там. Все равно они никуда от нас теперь не денутся.

— Это как сказать, — возразила Мариша. — Погоди, я еще в сауну загляну.

— Ну конечно, — съехидничал Сева. — Твой дядя сидит там и парится в ожидании, пока его придут и спасут.

— Мало ли что, — сказала Мариша и распахнула дверь сауны передо мной и Леной.

Громкий крик вырвался у нас из горла. Сева подбежал следом и тоже завопил. И было отчего. На деревянном полу лежали, явно разлагаясь, два мужских и очень знакомых нам тела. Жара в сауне стояла страшная, должно быть, братья просто спеклись тут живьем.

— Ужас! — обретя способность говорить, произнесла Лена. — Как это их угораздило? Дверь, что ли, заклинило?

— Да, только снаружи, — сказала Мариша.

— Боже мой, вот не повезло ребятам! — расстроилась Лена. — Если бы тут хоть кто-то был, их бы спасли. Или мы бы приехали пораньше. Надо же так неосторожно.

— Ты что, дура? — набросился на нее Сева. — Их же специально заперли в сауне. Ты посмотри, какой тут замок на дверях. Он не мог защелкнуться сам по себе. Его явно кто-то запер.

— Так их убили? — широко раскрыла глаза Лена. — Ой, мамочки! Я боюсь! Что же со мной теперь будет? Я ведь тоже замешана!

— Да кому ты нужна, — пренебрежительно поморщилась Мариша. — Только я не пойму, когда я взялась за ручку, дверь была не заперта. Как это? Ясно, что убийца запер бедняг в сауне, но зачем ему понадобилось ее потом отпирать? Он что, совсем идиот и думал убедить следствие, что тут произошел несчастный случай?

— Вряд ли. Я думаю, что мы вошли сюда не первые. Кроме убийцы, в сауну приходил кто-то еще, — сказал Сева.

— Кто бы ни прикончил братьев, но убийце нужен был дядя Валериан, и он или они его получили, — многозначительно сказала Мариша.

— Почему ты так думаешь?

— Внизу в гараже, рядом с «Мерседесом» Гарика, есть небольшая дверка. Я заглянула туда, это чуланчик для всяких канистр, шлангов, запчастей, баночек с полиролью и тряпочек для протирки машины. Сейчас чуланчик пуст, но там братья держали кого-то несколько дней, — сказала Мариша.

— Почему ты так решила?

— Я нашла остатки еды и прочие следы пребывания человека, — таинственным голосом сказала Мариша. — Дяди или другого бедняги. А сравнительно недавно его увезли. Только не спрашивайте, по каким признакам я заключила, что увезли недавно.

— Но зачем убийце понадобилось тащить с

собой вашего дядю? — спросила Лена. — Не проще ли было бы и его засунуть в сауну?

— Как знать, — пробормотала Мариша. — Возможно, что этот человек не хотел причинить дяде вреда и пришел сюда, чтобы спасти его.

— Прямо рыцарь какой-то! — усмехнулся Сева. — Кому могло понадобиться, кроме нас, спасать этого вашего дядю?

— Позвоню-ка я своей тетке, может быть, она уже что-то знает, — сказала Мариша и пошла к телефону.

— Тебе не кажется, что сначала нужно бы вызвать милицию?! — крикнула я ей вслед.

— Вот еще, — отмахнулась Мариша. — Подождут.

У Серафимы Ильиничны было занято. Должно быть, тетя делилась свалившимися на нее несчастьями с подругами.

— Осмотрите там все, пока я до тети дозваниваюсь! — крикнула нам Мариша. — Только ничего не трогайте. Не нужно затруднять милиции и без того трудную жизнь.

— Господи, — прошептала Лена, — никогда бы не подумала, что мне доведется осматривать место преступления. Меня этому не учили.

— А чего тут уметь? — бодро возразил Сева. — Гляди, не оставил ли убийца следов, которые помогли бы нам его вычислить. Вот и все.

Но на практике все оказалось далеко не так просто. Не имея представления, какие вещи принадлежали братьям, мы не могли с точностью определить, оставил тут убийца свою одежду или нет. Зато на полу в сауне мы нашли женскую шпильку, а в левой руке Гарика было зажато несколько длинных светлых волос.

— Тут явно замешана женщина, — сказала я. — Но что-то мы не знаем никого с такими волосами.

— Они крашеные, — заметила Лена. — Видите, у корня волос темней. Но краска очень хорошая, дорогая. Так что женщина тоже не бедная.

— А это что? — спросил Сева, поднеся один из волосков поближе к глазам и наведя на него лупу.

Откуда у него взялась лупа, хотела бы я знать?..

— Похоже на седину, — сказала Лена. — Странно, никогда не замечала, чтобы Гарик был падок на старух.

— Не обязательно, если седая, так сразу и старуха, — сказала я. — У меня приятельница поседела в двадцать пять. И, собственно, из-за пустяка. Увидела, как бык затоптал насмерть ее мужа.

— Ничего себе пустяк, — пробормотал Сева.

— Так муж у нее барахло был, — попыталась объяснить я. — Она сама много раз говорила, что скорей бы от него избавиться. А все равно поседела. Но я это рассказала к тому, что гостья Гарика и Димки могла быть вовсе и не старой, а лет тридцати с небольшим, а выглядеть, — и я покосилась на Лену, — лет на двадцать.

— А что она тут делала? И кто она такая? И зачем ей ваш дядя? — засыпал меня вопросами Сева. — Если это заказчица похищения, которая решила избавиться от братьев, то почему Гарик говорил о ней так, словно заказчик мужчина. А если она девочка по вызову, то зачем братья пригласили шлюх, когда ждали важного гостя, то есть самого заказчика.

— А если заказчик привез девушку с собой, — высказала я предположение, — чтобы она заманила братьев в сауну.

— Что вы там препираетесь? Надо обойти соседей! — закричала Мариша из соседней комнаты. — Должны же они были хоть что-то видеть. Унести дядю на себе похитители не смогли бы, без машины им не обойтись. Вот про машину и нужно спрашивать.

— Ты милицию вызвала?

— Еще нет, хочу до тетки дозвониться. Вдруг все-таки это она прикончила братьев и забрала мужа.

— Но зачем было убивать братьев?

— А представь себе такую ситуацию: тетя заказывает похищение дяди с помощью третьего лица, чтобы не выдать себя, а братья ей заявляют, что той суммы, на которую они договаривались, им мало. Платите, мол, еще. А у тети денег нет, вот она и едет сюда за своим мужем, чтобы расплатиться с покупателями натурой.

— А что, у твоей тетки волосы и впрямь светлые и длинные, — сказала я. — И седину ей по возрасту уже положено иметь. Но она ведь ни в жизнь не признается.

— И не надо. Пусть только скажет, что дядя уже дома. Я и без ее признаний все прекрасно пойму.

Но дяди дома не оказалось. Напротив, снова звонили похитители и торопили тетю с выкупом.

— Теперь это была женщина, — рыдала в трубку тетя. — Она говорила очень грубо и жестоко. Сказала, что если я не раздобуду денег, то они вышлют мне палец моего мужа. Любой, по моему выбору. А не хочу палец, так может выслать что-нибудь другое.

— Видишь, они во всем готовы пойти тебе навстречу, — попыталась утешить Серафиму Ильиничну Мариша.

Но тетя швырнула трубку.

— Вот и утешай после этого людей, — пробормотала Мариша.

— Ну что там? — нетерпеливо осведомился Сева. — Дядя дома?

— Нет, — покачала головой Мариша. — Похитители звонили, денег требуют. А у тети нету.

— Нет денег? — удивилась я. — Ты же рассказывала, что они на редкость процветающая семейка.

— Ну, таких денег, какие требуются для выкупа, у нее нет, — поправилась Мариша. — Шуточки ли, сто тысяч долларов.

— Что ж, придется обходить соседей, — сказал Сева. — К счастью, их тут немного. Нам надо обойти только ближайшие дома и те, что расположены вдоль дороги. В остальных люди вряд ли что-то видели.

Мы с Маришей взялись проработать левую сторону, а Сева с Леной отправились расспрашивать обитателей домов по правой стороне дороги. В ближайших домах шло строительство и работала бригада рабочих. Верней, предполагалось, что они работают, а на самом деле все они, мертвецки пьяные, спали кто где. Мы попытались переговорить с их бригадиром, но он лишь улыбался и пытался обнять нас, обдавая неслабым запахом перегара.

Посочувствовав хозяину строящегося дома, мы пошли дальше. Следующий дом казался более перспективным. Он был битком набит жильцами. Все два этажа при шести отдельных входах. Еще возле него лепились три времянки и два фургончика, в которых тоже кто-то жил. Мы приободрились. Увы, жильцы попадались нам какие-то нелюбопытные, во всяком случае, они даже не знали, что в соседнем доме живут два красивых молодых человека, и никогда не видели таких — ни живыми, ни мертвыми.

— Нужно найти хозяина этого клоповника, — сказала Мариша. — Может быть, он что-то видел.

Выяснилось, что хозяин оставил для себя одну маленькую комнатушку под самой крышей, где и проводит свои дни, наблюдая за тем, как бы отдыхающие не спалили его хозяйство.

— Это как раз то, что нам нужно! — обрадовалась я. — Ему с крыши все далеко видать.

Мы поднялись наверх по скрипучей лесенке. Обитатели мансарды показали нам, куда идти. Хозяина мы обнаружили в самой дальней, самой маленькой и самой пыльной комнатушке этого странного дома. Владельцем его оказался скрученный в вопросительный знак старикашка, мерзкий, грязный и, по-моему, на редкость похотливый.

— Мы подруги ваших соседей из того кирпичного дома, — сказала Мариша, показывая на дом братьев. — Приехали, а их нет. Вообще-то они говорили, что, возможно, и уедут. Но не говорили, с кем. Есть тут несколько вариантов. Но если бы мы узнали, на какой машине они уехали или хотя бы на какой машине к ним приезжали, то нам бы это очень помогло.

И моя подруга устремила на старичка пронзительный взгляд. Старичок, закутанный, несмотря на жару, в теплый пуховый платок, грязный и изрядно поношенный, ответил ей таким же пронзительным взглядом своих выцветших глазок.

— Деточка, — сказал он, — а ведь, мне сдается, что ты пытаешься меня обмануть. Не советую, не люблю врунишек. Ты лучше скажи мне прямо, что тебе от старика нужно. За скромное вознаграждение я тебе помогу.

— На какой машине уехали гости от ваших соседей? — спросила Мариша. — Этак часа два-три назад.

— Триста, — выпалил старик.

— Триста? — переспросила я. — Это что, новая выдумка ВАЗа?

— Триста рублей, — пояснил старик.

— Ну ты и выжига! — возмутилась Мариша. — Это очень дорого. Мало тебе, что ты в каждую комнату пустил по семье, так теперь еще и на несчастье соседа хочешь нажиться? Полтинник — и точка. Больше эта информация не стоит.

— Двести пятьдесят, — уступил старик.

— Семьдесят.

— Двести двадцать.

— Сто и ни копейки больше, — сказала Мариша.

— Двести, — сверкнул глазами старик, было видно, что торг доставляет ему несказанное удовольствие.

— Сто пятьдесят, а нет, так мы у других соседей спросим, — сказала Мариша. — В конце концов, не все же пропадают на пляже. Обойдем все дома вдоль дороги и найдем какую-нибудь старушку, которая нам все выложит бесплатно.

— Ладно, по рукам, — сказал старик. — Давайте деньги.

— Деньги вот, — Мариша достала из кармана несколько помятых купюр и положила их на стол перед стариком. — Но сначала информация.

— Гости к вашим парням приезжали на темно-синей машине с эмблемой в виде четырех сцепленных между собой колечек. Не как на олимпиаде, а просто в ряд. Словно звенья цепочки.

— «Ауди», — прошептала я. — А номер?

— Букв я не разглядел, а в номере было две семерки.

После этого старик жадно схватил деньги и торжествующе посмотрел на нас.

— А парни ваши приехали на светлом «Мерседесе», — сказал он. — Эта информация вам в качестве премии. И никуда они до сих пор не уезжали. Могли бы сами заглянуть в гараж, и не пришлось бы вам выкладывать столько денег.

— Дедушка, — сказала я. — Вы не представляете, какую выгодную сделку вы провернули только что. Через час вам придется выдать эту же информацию совершенно бесплатно.

— Дедуля, — сдавленно прошептала Мариша, — а вы всегда сидите в этой комнате? Неужели вам не хочется пойти и прогуляться немного? Подышать свежим воздухом? Мы бы могли вас спустить вниз, если вам самому тяжело.

— Вот еще, — заметил старик, опасливо озираясь. — Жильцы мои тут все перевернут вверх дном, стоит мне на минуту отлучиться. Никуда я не пойду. А воздуха мне и тут хватает.

Нам не оставалось ничего другого, как уйти.

— Это катастрофа, — прошептала Мариша, когда мы вышли из дома. — Как это могло случиться? Боже мой!

— В чем дело? — спросила я. — Что ты стонешь?

— Машина-а-а.

— Какая машина? О чем ты?

— Темно-синяя «Ауди». Точно такая же была у моего дяди. И в номере у него цифры 677. То есть две семерки, а значит, очень вероятно, что убийца приезжал на этой машине.

— Да ты что! — ахнула я. — Значит, дядя сам прикатил сюда, кокнул своих похитителей, а потом уехал. Случай редкий, но вполне возможный.

— Ты ничего не понимаешь. Эта машина моего дяди, но, поскольку его нет, моя тетя вполне могла ею воспользоваться. Ясно тебе?!

— Но она же не умеет водить? У нее же этот... Ну, она ведь у тебя целые куски пространства не видит. Ты же сама рассказывала, как она, получив права по фальшивой справке, тут же врезалась в столбик, потому что он у нее попал в мертвую зону зрения. И она могла приехать сюда?

— Могла нанять шофера, — сказала Мариша. — По времени вполне успела бы после милиции смотаться сюда, укокошить братьев, а потом вернуться домой. Слушай, у тебя деньги есть?

— Есть две сотни и еще мелочь.

— Давай сюда.

Я протянула Марише деньги, и она помчалась зачем-то обратно наверх. Спустилась сияющая, словно фальшивый пятак.

— Все в порядке, — сказала она. — Старик обещал молчать насчет синей машины.

— Ты ему заплатила? — догадалась я. — Чтобы выгородить свою тетку-убийцу?

— Может быть, она и не убийца, — сказала Мариша, но в голосе ее звучало большое сомнение. — А неприятностей ей не миновать, если пронюхают, что у нее есть похожая машина. Пошли-ка, узнаем, как там дела у Севы с Леной.

Оказалось, те преуспели больше нас.

— Слушайте, мы нашли такую говорливую старушку! — восторженно сказал нам Сева. — Она нам все выложила. Правда, пришлось ее долго слушать, бабуля все время сбивалась на посторонние темы, но в конце концов все выложила. К братьям часов в восемь утра приезжала темно-синяя машина. Номер был 677, букв бабулька не помнит, а вышла из машины высокая светловолосая женщина и прошла в дом. Женщина была уже немолодая, но очень ухоженная. Волосы стянуты в хвост. Такая болтливая бабка, просто находка для милиции. Она еще много чего порассказала про местных хулиганов.

— Как ты думаешь, она согласится не болтать с милицией, если ей хорошенько заплатить? — дрожащим голосом спросила Мариша.

— Что ты, даже если она и пообещает молчать, все равно не выдержит и проболтается. Глупа как пробка. А зачем тебе нужно, чтобы она молчала?

— Это мое дело, — буркнула Мариша и устремилась в домик болтливой старушки.

Вышла она оттуда ровно через десять минут.

— Все, — удовлетворенно заявила Мариша. — Можно не беспокоиться. Старушка больше не опасна.

— Что ты с ней сделала? — ужаснулась я, представив, как осатанелая Мариша злобно душит болтливую бабку, чтобы спасти свою тетю.

Но мои опасения оказались напрасными. Бабка выскочила из дома буквально следом за Маришей. В руках у нее был большой чемодан, и она явно очень спешила. Мариша спряталась за густо цветущий куст сирени, и бабка промчалась мимо, не заметив ее.

— Куда это она?

— В город. Там всем пенсионерам в собесе выдают бесплатно по десять килограммов сахарного песка и по два килограмма муки, — сказала Мариша. — Только сегодня и только до трех часов дня. А ее предупредить не смогли, у нее телефон не работает. Ясно?! А вы милицию вызвали?

И мы пошли вызывать милицию. И в самом деле, не лежать же трупам в сауне весь день. Хоть мы и отключили обогрев, но температура там все равно была дьявольская, а июньская жара охлаждению нисколько не способствовала. Так что братья уже начали нехорошо попахивать. Можно было бы их, конечно, перетащить в холодильник. Он был огромный и словно специально созданный для таких вещей, но мы побоялись упреков милиции.

Впрочем, упреков, расспросов и подозрений мы все равно не избежали. Нечего было и надеяться на благодарность стражей порядка, что мы так старательно сохранили для них все улики.

— Почему же вы не вызвали нас сразу же, как только обнаружили тела? — скандально повысив голос, осведомился худенький белобрысый сержант по фамилии Сверчок.

Удивительное совпадение, но этот человечек действительно страшно напоминал это насекомое, так что не зря судьбой ему была предопределена такая фамилия.

— Как-то не сообразили, — брякнула Мариша, которая в предчувствии схватки уже распрямляла плечи и набирала в грудь побольше воздуха.

— Не сообразили? А вот по соседям пройтись — это вы смекнули, — продолжал разоряться Сверчок. — Что это за самодеятельность? Как мы теперь сможем определить, в котором часу были убиты пострадавшие? Сейчас это сделать намного сложней, чем если бы вы вызвали бригаду сразу же.

Чтобы его утихомирить, пришлось сказать, что мы не нашли в доме телефона и пошли искать его по соседям, а заодно уж и порасспросили их, не видел ли кто чего.

— Ну и как? — уже потише спросил Сверчок.

— Что — как? — с невинным видом спросила я.

— Так что вам удалось узнать?

— То же, что и вам, — сказала я. — Ничего.

— Ошибаетесь! — обрадовался Сверчок. — Хоть мы и прошлись по дому значительно позже вас, но мы-то профессионалы. Нам удалось узнать, что преступник, скорей всего, приезжал на темной машине. Свидетель колеблется, то ли темно-серая, то ли темно-синяя.

— Повезло вам, — почти без иронии протянула я.

И в самом деле, найти хоть какого-то свидетеля после того, как Мариша постаралась устранить их всех, было просто чудо. А сержант о чем-то задумался. Мы начали постепенно отступать к улице, надеясь потихоньку слинять, но он очнулся и поманил нас обратно пальцем.

— Я совсем забыл у вас спросить, а почему вы тут вообще оказались? — спросил Сверчок.

— Погибшие были нашими друзьями, — всхлипнула Мариша. — Мы приехали их навестить.

— Надо же, какое совпадение. И давно вы их знали?

Вопрос поставил нас в тупик. Говорить, что узнали мы о существовании братьев всего пару дней назад, а познакомились с ними и вовсе только вчера, как-то не хотелось.

— Уже прилично, — сказала Мариша. — Точнее не скажу. Вчера мы с ними славно кутнули, но затем они неожиданно исчезли.

— Как так?

— Представляете, мы просто шли по улице, уже подходили к их дому, как вдруг смотрим, а их нет. Ничего не понимая, мы с утра начали их разыскивать. Поехали сюда, на их дачу. И еще друзей для компании прихватили. В общем, обычная история.

Но, похоже, сержант так не считал.

— Очень странно, — заметил он. — Говорите, просто пропали, когда вы с ними гуляли?

— Да, когда гуляли, — кивнули мы.

— Не обижайтесь, но все-таки... Скажите, что вы делали сегодня рано утром? — спросил Сверчок.

— Были в милиции, — бодро ответила Мариша. — Нас случайно забрали, когда мы бродили по улицам и искали наших пропавших друзей.

Сверчок выразительно приподнял брови, и они исчезли где-то под волосами.

— Вы сами-то верите в то, что говорите? — спросил он.

Следователь отпустил Серафиму Ильиничну через полчаса после ухода ее племянницы, и в коридоре Серафиму Ильиничну поджидала только сестра — воплощение недовольства и гнева. Едва лишь дверь в кабинет следователя закрылась, Тамара Ильинична поднялась во весь свой рост и закричала:

— Ну, знаешь!.. Твоя наглость переходит всякие границы! Что ты накинулась на Маришу? Девочка ради тебя старается, жизнью рискует, а ты вздумала ее упрекать, мол, она у тебя мужа украла. Да ты в своем уме? Зачем Марише понадобилось бы похищать твоего Валериана? Как у тебя только язык повернулся сказать такое? Да еще при посторонних...

— Да, я виновата, у меня в голове после случившегося прямо какой-то кавардак, — вполне натурально заплакала Серафима Ильинична. — Ничего не могу сообразить.

Заплакать ей никакого труда не составляло, так как Картохин держался с ней крайне вызывающе — угрожал разоблачением и уверял, что ему все известно о делишках Серафимы Ильиничны. К концу допроса бедняжка и сама поверила, что виновна. Но вот в чем, она никак не могла взять в толк, и это еще больше ее расстраивало.

Увидев слезы сестры, Тамара Ильинична расчувствовалась и тоже начала всхлипывать.

— Ты пойми, мне, как матери, больно, когда

моего ребенка обижают, да еще незаслуженно, да еще родная тетка. Ну как ты могла такое подумать?

— Я уже ничего не знаю, — рыдала Серафима Ильинична. — Мариша чудесная девочка, я ее очень люблю. А следователь говорит, что это я похитила Валериана. У него и доказательства есть.

Услышав про доказательства, Тамара Ильинична перестала плакать и в изумлении уставилась на сестру.

— Ну и ну... — протянула она. — Не ожидала от тебя такой прыти. А как же звонок от сегодняшних похитителей? Ты его придумала?

— Как это придумала?! — возмутилась Серафима Ильинична. — Звонок был. Но я не успела его записать, поэтому теперь в милиции не верят, что он был. А что за доказательства у милиции, я тоже не спросила. Видишь, какая я дура. Ой, сердце! Умираю!

Тамаре Ильиничне и в самом деле почудилось, что сестра умирает. Но оказалось — ложная тревога. Стоило принести холодной воды и выплеснуть ее на Серафиму Ильиничну, как та мигом очнулась и, вскочив на ноги, начала фыркать, словно кошка.

— Ладно, идем, я провожу тебя до дома, — проговорила Тамара Ильинична. — А то еще завалишься на улице, снова мы с Маришей виноваты будем.

— Пойдем, — покорно кивнула Серафима Ильинична. — Я что-то совсем ослабела. Так хочется прилечь и немного собраться с мыслями.

Увы, прилечь ей не удалось. Возле дома толпился народ, а также стояли пожарные машины и карета «Скорой помощи». Но Серафима Ильинична, пребывавшая в трансе, не обратила внимания на необычное оживление возле дома. Не заметила она и густой дым, валивший из окон четвертого этажа.

— Смотри! — в волнении воскликнула Тамара Ильинична. — Вроде бы пожар у вас на этаже. У кого же это?

— Серафима Ильинична пришла! — раздался чей-то бас. — Миленькая, как же вы так неосторожно. У вас хоть ключи есть?

Серафима Ильинична вздрогнула и подняла глаза. Прямо перед ней стояла ее соседка с первого этажа — местная сплетница Глафира. Последний раз Серафима Ильинична виделась с ней в субботу, когда отправлялась выслеживать мужа. Воспоминания острой болью отозвались в измученном сердце, и она сначала не поняла, о чем толкует Глафира.

— Ключи?.. Какие ключи?

— От вашей квартиры, милочка, — пробасила соседка. — У вас же пожар! Вы что, ослепли? Пожарники дверь открыть не могут. Она ведь у вас бронированная.

— Боже мой! — завопила Серафима Ильинична, мигом забывая о муже. — Пожар! Только этого еще не хватало. Тамара, что делать? — В следующее мгновение она лишилась чувств.

Тамара Ильинична, даже не взглянув на сестру, помчалась наверх. Несмотря на свой возраст, она перепрыгивала через несколько ступеней и лишь постанывала, когда становилось совсем уже невмоготу. У двери Серафимы Ильиничны толпились пожарники в робах.

— Хозяйка пришла! — басила снизу Глафира, она взбиралась по лестнице не без труда, так как на ней повисла Серафима Ильинична.

— Давайте ключи! — рявкнул один из пожарных. — Что за моду взяли? Железные двери ставите, а запасные ключи никому не оставляете. Еще бы минута — и пришлось бы взрывать дверь или окна высаживать, чтобы весь дом не спалить. Повезло вам!

Не очень-то понимая, почему им повезло — ведь у них в квартире пожар! — Тамара Ильинична сунула пожарнику ключи. Тот открыл дверь, и из прихожей повалили густые клубы дыма. Пожарники бросились в квартиру, а Тамара Ильинична осталась на лестничной площадке.

— Ну что там? — спросила Глафира; она наконец-то добралась наверх.

— Не знаю... — Тамара Ильинична беспомощно развела руками. — Тушат.

— За ними! — скомандовала Глафира. — Там же ценных вещей пруд пруди. А что же вы их пустили? Они там без присмотру что угодно натворить могут. И разобьют, и подавят, и перепачкают... У меня у племянницы дома утюг немножко загорелся, так они, чтобы его потушить, всю квартиру пеной залили. Да еще говорили, что она радоваться должна, что была у них эта пена. Племянница потом и за неделю не сумела квартиру в порядок привести...

Рассказывая эту волнующую историю, Глафира шаг за шагом приближалась к двери; от Серафимы Ильиничны она уже освободилась — прислонила ее к стене.

— Иди за ней, — раздался за спиной Тамары Ильиничны слабый голос сестры.

Обернувшись, она увидела, что та шевелится и указывает на дверь.

— Не оставляй ее там одну, — пробормотала Серафима Ильинична.

Вспомнив хищный Глафирин взгляд — соседка как-то раз увидела часть драгоценностей, доставшихся Серафиме Ильиничне от свекрови, — женщина страшно разволновалась. Только этого не хватало! Пожар, похищение мужа, — а теперь еще и серьги с кольцами пропадут! Сама стащит, а потом на пожарников свалит. Недаром она про «ценные вещи» завела разговор... Собравшись с силами, Серафима Ильинична в обнимку с сестрой проковыляла в квартиру.

И тотчас же выяснилось, что все не так уж страшно... Дым валил из кухни — это женщины без труда определили. Вовремя перехватив Глафиру, уже направлявшуюся в спальню, сестры прошли на кухню, где возле дымящейся плиты суетились пожарники. Судя по их телодвижениям, они никак не могли вытащить из плиты противень.

— Мои пирожки! — завопила Тамара Ильинична. — Во что они превратились!

— Хорошо, что просто пирожки, — добродушно усмехнулся один из пожарных. — Считайте, что вам повезло.

«Что-то люди в последнее время слишком часто восхищаются моей везучестью, — подумала Серафима Ильинична. — Не к добру это».

— Боже мой! — раздался чей-то голосок. — А я все гадаю, почему у вас телефон не отвечает. Что же это тут еще произошло? Неужели похитители решились на поджог?

Серафима Ильинична обернулась и увидела

в дверях высокую полную женщину с короткими темными волосами, подстриженными в
каре. Незнакомка участливо смотрел на хозяйку
квартиры.

— Вы кто? — спросила Серафима Ильинична.

— Как кто? — удивилась незнакомка. — Мы
ведь уже с вами выясняли этот вопрос всего несколько часов назад. И договорились, что я к
вам приеду. К сожалению, я не смогла приехать
пораньше. Понимаете, машина сломалась в самый неподходящий момент.

— Вы Софочка? — пробормотала Серафима
Ильинична.

Она могла бы поклясться, что впервые видит
эту женщину и уж никак не могла болтать с ней
на презентации о Гогене. Господи, а кто же она
все-таки такая?

— Конечно, я понимаю, похищение вашего
мужа так вас потрясло, что вам не до разговоров, — прощебетала Софочка. — Но поверьте, я
сегодня примчалась к вам не просто так, то есть
вовсе не для того, чтобы поговорить о Гогене.

«О боже, опять, — подумала Серафима Ильинична. — Как назло, честное слово».

— Милочка! — завопила Глафира. — Неужто
Валериана Владимировича похитили? Это когда
же случилось?

Серафима Ильинична с ненавистью взгля-
нула на соседку и сквозь зубы процедила:

— Помолчите, прошу вас. Я вам все расскажу, но не сейчас.

— Да-да, конечно, — закивала Тамара Ильинична. — Спасибо вам, Глафира, — и до свиданья.

Общими усилиями удалось выставить любо-
пытную бабу за дверь. Затем ушли пожарники.

Дым из квартиры почти выветрился, и женщины немного успокоились.

— Я вам звонила с дороги, хотела предупредить, чтобы вы не волновались, что я задержусь, — сказала Софочка, когда все уселись в спальне, где меньше чувствовался запах гари. — Но вас не было дома.

— Мы ходили в милицию, — перебила Тамара Ильинична. — Симе позвонили похитители.

— В милицию?! — в ужасе воскликнула Софочка. — Разве вы не знаете, что этого ни в коем случае нельзя делать? Похитители вас что, не предупредили?

— Нет, они только сказали, чтобы я собирала деньги, и повесили трубку, — снова расплакалась Серафима Ильинична. — Вы думаете, они теперь убьют Валериана из-за моей глупости?

— Не будем об этом думать. Что сделано, то сделано. А чем же вам помогли в милиции? — спросила Софочка.

— Ах, — всхлипнула Серафима Ильинична, — они не придумали ничего лучше, как обвинить меня в похищении собственного мужа. Дескать, у них уже есть несколько похожих дел: мол, жены обращались в какую-то фирму, где их мужей похищали, пугали, а потом возвращали шелковыми. Тамара, ты не помнишь, что это за фирма?

— Кажется, что-то кошачье... — Тамара Ильинична задумалась. — То ли тигр, то ли рысь. Нет, что-то мужского рода и короткое.

— Барс? — предположила Софочка.

— Точно! — обрадовались сестры.

— Да, и в милиции считают, что я тоже обратилась в эту фирму, — продолжала Серафима Ильинична.

— Но вы туда не обращались? — спросила Софочка.

— Конечно, нет! Разумеется, не обращалась. Пытаться воздействовать на мужа таким образом — это же просто дикость какая-то. Но даже если бы я смирилась с подобной мыслью, то у меня все равно не было бы ни времени, ни... ни повода, — поспешно добавила Серафима Ильинична, рассудив, что посторонним не следует знать об их с Валерианом трудностях.

— Значит, похитители действовали без вашего ведома, не вы их наняли, — заключила Софочка. — Ай, как жаль. Если бы вы их наняли, то мы бы могли не волноваться за Валериана Владимировича. А так...

— Что так? — Серафима Ильинична затаила дыхание.

— А так придется платить выкуп, — сказала Софочка. — Сколько они потребовали?

— И это еще, — снова залилась слезами Серафима Ильинична. — Я просто не представляю, что делать.

— Они потребовали сто тысяч долларов, — сказала Тамара Ильинична. — У Симы нет таких денег.

— А у Валериана Владимировича? — спросила Софочка. — Он получал ежегодно половину этой суммы только по бухгалтерии. А квартира у вас явно не новая, и ремонт вы в ней уже несколько лет не делали. Так что он не мог истратить все деньги.

— Мы ездили отдыхать за границу, — пролепетала Серафима Ильинична. — Каждый год, а иногда и по два раза.

— Не смешите меня, это ведь капля в море, — фыркнула Софочка. — Заплатите выкуп — и дело с концом. Подумаешь, деньги! Деньги можно еще заработать, а Валериан Владимирович снова будет с вами. Я уверена, что он вам велел бы сделать то же самое.

— Да я рада была бы, но не знаю, где он держит эти деньги, — сказала Серафима Ильинична. — Я не могу их взять, потому что не знаю, где они.

— А вот в этом я вам могу помочь, — с таинственным видом проговорила Софочка, и сестры уставились на нее в изумлении.

Картохин в волнении расхаживал по кабинету. К сожалению, кабинет был слишком мал — не очень-то разгуляешься. Несколько шагов вперед, столько же обратно — вот, собственно, и весь тренинг. Тем не менее эти упражнения помогали Картохину рассуждать. А порассуждать было о чем.

Час назад ему сообщили, что оба подозреваемых по делу о выпрыгнувшем из окна парне найдены мертвыми на собственной даче в собственной же сауне. Совершенно ясно, что они не сами там заперлись. Кто-то у них был, и этот кто-то убил их, так как не хотел, чтобы братья оказались в руках следствия.

Картохин усмехнулся, потирая руки. Дело начинало раскручиваться и набирать обороты. Кто бы мог подумать, что смерть какого-то придурка-самоубийцы, как решили все остальные в отделении, — поможет раскрыть дело о неоднократном похищении людей? Мужчин и мужей, если уж быть предельно точным.

И все же Картохин по-прежнему подозревал жену второго похищенного, имя которого было ему точно известно. «Надо бы еще раз поболтать с Розой, — думал опер, — пусть пороется в файлах своего шефа, авось нароет там имена остальных жертв похищений, поможет жениху, так сказать».

— Ай да Роза, — пробормотал он себе под нос. — Молодец, девочка. Пожалуй, я все-таки на ней женюсь. Надо же, какая афера. И одна из подозреваемых у меня в руках. Она вполне могла успеть... Вышла от меня, села в машину — и помчалась убивать братьев. А что? Испугалась, что они ее выдадут. Или сообщник постарался.

В эту схему отлично укладывался мужской голос — звонивший требовал выкуп. Сегодня предстояло поточней выяснить обстоятельства смерти братьев. Для этого следовало выехать на место преступления, вот только служебная машина задерживалась...

Неожиданно дверь приоткрылась, и в кабинет просунулась кудрявая голова Полена, прозванного так из-за фамилии Поленов, а также за удивительную для сыщика туповатость.

— Тебя начальство вызывает, — почему-то по-суфлерски прошептал Полено. — Иди быстрей.

Молодой опер пулей вылетел из кабинета и тут же столкнулся с капитаном Лещовым — своим непосредственным начальником.

— Картохин?! — удивился капитан. — Куда мчишься? У меня к тебе разговор.

— Да я... это... — замялся Картохин.

— Что из тебя за мент получится? — поморщился Лещов. — Ты на себя посмотри! Весь какой-то взъерошенный и неумытый. Пьян, что ли?

— Я не спал всю ночь, — обиделся Картохин. — Выслеживал преступников.

— Уже наслышан о твоих подвигах, — кивнул Лещов. Он зашел в кабинет и уселся на стул. Картохин последовал за ним. — Если бы не твои ночные художества, подозреваемые были бы сейчас у нас, а не в морге. Как прикажешь их теперь допрашивать?

— У них в фирме могли остаться какие-то записи на дисках в компьютерах, — предположил Картохин.

— Да, конечно. Там так и написано: такого-то числа сделано то-то и то-то по заказу такого-то, — усмехнулся Лещов. — И не надейся. Я вот что подумал... Ты сам видишь, дело разрастается, тебе одному не справиться. Я решил лично этим заняться.

«Вот гад, — подумал Картохин. — Тоже почуял, что отличиться можно. Ну, я тебе ни словом не намекну, что тут, помимо убийства, еще и похищения имеются. Нет, про одно сказать придется. Но уж про то, что оно связано с остальными, ни за что не скажу. Это будет мое собственное расследование».

— Полковник такую перестановку одобрил, — продолжал Лещов. — Так что тебе удалось выяснить?

«Еще бы не одобрил, — мысленно усмехнулся молодой опер. — Ведь твоя перезрелая сестрица замужем за этим самым полковником».

И Картохин выложил капитану информа-

цию, которую удалось собрать за последние дни.
Утаил лишь те сведения, которые получил от
Розы. За них он должен был заплатить слишком
высокую цену, потому не стал делиться с Лещовым, желавшим получить все на халяву.

— Молодец! — похвалил капитан. — Видно,
что старался. Ну, не переживай. У всех поначалу бывают неприятности. Но на то и существуют старшие товарищи, чтобы вовремя помочь и
поддержать новичка.

«Ага, а заодно и присвоить себе его заслу-
ги!» — мысленно проворчал Картохин, но вслух
сказал:

— Я сейчас еду в Зеленогорск. Там убили братьев. Вы тоже поедете?

— Нет, с тобой поедет Поленов, — ответил
капитан.

Молодой опер невольно поморщился. Полено обожал всевозможные глупейшие шуточки и
объектом для идиотских розыгрышей почему-
то выбрал Картохина. Должно быть, потому,
что все остальные в отделении без всякого стес-
нения посылали надоедливого Поленова куда
подальше, едва лишь он принимался за свои
шуточки. Но если в жизни Полено был формен-
ным идиотом, от которого окружающие бежали
сломя голову, то в работе, как и подобает насто-
ящей ищейке, проявлял редкостное упорство.

К тому же у него была страсть докапываться
до истины, и он до нее обычно докапывался,
изводя при этом всех своих коллег бесконечными проверками фактов. Другое дело, когда требовалось проявить смекалку, — тут уж можно
было смело ставить на то, что преступнику

удастся уйти от возмездия. Нестандартные ситуации ставили Поленова в тупик.

— Ты же знаешь, что он малость твердолоб, — сказал капитан Картохину. — А ты у нас, наоборот, живчик, каких мало. Так что вы составите отличную пару. Ты будешь выдвигать идеи, а Поленов — их прорабатывать. Можешь ему в этом смело доверять — уж если он что начал, то непременно доведет до конца, не упустит ни малейшей подозрительной детали. Поэтому — вперед! А сразу же после возвращения — ко мне!

Мариша в задумчивости поправила прическу, и этот ее жест навел Севу, неотрывно за ней следившего, на какую-то мысль. Сева сказал:

— Надо навестить твою тетю и сравнить те волосы, что мы нашли у Дикаря в руке, с волосами твоей тетки.

— У тебя что, лаборатория дома? — спросила Мариша. — Как мы сможем точно определить, ее это волосы или нет? И что нам будет с того, если волосы похожи? Вполне вероятно, что это только внешнее сходство, а строение у них совсем разное. А мы пойдем по неверному пути. И потом, тетка ведь была дома, когда я ей позвонила.

— Имея машину, можно успеть смотаться в Зеленогорск, а потом вернуться домой, — сказал Сева. — За несколько часов обернулась, если гнала по-настоящему.

— Заехать к тете, конечно, не помешает, — согласилась Мариша.

— Я не пойду, — заявила Лена. — Не хочу скандалов.

— Я тоже воздержусь, — сказал Сева. — За компанию с Леной. Вы все узнаете, спуститесь и нам расскажете.

И мы с Маришей поехали одни. Сева с Леной обещали подождать нас где-нибудь неподалеку. Серафима Ильинична оказалась дома. Кроме того, мы застали у нее Маришину маму и еще какую-то незнакомую темноволосую женщину.

— Познакомьтесь — это Софочка. Она служила вместе с Валерианом, — представила нам незнакомку Серафима Ильинична.

— Почему так мрачно? — засмеялась Софочка. — Почему в прошедшем времени? Мы с Валерианом Владимировичем еще поработаем вместе не один год. Вот заплатим выкуп похитителям, и все уладится. Поверьте мне, им не нужна его кровь.

— А я думаю совсем иначе, — сказала Мариша. — Вы меня простите, но зачем похитителям оставлять его в живых? Возможно, он запомнил какие-нибудь детали или мелочи, по которым милиция может выйти на след похитителей. Зачем им идти на риск? Гораздо спокойней убить его сразу же после получения выкупа.

Я изо всех сил пихнула подругу в бок, но было уже поздно. Серафима Ильинична побледнела и залилась слезами.

— Не слушайте вы ее! — закричала Софочка. — Ничего они с ним не сделают, я точно знаю.

— Откуда, интересно? — едва слышно пробормотала Мариша и тут же, уже в полный голос, добавила: — Но, тетка, ты ведь говорила, что у тебя денег нет. Чем же ты будешь платить?

— А вот об этом я и хотела с вами поговорить, — сказала Софочка. — Я примерно знаю, в каком банке Валериан Владимирович держал свои сбережения. Вернее, не знаю, но догадываюсь и думаю, что моя догадка верна. Дело в том, что мы работаем вместе уже не один год, и за это время он несколько раз подвозил меня и еще некоторых таких же горемык, которым не повезло обзавестись собственным транспортом.

— И что? — насторожилась Мариша.

— Так вот, несколько раз он останавливался перед «Северным торговым банком» и заходил туда. А что он мог там делать? Ведь все дела наша фирма ведет с банком «Балтийский», и мы очень им довольны... Во всяком случае, я ни разу не слышала разговоров, чтобы вести дела с кем-то другим. Вот я сейчас и подумала: а что, если Валериан Владимирович держит свои сбережения в «Северном»?

— Ну и что? — пожала плечами Мариша. — Тете все равно не получить этих денег, пока она не предъявит убедительных свидетельств того, что он умер и других наследников нет.

— Так и не надо. Нам только нужно выяснить у него номер счета, вот и все.

— Как это все? — удивилась я. — Ведь банковские служащие захотят иметь дело лично с дядей Валерианом. Или у Серафимы Ильиничны есть доверенность?

— Нет у меня никакой доверенности, — покачала головой Серафима Ильинична. — Кстати, Мариша, спасибо, что перегнала к нашему дому машину Валериана Владимировича.

— Я перегнала? — Мариша в изумлении уставилась на тетушку. — Но я ничего...

Тут мне снова пришлось пихнуть ее в бок.

— Да ничего особенного... — спохватилась

Мариша. — Значит, вы ее уже увидели? Ну и как она вам?

— С ней все в порядке, — ответила Серафима Ильинична. — Я в нее, правда, не заглядывала, но из окна видно, что машина цела. Так что же, Софочка? Какой у вас план?

— Нужно доходчиво объяснить похитителям, что денег у вас нет. Сказать, что деньги лежат в банке и Валериан Владимирович сам должен распорядиться, чтобы их сняли.

— А похитители поверят? — спросила Тамара Ильинична.

— Конечно, поверят, — сказала Софочка. — Если хотите, я сама с ними переговорю.

Пока они обсуждали, кому лучше поговорить с преступниками, Мариша потихоньку отступала к двери. Заметив ее маневр, я последовала за ней. Выскочив из квартиры, мы помчались вниз. У дома и в самом деле стояла темно-синяя «Ауди». Впрочем, за цвет я не поручилась бы, так как вся машина была в пыли и грязных разводах.

— Это точно машина твоего дяди?

— Номера совпадают, — сказала Мариша. — Господи, почему же она такая грязная? Если бы она просто все это время стояла во дворе Ленкиного дома на Обводном, то не могла бы так запачкаться. Но кто же ее сюда перегнал?

— Знаешь, мне кажется, что не мешало бы ее помыть, — сказала я. — Почти наверняка эта грязь из Зеленогорска. Совсем не обязательно, чтобы менты получили еще одно подтверждение вины твоей тетки. В конце концов, это ее личное с мужем дело, а милиция так его раздует, что Серафиме Ильиничне потом несдобровать.

— Кажется, ты права, — сказала Мариша. — Здесь помоем или на мойке?

— Здесь будет лучше. Не хотелось бы, чтобы менты сцапали нас в чужой машине.

Когда Сева с Леной появились во дворе — каждый держал в руке по порции сливочного эскимо, — мы с подругой уже готовились приступить к мойке машины. Мне по жребию достался салон, и теперь оставалось только найти ключи, чтобы отпереть дверцы машины.

— Вот уж некстати! — воскликнула Лена. — Что за чистоплюйство такое? Или у вас других дел нет?

— Ты лучше вспомни, когда в последний раз видела машину дяди Валерина у себя во дворе, — сказала Мариша.

— Кажется, вчера... — пробормотала Лена. — Да, точно, вчера. Когда мы с Севой приехали ко мне, я еще подумала: до чего странно, что столько всего произошло, а машина до сих пор у меня под окнами стоит.

— А сегодня?

— Сегодня с утра ее уже не было, — с уверенностью заявил Сева. — Но я не видел, кто ее забрал.

— Это нам еще предстоит выяснить, — сказала я. — Только сначала помоем, уж больно она грязная.

— Слушай, ты, эксперт... — Мариша повернулась к Севе. — Не хочешь снять отпечатки пальцев с ручек? Вдруг пригодятся...

Сева тут же полез в салон своей машины. Оказывается, у него там имелась небольшая переносная лаборатория. Он взял кисточку и угольный порошок, подошел к «Ауди» и принялся обрабатывать ручки дверец.

— Что это такое? — раздался неожиданно голос Серафимы Ильиничны; следом за ней шли ее сестра и Софочка. — Молодой человек, что вы здесь делаете?

Сева оторвался от своего занятия и поднял голову. А Лена тотчас же спряталась за машину.

— Ой! — воскликнула Серафима Ильинична. — Неужели Сева?!

— Да, я, — кивнул тот. — Вот, решил снять отпечатки пальцев с машины вашего мужа.

— Зачем?

— Ну, видите ли... — замялся Сева. — Не знаю даже, как объяснить...

— Этой машиной воспользовался человек, который хочет повесить на тебя два трупа, — сказала Мариша. — Полагаю, тебе следует его опасаться.

Серафима Ильинична побледнела и попятилась.

— Кто же это? — прошептала она.

— Сначала скажи, что ты делала сегодня после того, как тебя отпустили из милиции?

— Пошла домой.

— И кто это может подтвердить?

— Я могу, — сказала Тамара Ильинична.

— Ты не в счет, — покачала головой Мариша. — Ты сестра подозреваемой, а значит, — лицо заинтересованное. Твоим показаниям никто не поверит. Более того, тебя тоже могут привлечь. Ты же блондинка среднего возраста, со светлыми волосами...

— При чем тут это? — перебила Тамара Ильинична.

Марише пришлось рассказать все с самого начала. О том, как мы поехали на поиски дяди в Зеленогорск и как нашли вместо него два свеженьких и тепленьких трупа. Рассказала она и про темно-синюю машину с дядиными номерами.

— К сожалению, про машину могут пронюхать и менты, — добавила Мариша. — Правда, я предприняла кое-какие меры, но кто знает?.. Менты иногда ужасно настойчивы.

— Какие глупости! — закричала Серафима Ильинична. — Я ни в чем не виновата. И не смейте смывать с моей машины улики. Это может помешать следствию.

— Да ты пойми, — принялась втолковывать Мариша своей тетке, — ведь следствие может прийти к заключению, что в Зеленогорск на машине ездила именно ты.

— Но Валериан не возил меня на ней уже почти месяц, а сама я за руль вообще никогда не садилась, — сказала Серафима Ильинична. — Значит, моих свежих отпечатков на машине нет, а есть отпечатки преступника. Пусть следствие разбирается.

— Господи! Да ты просто ослица! — разозлилась Мариша. — Не соображаешь, что делаешь.

— Машина моя — и точка! — заявила Серафима Ильинична. — К тому же у меня нет от нее ключей. Они были только у мужа.

— А второй комплект?

— Не знаю, — покачала головой Серафима Ильинична, и стало ясно: даже если бы ключи у нее имелись, нам бы она их все равно не дала.

— Мы сейчас едем в банк, — подала голос Софочка. — Нужно узнать, не оставил ли Валериан Владимирович доверенность на имя жены.

Если доверенность в банке, тогда все намного проще. Поедете с нами?

По дороге в банк я молчала, обдумывая ситуацию. Поделиться своими размышлениями с Маришей не могла, так как на заднем сиденье находились Серафима Ильинична с сестрой и Софочка, а при них мне говорить не хотелось. Наконец мы приехали. Славная троица направилась в банк, а мы остались ждать на улице.

— Послушай, тебе не кажется, что твоя тетка ведет себя довольно подозрительно? — спросила я. — Ты только не обижайся, но смотри сама. Тетя сейчас попытается получить все деньги, которые накопил ее муж и до которых она другим способом добраться не смогла бы. Если бы Валериан Владимирович решил от нее уйти, он вряд ли оставил бы ей деньги. А так она до них доберется. А куда она потом денет — это еще неизвестно. Может быть, и в самом деле отдаст похитителям, а может, оставит себе. Возможно, она его и похитила.

— Ты что, считаешь, что это тетка была там сегодня в Зеленогорске?! — поразилась Мариша. — Да никогда в жизни не поверю, что она добралась туда без аварии, а потом еще и вернулась обратно. Только если ее на буксире тащили. Как бы тетка села за руль? Ведь она даже Ленку не увидела, когда та пряталась от нее за машину. Тетка уже много лет говорит, что зрение у нее становится все хуже, боится, что скоро совсем ослепнет.

— А может, она специально так говорит?

— Исключено. Ведь дядя Валериан раньше зарабатывал сущие гроши, а тетка уже тогда жаловалась на зрение. Ленку же она точно не увидела, потому что иначе устроила бы такой скандал, что небесам жарко стало бы.

— Да, согласна, — сказала я со вздохом.

В этот момент двери банка распахнулись, и на улицу вышли наши спутницы. Вышли столь удрученные, что и без объяснений стало ясно: денег они не добыли. Все трое уселись на заднее сиденье, и мы с Маришей, тоже забравшись в машину, молча стали ждать, когда их прорвет. Первой не выдержала Тамара Ильинична.

— Вы не поверите, эти клерки даже не пожелали с нами разговаривать!

— Как? — удивилась Мариша. — Прямо выставили из банка? Ничего себе порядочки — как в магазинах в застойные времена.

— Нет, сначала они нас вежливо слушали, — сказала Софочка. — После того как твоя тетя назвала себя и объяснила цель визита, девушка полезла в компьютер...

— И вот после этого она и отказалась с нами разговаривать! — перебила Тамара Ильинична. — Сказала, что информация о вкладах клиентов не разглашается. И нам она ничем помочь не может.

— Значит, деньги все-таки в этом банке... — пробормотала Мариша.

— Похоже на то, — кивнула Тамара Ильинична. — Софочка права. Если бы денег у них не было, зачем бы той девице отказываться с нами разговаривать? Просто сказала бы, что такого клиента у них нет, вот и все. Но она же не сказала, что клиента нет. Девица просто не захотела о нем говорить.

— Доверенность ваш муж, конечно, не позаботился оставить, — сказала я. — Но неужели вы ничего не знали про этот вклад?

— Нет, муж мне вообще не говорил, сколько он получает. Просто выдавал ежемесячную сумму на ведение хозяйства и на мои личные нужды.

— Интересно получается, — заметила я. — Если бы ваш муж скоропостижно скончался, например, от сердечного приступа, то вы бы так и не узнали, что его деньги лежат в этом банке. Вряд ли банковские служащие сообщили бы вам, что деньги у них.

— Я всегда говорила, что Валериан негодяй и эгоист, каких мало! — воскликнула Тамара Ильинична. — Да он всю жизнь только о себе и думал, а ты, Сима, его окончательно избаловала. Все ему, все для него. Если уж эта история не откроет тебе глаза, то тогда не знаю, что с тобой делать.

— Не надо со мной ничего делать, — проговорила Серафима Ильинична. — Почему ты так плохо о нем думаешь? Ведь ему, наверное, просто не пришло в голову, что он может внезапно умереть.

— Вот и я о том же, — усмехнулась Тамара Ильинична. — Ему просто не пришло в голову позаботиться о тебе. И так было всегда.

— Мама, хватит, — вмешалась Мариша. — А что, если дядя написал завещание? Может, в нем он и указывает, где держит деньги и кому их завещает?

— Но нам-то что с этого? — спросила я. — Мы же тут собрались не для обсуждения моральных качеств твоего дяди, а для того, чтобы решить, как нам получить его деньги для выкупа. Что толку с завещания? Допустим, там указан банк. Так мы его и сейчас знаем. И еще: пока дядя жив, формально деньги принадлежат ему, а не жене. Так что банк деньги не отдаст. Может быть, дядя предпочел бы, чтобы она их оставила себе, а не тратила на выкуп.

— Но о какой сумме может идти речь? — спросила Мариша. — На любовниц дядя не тратился, играть не играл, значит, все деньги относил в банк. Софочка, а сколько он примерно зарабатывал в месяц?

— Тысячи две или две с половиной. Но не забывайте, что у него постоянно шли выплаты по его запатентованным открытиям. Так что в год выходило тысяч тридцать, не меньше.

— Откуда ты знаешь, что Валериан не тратился на любовниц? — прошипела Серафима Ильинична, уставившись на племянницу. — Ты беседовала на такие темы с той дрянью?

— Не важно, — сказала Мариша. — Ты лучше подсчитай, сколько в год вы тратили?

— Никак не больше десяти тысяч, — не задумываясь ответила Серафима Ильинична. — Даже меньше. Это с учетом того, что Валериан почти каждый год покупал новую машину. Но так как старую он продавал, то доплата выходила всего тысячи две-три.

— А хорошо зарабатывать он стал лет пять назад?

— Да, лет пять.

— Значит, мы можем изъять из банка эти сто тысяч, а потом дядя возместит их со своего счета, — сказала Мариша.

— Погоди, а как изъять? — насторожилась я. — Кто их нам отдаст?

— Добром никто, конечно, не отдаст, но за свое добро я лично буду драться до последнего, — заявила Мариша. — Понадобится, так и банк ограблю.

— Что?.. — прошептала я.

— О господи! — выдохнула Тамара Ильинична. — Не может этого быть. Мне, наверное, послышалось...

— Минуточку! — воскликнула Софочка. — Не нужно никого грабить. Я предлагаю более разумный выход. Деньги мы снимем со счета Валериана Владимировича. А как это, он нам сам подскажет. Нужно просто потребовать от похитителей, чтобы они позволили переговорить с ним. Не думаю, что они откажут. Это ведь и в их интересах тоже.

— А что помешает преступникам самим воспользоваться полученной информацией? — спросила я. — Загримируют своего человека под дядю Валериана, научатся подделывать его почерк и пойдут в банк. И снимут не сто тысяч, а все денежки, которые там есть.

Какое-то время все молчали.

— Но у них ведь нет документов, подтверждающих личность Валериана Владимировича, — внезапно проговорила Серафима Ильинична.

— Как, при нем не было документов? — удивилась Мариша.

— Нет, он же поехал на рыбалку... Все документы, кроме водительских прав, остались дома.

— А права? Они ведь тоже с фотографией?

— Вряд ли они годятся для того, чтобы получить такую крупную сумму денег, — сказала Серафима Ильинична.

— Вообще-то во многих банках, особенно в тех, которые ориентируются на Запад, права вполне сгодятся для удостоверения личности, — со вздохом заметила Софочка.

— Надо пойти и посмотреть, может быть, они еще в машине! — воскликнула Серафима Ильинична.

— Вряд ли, — возразила Мариша, но все же завела свой «Опель». — Если преступники уже пользовались машиной дяди, то наверняка нашли права. И потом, ты же сама говорила, что не знаешь, где ключи от «Ауди».

— Я вспомнила. Они в прихожей на полочке.

Мариша молча покачала головой, она явно не одобряла поведения тетки.

Однако ключи от «Ауди» оказались на месте — то есть на полочке в прихожей. Во мне снова проснулись подозрения... Тем не менее мы открыли дядину машину, и тетка забралась в салон.

— Вот они! — обрадовалась она. — В бардачке лежат! Теперь только разузнать номер счета — и деньги почти у нас в руках.

— Так-так! — раздался знакомый голос.

Чувствуя себя словно воришки, пойманные на месте преступления, мы обернулись. Разумеется, мы прекрасно знали, кто стоит за нашими спинами, но каждый из нас втайне надеялся, что стали жертвой слуховой галлюцинации. Увы, надежды не сбылись. Перед нами стоял Картохин. Более неподходящего времени для своего появления он не смог бы выбрать при всем желании.

— Темно-синяя «Ауди» с регистрационным номером, включавшим две семерки, была сегодня утром замечена на месте преступления, — проговорил опер с ехидной усмешкой. — И какое совпадение!.. У нашей уважаемой Серафимы Ильиничны имеется точно такая же машина.

— Это не моя, — сказала Маришина тетка.

— Очень жаль, — снова усмехнулся Картохин. — Я бы на вашем месте не стал так быстро отказываться от прав на новенькую иномарку. Кстати, ключи от нее вы держите в руке.

— Вы не поняли! — воскликнула Серафима Ильинична. — Машина принадлежит моему мужу. А сюда ее перегнали преступники, которые...

Тетушка, слава богу, вовремя спохватилась и умолкла.

— Ну, договаривайте, — кивнул Картохин. — Хотя я и сам могу сказать. — Эти преступники убили сегодня утром двух молодых людей: заперли их в сауне, где они скончались от перегрева. Только преступников не было, а была преступница — то есть вы, уважаемая Серафима Ильинична. Вы решили уничтожить исполнителей похищения вашего мужа.

— Вы не смеете так говорить! — заявила Мариша. — У вас нет доказательств.

Картохин нахмурился и проговорил:

— Вообще-то мне следовало бы арестовать всю вашу подозрительную компанию. А вас, милая девушка, — в первую очередь. Разве не вы предлагали деньги свидетелю Свирепелову, чтобы он не сообщал об этой машине в милицию, а? Разве не вы с приятелями и приятельницами обошли все дома по соседству с домом покойных, не вы выпытывали у жильцов, не видели ли они чего необычного? Конечно, вы. В таком случае вам прекрасно известно, что молодых людей убила высокая светловолосая женщина, приехавшая на темно-синей машине. Женщина, приметы которой удивительным образом совпадают с приметами вашей тети. Не отрицайте, девушка, свидетель Свирепелов нам все рассказал. Напрасно вы сулили ему деньги.

— Я ему не просто сулила, я ему заплатила, и немало! — завопила возмущенная Мариша. — Про это он вам не сказал?

— Почему-то умолчал, — усмехнулся Картохин. — Значит, все остальное из моего рассказа вы не отрицаете?

— Нет, отрицаю! Моя тетя не убивала Дикаря с Гариком. Она просто не успела бы доехать до Зеленогорска и вернуться. К тому же у нее есть свидетель. С ней все время была моя мама — ее сестра.

— И она, конечно же, готова подтвердить ее алиби?

— Да, подтверждаю! — сказала Тамара Ильинична, но никто даже не взглянул в ее сторону.

— Да в городе сколько угодно высоких светловолосых женщин! — возмущалась Мариша. — Почему бы вам всех их не арестовать?

— Потому что далеко не все они являются владелицами темно-синих иномарок с двумя семерками в номере, — сказал Картохин.

— Моя сестра не смогла бы проехать и сотни метров, — сказала Тамара Ильинична. — У нее очень плохое зрение.

— Это выяснять врачам, — возразил опер. — Серафима Ильинична, потрудитесь проехаться со мной. Мы хотим задать вам несколько вопросов. Но если вы откажетесь... В общем, мне бы не хотелось на виду у всего двора надевать на вас наручники.

— Боже мой! — простонала Серафима Ильинична. — Что же будет с Валерианом? Кто будет говорить с похитителями, если меня арестуют? Капитан, — польстила она Картохину, — не могли бы вы оставить меня под домашним арестом? Клянусь, я не убегу.

— Нет, не могу, — проговорил Картохин. — И перестаньте валять дурака. Вы прекрасно знаете, что ваш муж в надежном месте и ему ничего не угрожает. Да, в надежном месте, потому что вы же его туда и доставили из того дома в Зеленогорске...

— Постойте! — перебила Мариша. — Но та женщина в Зеленогорске вышла из дома одна. С ней никого не было.

— Да какая разница?! — разозлился опер. — Ваша тетя вполне могла спрятать своего мужа еще раньше. А в Зеленогорск поехала просто для того, чтобы замести следы и уничтожить свидетелей. Так что ее машину я тоже забираю. На предмет обнаружения в ней следов преступления.

— Интересно у вас получается! — возмутилась Тамара Ильинична. — Чтобы замести следы столь ничтожного преступления... оно и преступлением-то вряд ли может считаться — так, семейные дрязги, — моя сестра хладнокровно убивает двоих мужчин. Вы из нее монстра-то не делайте! И ведь она поехала туда не мужа вызволять, вы сами подтвердили, что она вышла из дома одна.

— Одна или нет — мы точно не знаем, — сказал Картохин. — Свидетель мог не разглядеть.

— Конечно, две семерки он разглядел, а вот

взрослого мужчину рядом с той блондинкой не увидел, — съехидничала Тамара Ильинична. — Оставьте мою сестру в покое. Сегодня ей будут звонить похитители ее мужа и...

— Молчать! — взревел Картохин.

Тотчас же все замолчали — в том числе бабки на лавках, дети в песочнице и жильцы на балконах, вышедшие погреться на солнышке, — и с любопытством уставились на опера.

— Хорошо, я поеду, — кивнула Маришина тетка. — Только не орите на весь двор. Рано или поздно вы поймете, что я невиновна, и выпустите меня. Поэтому я поеду с вами, а то вы меня окончательно опозорите перед соседями, а мне тут жить.

— Сима, а как же похитители? — в растерянности проговорила ее сестра.

— Ты поговоришь с ними вместо меня. У нас голоса похожие.

— А Валериан? Он ведь поймет, что я — это не ты.

— Ничего он не поймет! — отмахнулась Серафима Ильинична. — В случае чего скажи, что у тебя насморк.

— Но он же заподозрит неладное!

— А что я могу сделать? — пожала плечами Серафима Ильинична, она направилась следом за Картохиным к его машине.

— Слава богу, он хоть догадался приехать без мигалки, так что репутация Серафимы Ильиничны не очень пострадает, — пробормотала Софочка. — Знаете, я хочу поехать с ними в милицию и посмотреть, чем можно помочь... Уверена, что Валериан Владимирович это одобрил бы. А здесь вы и без меня справитесь. Вы ведь и так знаете, чего добиваться от похитителей. Главное, чтобы они разрешили поговорить с Валерианом Владимировичем. Хотя бы несколько минут. В конце концов, вы имеете право знать, как он себя чувствует.

И Софочка поспешила следом за Серафимой Ильиничной. В следующее мгновение из машины Картохина вылез еще один мент. Он был невысок, упитан и коротко стрижен. Выражение его лица едва ли являлось свидетельством острого ума. И тут толстячок расплылся в ухмылке; причем смотрел мент в этот момент вовсе не на Серафиму Ильиничну, а куда-то в сторону. Я повернула голову и успела заметить Севу — он скрылся за углом дома.

— Привет бывшим от настоящих! — заорал напарник Картохина; он, конечно же, имел в виду Севу, но тот явно не желал отвечать на приветствия.

— И что нам теперь делать? — проговорила Тамара Ильинична, глядя вслед машине, увозящей ее сестру.

— Ждать звонка похитителей, — сказала Мариша.

— А потом? Нам ведь с ними без милиции не справиться...

— Предлагаю решать проблемы по мере их поступления, — ответила Мариша. — А то окончательно рехнемся. И потом... Не забывай, что среди нас один милиционер все-таки есть. Хоть его и выгнали, хватка у него, наверное, осталась. Правда, Сева? — Она повернулась к подошедшему парню. — Мама, познакомься. Это тот самый таинственный Сева, который спас тетю Симу и про которого она нам столько рассказывала. Но почему же тетка забыла упомянуть о том, что он бывший мент? Сева, ты не знаешь? Может быть, потому, что она и сама об этом ничего не знала? А ну-ка, Сева, живо колись, зачем ты следил за моим дядей?

— Давайте не на улице, — в смущении пробормотал молодой человек. — Я вам все объясню, не беспокойтесь. Вижу, что пришло время сказать правду, но только дома, когда мы все сядем поудобнее. Поверьте, моя история слишком длинная, чтобы рассказывать ее здесь, во дворе. К тому же, пока мы тут болтаем, могут позвонить похитители.

— Ладно, уговорил, — кивнула Мариша.

Мы всей компанией — Лена тоже появилась — поднялись в квартиру Серафимы Ильиничны и уселись поудобнее, как настаивал Сева. Парень немного помолчал, собираясь с мыслями, потом заговорил...

Все началось и в самом деле не вчера. Заварушка, в которую попал дядя Валериан, оказалась нешуточной. Несколько месяцев назад Севе удалось напасть на след одной банды. Причем это была очень странная банда... Единственная жертва ее деятельности — во всяком случае, больше никто не обращался в милицию — не смогла ничего толком рассказать. Каков состав преступной группы, кто главарь, кто разрабатывает операции — об этом ничего не было известно.

— В один злосчастный день в мой кабинет зашел молодой человек, — рассказывал Сева. — Если бы я тогда знал, какие неприятности свалятся на мою голову, если бы знал, что даже лишусь работы, — выставил бы посетителя вон.

Ведь все равно ничем ему не помог, зато сам пострадал.

— Ближе к делу, — перебила Мариша. — Про твои страдания мы послушаем потом.

— Так вот, этот молодой человек назвался ученым Томовым, — продолжил Сева. — Томов сказал, что хочет написать заявление... Якобы в одной фирме, куда он собирался принести свое открытие, не пожелали ему заплатить и наняли головорезов, чтобы похитить ученого и силой выпытать всю информацию.

— А как у него с головой? — хихикнула Лена. — Может, он состоит на учете в психоневрологическом диспансере, ты не проверил? Так что же он такое придумал?

— Не знаю, я не химик. Но вроде бы он изобрел новый способ переработки нефти. В результате бензин мог бы стать намного дешевле, к тому же загрязнение атмосферы свелось бы к минимуму. Конечно, за такую идею многие фирмы ухватились бы на Западе, где все помешаны на экологии. Следует сказать, что молодой ученый прекрасно понимал, какую ценность имеет его открытие. Поэтому обратился в солидную и довольно известную фирму. Там его открытием очень заинтересовались, но сказали, что заплатят потом, когда ученый предоставит все свои исследования для экспертизы. Разумеется, молодой человек с возмущением отказался — понял, что его хотят провести. И в тот же день вечером к нему вломились двое человек в масках и обшарили всю квартиру.

— Они искали его бумаги? — спросила Лена.

— Видимо, да, — кивнул Сева. — Потому что особое внимание они уделили компьютеру.

— И нашли?

— Нет. Томов оказался не только гениальным химиком, но и предусмотрительным человеком, он не очень-то доверял окружающим. К тому же у него часто бывали дети сестры, и все важные бумаги ученый старался держать от них подальше, то есть вне дома. В компьютере он тоже не держал ничего серьезного, так как те же детки уже не раз каким-то образом взламывали пароли на его файлах и славно резвились, путая все схемы и формулы. Так что налетчики ничего не нашли. Однако они здраво рассудили: раз бумаг нет, нужно взять самого ученого — пусть он напишет все заново.

— Они увезли химика?! И куда же?

— Этого он не знает. Но везли его долго. Почти всю ночь. На место они приехали лишь под утро, то есть он так думает. На голове у него был мешок, и Томов ничего не видел. Его сразу же отвели в помещение без окон, — вероятно, оно находилось под землей, так как в этой комнате было сыровато и прохладно. С головы ученого сняли мешок, и он осмотрелся. У самой стены стояла кровать с одеялом и подушкой, а в центре находился стол с кипой чистой бумаги. Похитители на несколько минут оставили его одного, а потом в комнату вошел мужчина...

— Один из тех двоих?

— Томов считает, что нет. Но точно сказать трудно, так как и этот был в маске, правда, в другом костюме. Впрочем, незнакомец вполне мог переодеться, пока пленник осматривался. Как бы то ни было, он предложил ученому засесть за работу — то есть подробнейшим образом изложить все на чудесной белой бумаге, лежавшей на столе. После этого Томов мог считать себя свободным. Но похититель предупредил: работа ученого будет отдана на экспертизу знающему человеку, так что смухлевать и всучить липу не удастся...

— И химик согласился? — перебила Мариша.

— Согласился, но не сразу. Только после того, как в «кабинет» ученого внесли несколько предметов, возможно, позаимствованных с выставки «Средневековая инквизиция». В общем Томов немного подумал и решил, что не стоит упрямиться. Он засел за работу и через нескольких недель вручил похитителям более или менее точную копию своего исследования.

— Так более или менее? — спросила я.

— Вообще-то он решил схитрить и намеренно допустил в работе одну «маленькую» ошибку. В результате открытие превратилось в кучу никому не нужной бумаги. Но понять это мог бы только специалист — и то лишь после тщательного изучения работы.

— И что?

— Парень поплатился за свою изобретательность. Ему пришлось познакомиться с дыбой и плетью. Кроме того, он лишился одного пальца на ноге. После окончания экзекуции Томову предоставили двухдневный «больничный» для восстановления сил и сообщили: если снова попытается смухлевать, ему ампутируют все остальные пальцы на ногах. После чего ему предложат исправить свою ошибку. И так будет продолжаться до тех пор, пока он не напишет все правильно.

— Какой ужас! — воскликнула я. — А если бы в его работе изначально была какая-нибудь неточность? Он ведь ее никому не показывал, мог и ошибиться, со всяким случается. В таком случае бедняге не поздоровилось бы...

— Возможно, — кивнул Сева. — Но Томову повезло — он отделался малой кровью. В общем, он смирился, быстренько исправил ошибку, и уже на следующий день его отпустили. Вернее, его снова везли почти весь день, потом высадили, дали по голове и уехали. Через какое-то время парень пришел в себя и снял с глаз повязку. Оказалось, что он лежит на колхозном поле возле Петергофского шоссе, а вокруг — ни души. Томов кое-как добрался до дома, и все родные ужасно обрадовались — они уже думали, что никогда не увидят его живым. Немного отдохнув, ученый помчался в милицию... И угораздило же его заявиться именно ко мне!

— Так что там у вас случилось? — спросила Мариша. — Почему же все-таки тебя уволили? А история молодого ученого, конечно, очень любопытна, но какое отношение она имеет к моему дяде? Насколько я знаю, он уже давно никакой наукой не занимался. Занимался исключительно управленческой деятельностью. Или он совмещал, а, мама?

— Не думаю, — сказала Тамара Ильинична. — Сима постоянно жаловалась, что он много времени проводит в разъездах. Да у него даже своей лаборатории нет уже лет двадцать. К тому же он и раньше не очень-то увлекался наукой. Честно говоря, она была ему до лампочки. Его интересовали лишь коммерческое использование того или иного открытия и общее руководство процессом. Вот в этом ему действительно не было равных. Он всегда точно знал, кому и какое открытие предложить и как заработать побольше.

— Я сначала расскажу, каким образом я пострадал из-за этого похищения, — сказал Сева. — А потом объясню, при чем тут ваш дядя. Так вот, разумеется, я сначала не поверил парню. Решил, что он начитался детективов, а то и вовсе псих. Но тут Томов снял ботинок с левой ноги. Пальца действительно не было, но ведь псих мог бы и сам его оттяпать... А парень вдруг стащил с себя рубашку, и тогда я все-таки поверил ему. Вся его спина была исполосована. И кто-то вдоволь порезвился, вычерчивая на коже острием ножа элементы таблицы Менделеева. Этакое самому не сделать. Значит, оставалось предположить, что у психа имелся помощник? Но какие же у психов могут быть помощники?.. В общем, я решил, что парень вполне здоров, а его история — чистая правда. Начиная расследование, я первым делом отправился в ту лабораторию, куда Томов пришел работать сразу же после университета и где трудился над своим открытием несколько лет. Но там мне ничем не смогли помочь. Сказали, что ночью — именно в эту ночь парня похитили — в лаборатории возник пожар и сгорело почти все. Затем я направился в ту самую фирму, где незадолго до похищения побывал молодой ученый, — но и там мне почти ничего не удалось узнать. Сказали, да, приходил такой, что-то толковал о своем открытии, однако сделка не состоялась, так как он больше не появлялся. Но после того, как я вернулся из этой фирмы, начался кошмар. Моему начальству был анонимный звонок, — мол, я получил взятку. Причем названная сумма —

три тысячи долларов — в точности соответствовала той, что оказалась в моем столе. Начальство возмутил не сам факт взятки, возмутило то, что я не поделился, даже не заикнулся о такой возможности. И как я их ни убеждал, что деньги мне подложили с целью подставить, никто мне не поверил. А ведь я тогда не вел ни одного серьезного дела... Было лишь мелкое мошенничество плюс столь же мелкая кража. И еще эта история с похищением. С первыми двумя делами я уже управился, от меня в тот момент вообще ничего не зависело, так что устранять меня не имело смысла. Значит, оставалось только похищение... Именно из-за него меня решили устранить. Кто-то боялся, что я начну копаться в этом деле.

— Но и при чем тут мой дядя? — нахмурилась Мариша.

— Ты еще не поняла? — удивился Сева. — Твой дядя — он и есть директор фирмы, куда обратился молодой ученый Томов со своим открытием.

— Не верю, — выдохнула Тамара Ильинична. — Валериан, конечно, не ангел, но он не станет пытать человека, не станет добиваться своего таким способом.

— Я и не говорю, что это именно он, — сказал Сева. — Однако банковский счет Валериана Владимировича... В общем, сумма такова, что невольно заподозришь неладное. Но не будем об этом. Мои подозрения основаны на следующем факте: при беседе с молодым талантливым ученым присутствовали только трое, и директор фирмы был одним из этих троих. Ведь не исключено, что кому-то из них захотелось поживиться...

— С тобой все ясно! — перебила Мариша. — Хорошо, что тут нет тети. При таком раскладе ты мог бы сразу же считать себя уволенным. Тоже мне, комиссар Мегрэ.

— Но я же не говорил, что твой дядя виноват, — запротестовал Сева. — Просто так уж совпало... только поэтому он попал в число подозреваемых. Меня временно отстранили от дел, заняться мне было нечем, вот я и решил: а что такого, если я частным образом попытаюсь найти человека, замешанного в похищении ученого?

— А почему ты уверен, что именно в фирме Валериана Владимировича нужно искать злоумышленников? — спросила Тамара Ильинична. — Наверняка этот твой молодой ученый проболтался о своем открытии приятелям. И в его в лаборатории должны были знать, над чем он работает. Ну и девушка, конечно.

— В том-то и дело, что нет! — воскликнул Сева. — Я тоже сразу об этом подумал и спросил у него про друзей и девушку. Так вот, никакой девушки у него нет, он все силы отдавал науке. А над своим открытием работал по вечерам и ни с кем в лаборатории не делился... График там свободный, получают все гроши, поэтому никто его вечерними занятиями не интересовался. И друзьям Томов тоже об этом не рассказывал. Его друзья — люди от науки далекие, так что все равно ничего не поняли бы. То есть в общих чертах они, конечно, знали, над чем работал наш химик, но, повторяю, лишь в общих чертах. Поэтому остаются те трое, что находились в кабинете Валериана Владимировича, когда туда вошел Томов.

— Трое? Кто именно? — спросила Тамара Ильинична.

— Скрывать нет смысла. Во-первых, вице-президент по науке — Михаил Федорович, во-вторых, заместитель вице-президента — Петр Леопольдович, который, следует заметить, оказался в тот момент в кабинете по чистой случайности. Просто зашел о чем-то спросить. И, разумеется, Валериан Владимирович. Кстати, ему очень хотелось узнать мнение своих коллег...

— О чем? — перебила Мариша.

— О том, насколько выгоден проект, предложенный нашим химиком.

— И что дядя?

— Очень заинтересовался, — ответил Сева, потупившись. — Поэтому я его сначала и заподозрил... Томов говорит, что твой дядя сразу же оживился и даже предложил ему работу в своей фирме. И еще он сказал, что директор произвел на него благоприятное впечатление.

— Валериан на всех такое производит, — заметила Тамара Ильинична. — Поэтому и в директорах с младых ногтей. А вообще он мужик дельный и криминала опасается. Так что не верю, чтобы он затеял похищение ученого. Вот предложить выгодный контракт и переманить к себе молодого гения — это другое дело. На это Валериан бы пошел.

— Выходит, история с похищением химика произошла недавно? — спросила Мариша. — Ты ведь не случайно встретился с моей теткой? Ты в это время уже следил за дядей Валерианом, уже подозревал его в чем-то?..

— От тебя ничего не скроешь, — усмехнулся Сева. — Да, я следил за ним, когда твоя суматошная тетка бросилась мне под колеса и принялась умолять, чтобы я помог проследить за машиной ее мужа. Меня все это заинтересовало, и я согласился подвезти твою тетку.

— А что дальше? Почему ты не смог выяснить, куда увозят Валериана Владимировича? — спросила я. — Ты ведь остался ждать в машине и видел, как его выносят.

— Да все из-за тетки, будь она неладна! — разозлился Сева. — Пришлось подняться к ней. Бандиты, которые помогали Гарику похитить дядю, очень уж громко обсуждали, не откинется ли эта ненормальная. А как бы ты поступил на моем месте? Представь, проходят мимо двое, и один другому говорит: «Слышь, братан, а как ты думаешь, прикончили мы ту бабу, что на нас кинулась? Может, вернуться и добить?» А другой отвечает: «Даже если и не прикончили, так все равно вот-вот помрет. Вряд ли ей кто медицинскую помощь оказывать кинется. Сейчас все по своим норам сидят и нос высунуть боятся. Так что не трепыхайся».

— И ты помчался ее спасать? — спросила Мариша. — Очень благородно, но можно было бы вызвать «Скорую».

— Мариша!.. — воскликнула Тамара Ильинична, с удивлением глядя на дочь. — Будто ты не знаешь, что «Скорой» нынче не дождешься. Померла бы твоя тетка, как пить дать. А вы ее спаситель! — она повернулась к Севе. — Просто не знаю, как вас за сестру благодарить.

— Да что там! — отмахнулся польщенный Сева. — Ну, я сначала думал, что успею сбегать к ней, а потом за бандитами. Но куда там... Тетка лежала вся в крови, я сначала решил, что она вообще умерла. И пришлось мне с ней повозиться, чтобы осторожно вниз снести. Она у вас очень тяжелая, не знали? А когда я спустился, то бандитов и след простыл. Догонять было некого, так что я с чистой совестью мог везти пострадавшую в больницу.

— Я все хотела узнать... Почему ты повез ее именно в больницу на Ветеранов? — спросила Мариша. — Поближе не мог?

— А, это... — смутился Сева. — Да ошибся я. Когда выехал со двора, то померещилось, что «Мерседес» Гарика свернул за угол. Я поднажал и почти догнал его. Он ехал в Ульянку, а я за ним. Только когда уже выехали на проспект Стачек, я понял, что ошибся. Водитель оказался незнакомый, да и номер был совсем не тот.

— Но номер на машине Гарика ты все-таки запомнил?

— Конечно, — кивнул Сева. — Я ведь ждал Серафиму Ильиничну довольно долго, так что мог рассмотреть «Мерседес» во всех подробностях. А как бы я иначе сумел выйти на Дикаря и его фирму? Вы же меня возле нее и подловили. А перед этим я был у Гарика дома на Ветеранов. То есть не дома, а возле дома. Там я первый раз увидел Лену.

— Угу, — буркнула Мариша. — Отлично. Теперь у нас есть собственный, хоть и слегка бракованный, милиционер. Пора бы и преступникам объявиться.

Телефон, похоже, только и ждал этих Маришиных слов. Во всяком случае, он тотчас же зазвонил.

— Ой! — вспомнила Тамара Ильинична. — Звонят! А вдруг это и в самом деле они? Но что же говорить-то...

— Требуй к трубке Валериана Владимировича, — сказала моя подруга. — А потом объясни, что деньги в банке и их без дяди не снять. Ясно?

Тамара Ильинична молча кивнула и подняла трубку. В этом семействе лишь Мариша отличалась редкостным бесстрашием. Все остальные были самыми обычными людьми, поэтому Маришина мама трепетала как осиновый лист. Впрочем, это выглядело вполне естественно, ведь она играла роль сестры, то есть изображала убитую горем Серафиму Ильиничну.

— Деньги приготовила? — раздался в трубке сипловатый мужской голос.

— Я хочу поговорить с мужем, — собравшись с духом, заявила Тамара Ильинична. — Хочу убедиться, что с ним все в порядке.

— Можешь не сомневаться, нам лишняя возня с трупом не нужна. Передаю. Сейчас услышишь своего. Передаю трубку...

— Симочка... — пролепетали на том конце провода, и Тамара Ильинична с трудом узнала голос Валериана Владимировича. — Лапочка, сделай все, как они говорят. Они неплохо со мной обращаются, но это до поры до времени. Деточка, возьми деньги в банке.

— В каком? — поинтересовалась Тамара Ильинична. — У тебя что, есть счет в банке? А почему я про него ничего не знаю?

— Это потом, — в смущении пробормотал Валериан Владимирович. — Счет в «Петровском» банке. Там оформлена доверенность на тебя. Захвати паспорт и ступай смело. Номер счета я не помню, но ты найдешь его в верхнем ящике моего стола. Там, где лежит мой паспорт и другие документы. Я на тебя надеюсь, все.

В следующее мгновение трубку повесили. Мы тотчас же бросились к столу Валериана Владимировича (этот отполированный стол красного дерева и сам по себе стоил кучу денег). Как и следовало ожидать, верхний ящик был заперт.

— Идиот! Он не сказал, где ключ! — возмутилась Тамара Ильинична.

— Ну, еще бы, он ведь думал, что разговаривает со своей женой, а она, конечно же, должна знать, где и что у нее лежит, — съехидничала Мариша.

— Послушай, неужели я так же противно пришепетываю, как твоя тетка Сима? — пробормотала Тамара Ильинична; в поисках ключа она рылась в нижних ящиках стола.

— Нет и нет, что ты... — улыбнулась Мариша. — Это у нее из-за вставной челюсти так получается. А когда она без нее, то вас просто не отличить. Особенно когда вы чего-то боитесь, — добавила она, присоединяясь к Севе; тот расхаживал по комнате в поисках ключа.

— Ничего я не боюсь! — возмутилась Тамара Ильинична. — В конце концов, это не мой муж пропал. Даже если его и прикончат — так мне-то что? Я бы вообще этого подлеца не выкупала. На сто тысяч долларов можно купить сотню таких, как он. А уж сколько полезных вещей, так и подумать страшно.

— Мама, ты меня удивляешь! — воскликнула Мариша. — Тебе тетка доверила самое дорогое, что у нее есть, а ты...

— А что я? Скажешь тоже, самое дорогое! Да

у этого «самого дорогого» куча счетов в разных банках. А Сима, его законная жена, с которой он почти четверть века вместе прожил, почему-то ничего про них не знает. Не очень-то порядочно с его стороны, как ты считаешь?

— Все мужики — дерьмо! — заявила Мариша. — Этот факт женщинам с древнейших времен известен.

— Ну... не все ведь такие, как ваш дядя, — проговорил Сева, заступаясь за мужскую половину человечества. — Если бы у меня, например, были деньги, я не стал бы их заначивать от жены.

— А ты вообще молчи, — замахала на него руками Мариша. — Тоже мне богач нашелся. Да у тебя даже плохонькой милицейской зарплаты сейчас нет. Чего ты там заначивать собрался?

— Да, ты сначала заработай, а потом говори, — заметила Тамара Ильинична. — Была бы у тебя сейчас жена, так, наверное, не ты ее, а она тебя кормила бы. Тоже мне критик!

И тут Севе крупно повезло: я наконец-то нашла ключ и тем самым спасла беднягу от полного и окончательного уничтожения. Как и следовало ожидать, Валериан Владимирович, любивший комфорт, спрятал ключ таким образом, чтобы он всегда находился под рукой, — то есть подклеил скотчем к мраморной статуэтке, стоявшей на столе (ее полая подставка прекрасно подходила для этой цели).

Я отодрала ключ от подставки, вставила его в замок и, проверив, закричала:

— Есть! Идите сюда!

Подбежав к столу, Тамара Ильинична запустила в ящик руки и принялась рыться в бумагах. Наконец ей удалось найти нужную, то есть договор Валериана Владимировича с «Петровским» банком. Причем в договоре значилось, что жена Валериана Владимировича имеет право распоряжаться деньгами.

— Очень мило! — усмехнулась Тамара Ильинична. — И как же нам теперь вызволить Симу, чтобы снять сто тысяч?

— Это я могу взять на себя, — сказал Сева. — В конце концов, Полено — мой старый приятель. Он, конечно, звезд с неба не хватает, зато у него чутье на всякую фальшь. Пожалуй, только его я смогу убедить в том, что действительно ничего не знал про те деньги, которые нашли у меня в столе.

— Какое еще полено? — пробурчала Мариша. — Мы тут заготовкой дров занимаемся, что ли?

Но Севы уже и след простыл.

— А где же наш Мегрэ? — спросила Лена, выходя из ванной; она наконец-то поняла, что там ей не удастся найти ключ от ящика.

В участке, куда привезли Серафиму Ильиничну, царила тишина — словно вся преступность в городе была уже ликвидирована и милиция наслаждалась заслуженным отдыхом. Но Серафиму Ильиничну эта тишина нисколько не радовала — она просто ничего вокруг не замечала. Все кружилось и расплывалось у нее перед глазами, и ей мерещились всякие ужасы. Перед тем как выйти из кабинета, Картохин предложил даме присесть, но Серафима Ильинична, похоже, не поняла, чего от нее хотят.

А Поленов тем временем вытаскивал из сейфа какие-то грязные тряпки и раскладывал их на письменном столе. Наконец, управившись с тряпьем, опер достал из того же сейфа замусоленный клочок бумаги и протянул его Серафиме Ильиничне. Повертев бумажку в руках, она вдруг обнаружила, что на ней что-то записано.

— Скажите, вы узнаете почерк вашего мужа? — спросил Поленов.

У этого милиционера оказался на удивление приятный голос, и Серафима Ильинична немного успокоилась. Она с облегчением вздохнула, осмотрелась и наконец-то заметила грязные тряпки, лежавшие на столе. Протянув руку, Серафима Ильинична взяла одну из них — коричневую футболку с дырочкой от сигареты — и невольно вскрикнула. Дырочка была та самая. Она прекрасно помнила, что футболку мужу прожег кто-то из гостей. С тех пор Валериан надевал ее только под рубашки. И именно в ней, в этой футболке, он ушел из дома в тот роковой субботний день.

Поленов с любопытством наблюдал за Серафимой Ильиничной — та комкала футболку и что-то бормотала себе под нос. Казалось, она совершенно забыла про клочок бумаги, который все еще держала в руке. Внезапно глаза ее закатились, и она рухнула на пол. Поленов встревожился и, бросившись к женщине, попытался привести ее в чувство. Это было не так-то просто, но в конце концов опер своего добился.

Серафима Ильинична очнулась и почувствовала, что ее хлопают по щекам чем-то мокрым — ощущение было не из приятных. Немного помедлив, она открыла глаза и поняла, что после обморока чувствует себя гораздо лучше. В голове прояснилось, и теперь ей стало ясно: из разложенных на столе вещей лишь футболка и носки принадлежат Валериану, а все остальное не имеет к нему никакого отношения. Серафима Ильинична приободрилась — ведь без футболки и носков человек вполне может обойтись, и если он их снял, то это вовсе не означает, что его уже нет в живых.

— Узнаете почерк вашего мужа? — снова спросил Поленов, по-прежнему играя роль «доброго следователя», он старался, чтобы его голос звучал как можно мягче.

Вспомнив про бумажку, Серафима Ильинична принялась внимательно ее разглядывать.

— Вроде бы... да, — проговорила она в растерянности. — Впрочем, не уверена. Тут всего несколько слов, и бумажка вся перепачкана, трудно разобраться... Вот вы, например, понимаете, что здесь написано?

Поленов пожал плечами.

— Сегодня к вечеру у нас будут результаты экспертизы, — сказал он. — Мы взяли образец почерка вашего мужа и его ручку «Паркер» с золотым пером. Коллеги Валериана Владимировича уверяют, что он чрезвычайно дорожил этой ручкой и никому не позволял пользоваться. Так что у нас появились вполне пригодные для идентификации отпечатки пальцев. Вы уже опознали футболку?

— Да, это его, — кивнула Серафима Ильинична.

— Отлично! — обрадовался Поленов. — Если мы и дальше будем продвигаться такими темпами, то скоро выйдем на финишную прямую. А вам, может, было бы легче сразу во всем признаться?

— В чем признаться?

— Ну... вы ведь были в том доме, в Зеленогорске, — сказал Поленов. — Поэтому должны знать, куда делся ваш муж.

Серафима Ильинична досадливо поморщилась, и Поленов понял, что нажал не на ту клавишу.

— Может, все-таки попытаетесь прочесть записку? — спросил он.

— «Меня везут... в машине», — пробормотала Серафима Ильинична. — Кажется, так здесь написано... в машине.

— По-моему, это не «в машине», а «к могиле», — сказал Поленов.

— А я предпочитаю думать, что все-таки «в машине», — заявила Серафима Ильинична. — Дальше тут ничего не понять. Вроде бы какие-то буквы, а остальное грязь. И еще цифра, то ли шестерка, то ли тройка.

— А затем двойка и то ли единица, то ли четверка, — подхватил опер. — Вам эти цифры ничего не напоминают? Может быть, номер машины или номер телефона ваших знакомых?

— Нет, — покачала головой Серафима Ильинична.

— Ладно, вечером мы сможем определить, что это за цифры, — сказал Поленов. — Вероятно, экспертам даже удастся кое-что прочитать.

— А почему только вечером? — спросила Серафима Ильинична. — Прямо сейчас нельзя?

— Что вы!.. — воскликнул Поленов. — Там ведь очередь на месяц. Мне с великим трудом удалось всучить эту записку вне очереди. Пришлось даже раскошелиться на «пять звездочек». За «три звездочки» мы с вами получили бы заключение только завтра. И то эксперт лишь по дружбе взял записку.

— Позвольте возместить вам ущерб, — сказала Серафима Ильинична.

— После, — отмахнулся Поленов. — Но все равно я вам очень признателен.

Беседа определенно налаживалась, и Серафима Ильинична уже приготовилась излить душу. Но тут дверь распахнулась, и на пороге появился Картохин. Увидев своего недруга, Серафима Ильинична скрипнула зубным протезом и почувствовала, как он впивается ей в десну.

«Рта не открою, — подумала она. — Все равно сказать нечего».

А Сева тем временем спешил в участок. На счету была каждая минута, ведь похитители прекрасно понимали: на получение денег в банке уйдет часа два-три, не больше. А значит, они могли позвонить снова уже сегодня вечером. Если же денег не будет...

Сева ворвался в кабинет, где Поленов, беседовавший с Серафимой Ильиничной, безуспешно добивался от нее признаний.

— Где Картохин? — выпалил Сева.

— Ушел добывать улики. Во всяком случае, так он сказал, — пожал плечами Полено. — Но перед этим он звонил какой-то девушке, я так понял, своей невесте. Так что не знаю, какие у него улики могут быть.

— Послушай, мне эта женщина нужна позарез, — Сева кивнул на Серафиму Ильиничну.

Поленов подошел к приятелю и прямо ему в ухо проговорил:

— Слушай, конечно, не мое дело, но, по-моему, она для тебя старовата. Нет, она еще ничего, но ей, наверное, уже явно полтинник стукнул. А ты у нас парень молодой, по тебе все девки сохнут. Зачем тебе старый мухомор? К тому же ее подозревают в нескольких преступлениях. И потом... А вдруг она начнет сопротивляться? Сраму не оберешься, и так про нас говорят, что мы тут на допросах из всех признания выбиваем. А теперь еще и это добавится.

— Да что ты несешь?! — возмутился Сева. — Ты что обо мне думаешь?

— Ну, не знаю, — пробурчал Полено. — Прости, если ошибся. Но про тебя тут такое говорят... Что и деньги ты берешь, и...

— Меня подставили, — перебил Сева. — Подставили, чтобы я не смог довести до конца расследование дела, в котором эта женщина по самые уши замешана.

— А, вот видишь! — обрадовался Поленов. — И Картохин уверяет, что она похитила своего мужа.

— Идиот твой Картохин, — проворчал Сева. — Не знает, что говорит. Все на свете перепутал. У этой женщины действительно похитили мужа, и вот он, ее муж, и в самом деле замешан в еще одном похищении. И теперь, чтобы собрать на него выкуп, поймать похитителей и допросить всю компанию, нам нужна эта женщина. Только она имеет доступ к валютному счету мужа.

— Ясно, — кивнул Поленов, хотя ровным

счетом ничего не понял. — А от меня-то что требуется?

— Отпусти ее со мной на часок. Если хочешь, можешь поехать с нами. Клянусь, она никуда не денется.

— Ну... если тебе очень нужно, — пробормотал Поленов.

— Да, очень. Сева повернулся к даме: — Вот что, Серафима Ильинична... Сейчас мы поедем в банк, и вы снимете деньги со счета вашего мужа.

— Деньги, со счета? Да-да, конечно.

Все трое направились к выходу, но тут дверь распахнулась, и на пороге появились Картохин и капитан Лещов.

— Куда это вы направляетесь? — поинтересовался капитан. — А ты, Всеволод, что тут делаешь? Насколько мне известно, ты от работы временно отстранен.

— А я в частном порядке.

— В частном порядке? — с сомнением в голосе проговорил капитан. — Так куда же ты в частном порядке тащишь нашу подозреваемую?

— Она ни в чем не виновата, — сказал Сева. — Ее подставили.

— Как и тебя? — усмехнулся капитан. — Так вот что я вам скажу... У нас есть свидетель, который может подтвердить, что похищение Валерина Владимировича было заказано. Он даже помнит приметы заказчицы. Высокая женщина средних лет, со светлыми длинными волосами, слегка вьющимися. Очень холеная женщина, которая к тому же назвалась женой Валериана Владимировича и долго плакала, что он ей изменяет. Она сказала, просто хочет припугнуть мужа. Серафима Ильинична, это описание вам ничего не напоминает?

Но Серафима Ильинична молча таращилась на капитана. Похоже, она лишилась дара речи.

— Это только описание, — поспешил ей на помощь Сева. — Таких женщин, которым оно подошло бы, — масса. Не обязательно, чтобы это была именно Серафима Ильинична. Ну какой ей смысл требовать выкуп за своего же собственного мужа?

И тут ему в голову пришла совершенно неожиданная мысль. А ведь был у Серафимы Ильиничны резон, чтобы заказать похищение своего скуповатого мужа. Иначе как бы ей удалось добраться до его сокровенных загашников? А так он ей сам отдал свои денежки. Очень может быть, что никаких похитителей нет, а есть сообщник Серафимы Ильиничны, который сейчас и находится с ее мужем. Вероятно, эти размышления как-то отразились на лице Севы, потому что капитан сказал:

— Ты же не дурак. Ты прекрасный оперативник и сам все понимаешь. Ну как я могу отпустить ее с тобой?

— Минуточку! — раздался голос Серафимы Ильиничны; она наконец-то обрела дар речи. — Что это вы тут за моей спиной мою судьбу решаете? Ведь я-то знаю, что ни в чем не виновата. А если у вас есть свидетель, который видел меня, когда я заказывала похищение мужа, то почему же вы его не привели сюда? Приведите, я хочу посмотреть ему в глаза.

— Вам прекрасно известно, что свидетель — женщина, — пробурчал Картохин, густо покраснев. — Но она сейчас не может. Она готовится к свадьбе.

— Ах, она не может! Скажите, какая занятая. Как обвинять меня в похищении мужа, так у нее время есть. Чего вы от меня хотите? Разве я виновата, что тут все время крутится какая-то блондинистая особа, которую все принимают за меня? Ее и ищите, а мне позвольте выкупить Валериана — или его смерть будет на вашей совести.

Капитан поманил оперов к себе и с озабоченным видом пробормотал:

— А ведь эта особа и впрямь может прикончить собственного мужа. Просто чтобы обелить себя. Кто знает, а вдруг они с сообщником договорились, что если выкуп не поспеет в положенное время, то тот убьет пленника? Мы не можем рисковать, особенно после того, как она сказала о возможной смерти мужа. Тогда его смерть и в самом деле будет на нашей совести.

— Так она же удерет!.. — простонал Картохин.

— Куда ей бежать? — усмехнулся капитан. — Без денег не убежит, а с деньгами мы не выпустим ее из виду. Нужно только позаботиться о том, чтобы она не предупредила своего сообщника. А чтобы этого наверняка избежать, я предлагаю...

Милиционеры принялись о чем-то шушукаться, а Серафима Ильинична молча стояла в сторонке. Наконец капитан повернулся к ней и с лучезарной улыбкой проговорил:

— Вы правы, мы не можем из-за одного лишь подозрения, не подкрепленного реальными уликами, задерживать вас. Ведь жизнь вашего мужа действительно в опасности... Так что вы пока свободны.

— Но... — попытался возразить Картохин.

— Никаких «но», — перебил капитан и снова улыбнулся даме.

Если бы Серафима Ильинична хоть немного его знала, то непременно заподозрила бы неладное. Во всяком случае, все сослуживцы капитана прекрасно знали: он улыбается лишь в тех случаях, когда задумывает какую-нибудь гадость.

— Мы вас сейчас отпускаем, но завтра вам придется снова сюда явиться, — проговорил капитан, провожая Серафиму Ильиничну к выходу. — Разумеется, с вами пойдет один из наших сотрудников. Простите, что не выделяю лучшего, но все лучшие заняты.

Ошалевшая от радости Серафима Ильинична пулей вылетела из отделения. Сева и Поленов молча переглянулись и последовали за ней.

Дверь хозяйке открыла Лена.

— Ой! — вскрикнула она в испуге. — Вас уже выпустили?

Но Серафиме Ильиничне сейчас было не до красивых скандалов. Она ухватила любовницу своего мужа за шиворот, вытащила ее на лестничную площадку и этим ограничилась. Сева тотчас же побежал за Леной, чтобы проводить ее до дома.

— Немедленно в банк! — закричала Серафима Ильинична, едва переступив порог. — Чего вы все рты пооткрывали? Не верите, что это и в самом деле я? Так я вам скажу, что в нашей милиции еще встречаются порядочные люди. Молодой следователь быстро разобрался в моем деле, понял, что я невиновна, и отпустил меня. А теперь быстро в банк!

В банке нам выдали деньги. Причем на счету была сумма, вдвое превышающая запрошенную похитителями, — так что дядя Валериан не обеднел. Деньги Серафима Ильинична положила во вместительную холщовую сумку, которую повесила себе на грудь, под курткой. Бюст у нее сразу же увеличился на несколько размеров, и проходившие мимо мужчины с любопытством посматривали на нее.

— Просто глазам своим не верю, — сказала Тамара Ильинична, когда мы уселись за стол, на который вывалили пачки долларов.

— Обидно отдавать такие деньги похитителям, — пробормотала Мариша. — Да и с какой стати? Тетя, ты уверена, что стоит им отдавать эти деньги?

— Конечно, уверена.

— Я бы на твоем месте подумала, — сказала Мариша. — Дядя то ли останется с тобой, то ли уйдет к молоденькой возлюбленной, а деньги — вот они, прямо перед тобой.

— Не смей говорить такие вещи! — нахмурилась Серафима Ильинична. — Даже в шутку.

— Какие могут быть шутки? — удивилась Мариша.

— Неужели ты думаешь, что я брошу Валериана на произвол судьбы только потому, что он один раз оступился? Конечно, он волен поступать, как ему заблагорассудится. Но если он потом все равно уйдет к другой, значит, нет на свете справедливости. А раз ее нет, так мне жить не стоит.

— Где-то я это уже слышала, — пробормотала Мариша.

Тут зазвонил телефон, и Серафима Ильинична сняла трубку.

— Это Софочка! — объявила она, и все с облегчением вздохнули. — Говорите, Софочка, я вас слушаю.

— О!.. — обрадовалась Софочка. — Вас освободили! Я так рада. А мне вот не повезло, со мной никто в милиции даже не захотел разговаривать. Я ушла, так ничего и не добившись. Как же вас освободили?

— Умный человек попался, — сказала Серафима Ильинична. — Но вы не знаете всего. Мало того, что меня освободили, мне удалось к тому же раздобыть деньги на выкуп за мужа.

— Это просто чудесно! — возликовала Софочка. — Я сейчас же приеду. Хочу быть с вами, когда позвонят эти шантажисты.

— Кто это был? — подозрительно спросил Поленов, когда тетка повесила трубку, излишне говорить, что он внимательно прослушал весь разговор с начала и до конца. — Что за Софочка?

— Заместитель моего мужа, — пояснила Серафима Ильинична. — Она приняла большое участие в нем. Просто не знаю, как ее и благодарить. Чудесный человек.

— Ну, ну, — буркнул Поленов. — Больно уж она радовалась, что вас выпустили.

— Что вы хотите этим сказать?

— Ненатурально, — промямлил Поленов.

— Вам везде преступники мерещатся, — сказала Мариша. — Молчали бы уж, вон тетю даже арестовали со своей подозрительностью. А за что?

Поленов приготовился что-то сказать, но в этот момент раздался звонок в дверь. Оказалось, что это вернулся Сева.

— Не пускайте этого предателя! — закричала Серафима Ильинична. — Пусть он идет к этой, с которой мой муж...

— Ладно тебе, — одернула ее сестра. — Он-то ни при чем. А нам сейчас каждый человек дорог. Неизвестно, захотят ли похитители добром отдать твоего мужа. Может, еще придется вступать с ними в рукопашную или пускаться в погоню. А этот твой Поленов явился сюда без машины, между прочим.

— И верно, открывайте дверь, — мигом успокоилась Серафима Ильинична. — Отношения с этим типом я и потом могу выяснить.

Примерно через час снова раздался телефонный звонок.

— Достали деньги? — спросил незнакомый мужской голос.

— Да, — был ответ Серафимы Ильиничны.

— Отлично! Привезите их через час на Московский вокзал. Пройдете на шестой перрон. Надеюсь, в милицию вы не заявляли?

— Что вы! — делано ужаснулась Серафима Ильинична. — Я же понимаю, чем я рискую.

— Вот, вот, — одобрил голос. — Тогда договорились.

— А как я получу своего мужа?

— Он будет там, — сказал голос.

— А вас я как узнаю?

— Муж вас сам узнает, — сказал сиплый голос. — И дальнейшие указания передаст тоже он. Но не советую шутить, в кожу предплечья вашего мужа вшита ампула с быстродействующим ядом. Стоит нам почувствовать что-то неладное, как его в толпе якобы случайно толкнут, и ни одна реанимация его уже не воскресит.

— А?..

— Это все, — жестко закончил голос, и трубку повесили.

— Ну что же, — сказала Тамара Ильинична. — По крайней мере Валериан будет уже там. Как вы думаете, — обратилась она к Поленову и Севе, которые о чем-то совещались. — Вы успеете перехватить Валериана и обеспечить ему безопасность, сохранив одновременно деньги?

— Вряд ли, — с сомнением в голосе протянул Сева. — Нас только двое, но, даже будь у нас в распоряжении целый отряд спецназа, все равно в вокзальной толчее очень легко создать ситуации, играющие на руку бандитам. Обеспечить охрану вашего дяди, не вызывая подозрений у похитителей, мы не сможем. А значит, они успеют скрыться.

— Вот что вас волнует! — возмутилась Тамара Ильинична. — Скроются ли бандиты!

— Совершенно верно, это наша работа, — подтвердил Поленов. — И между прочим, и не в ваших интересах позволить бандитам скрыться, ведь они могут предпринять, и даже наверняка предпримут, еще одну попытку похищения, но только теперь уж не ограничатся такими скромными требованиями и не будут так доверчивы.

— Но вы ведь сумеете схватить того человека, который попытается толкнуть моего дядю, — сказала Мариша.

— Совсем не обязательно, что это будет кто-то из похитителей, а не какой-нибудь совсем посторонний человек. В вокзальной толчее трудно что-либо прогнозировать. Кстати говоря, а где эта ваша Софочка? Она же хотела участвовать в задержании.

— Не знаю, — пожала плечами Серафима Ильинична.

— Не возражаете, если я позвоню на работу к вашему мужу и спрошу, не знают ли они, где эта Софочка? — спросила Сева. — Не можем же мы ее ждать.

— Пожалуйста, — согласилась Серафима Ильинична. — И в самом деле надо позвонить, а то обидится человек.

— Тетя, у тебя случайно нет еще одной такой же сумки? — спросила Мариша. — Неплохо было бы набить ее старыми газетами, чтобы иметь на всякий случай под рукой муляж. Мало ли как развернутся события.

— Такой же точно сумки нет, но я недавно купила десять полиэтиленовых пакетов. Могу парочку одинаковых выбрать.

— Давай! — одобрила Мариша.

Серафима Ильинична отправилась за пакетами. По дороге она поинтересовалась у Севы:

— Ну, что там с Софочкой?

— Пока занято. — Не возражаете, если я пойду в другую комнату и попытаюсь оттуда дозвониться?

Серафима Ильинична не возражала, и каждый отправился по своим делам.

— Вот пакеты, — сказала она Марише, возвращаясь. — На мой взгляд, достаточно крепкие, чтобы выдержать вес ста тысяч.

— Отлично подойдут, — одобрила Мариша. — А теперь за дело, время поджимает.

И мы дружно принялись за дело, взяв за образец купюру в сто долларов. Мариша раздраконила одну пачку долларов в банковской обертке и принялась мастерить куклы. Конечно, сработаны они были кустарно, даже беглый осмотр разоблачил бы нас, но мы рассчитывали, что у преступников не будет времени особенно копаться в содержимом пакета. Серафима Ильинична с сестрой резали бумагу. Я складывала в пачки, стараясь, чтобы они толщиной походили на настоящие пачки с валютой. А Мариша обкладывала получившиеся пачки с двух сторон долларовыми купюрами, обклеивала полосками бумаги и шлепала на них печати, оставшиеся от ее бабушки, врача районной поликлиники.

На расстоянии полуметра пачки нельзя было отличить от настоящих. Я, во всяком случае, не могла. Но, увы, времени у нас было слишком мало, мы успели изготовить всего лишь около сорока с небольшим пачек, когда из соседней комнаты появился Сева со словами:

— Пора ехать!

Мариша сунула оставшиеся доллары в карман, напихала на дно скомканные газеты, а сверху засыпала их фальшивыми пачками. Получилось вроде бы неплохо.

— Что там с Софочкой? — поинтересовалась она перед выходом.

— На работе ее уже нет, — сказал Сева. — Но мне объяснили, что у Софочки сегодня вечером очень важная встреча с приехавшим из Финляндии серьезным клиентом, или даже двумя. Так что я не думаю, что она даже ради Валериана Владимировича пожертвует этой встречей. Можем зря прождать.

— Конечно, — сказала Тамара Ильинична. — Смогла бы, так уж здесь давно была бы.

— Вот и я так думаю, — пробормотал Сева.

Мы с Тамарой Ильиничной и Маришей загрузились в ее «Опель», а Сева с Поленовым и Серафимой Ильиничной поехали на Севиной «пятерке». Время поджимало, и мы мчались по городу, не очень-то обращая внимание на светофоры. Один раз остановили Севину «пятерку», но Поленов вытащил удостоверение, и проблема умерла, так и не родившись.

На вокзал мы прибыли точно через час после последнего звонка похитителей. Тут они не могли быть к нам в претензии. Серафима Ильинична рванула к шестому перрону. Сева с Поленовым следовали за ней на некотором расстоянии. Мы с Маришей и Тамарой Ильиничной замыкали наш небольшой отряд.

— Ты его видишь? — поминутно спрашивала Тамара Ильинична у Мариши, которая была выше ее ростом да к тому же на каблуках.

— Нет, — неизменно отвечала Мариша. — Отстань.

— А Симу видишь? — не отставала Тамара Ильинична.

— Нет.

— А куда же мы тогда идем?

Но на этот вопрос она не получила ответа, так как в этот момент мы уже подоспели к перрону, возле которого висела табличка с цифрой «шесть».

— Мы на месте, — сказала я. — Но где же все?

— Бандиты не сказали, что дядя будет ждать именно здесь, — заметила Мариша. — Может быть, они прошли по перрону дальше?

— Смотри, — тронула я ее за руку. — Там под часами кому-то плохо.

Мы дружно повернулись в сторону табло, на котором высвечивались номера поездов и время их прибытия и отбытия. Над ним висели электронные часы, а под ними скопилась масса народу. Необычайная даже для вокзала. В толпе мелькнуло встревоженное лицо Поленова, он старался пробиться поближе.

— Человеку плохо, — взволнованно переговаривались в толпе. — Какой-то бедняга чуть под поезд не свалился.

Благодаря Маришиным крепким локтям нам удалось протиснуться к пострадавшему.

— Это не дядя, — сказала Мариша. — Какой-то бомж. Черт возьми, вот что имел в виду Севка, когда говорил про незапланированные ситуации. Вот одна из них — лежит перед нами. Пошли отсюда.

Но легко сказать «пошли», выбраться из толпы, окружившей пострадавшего, оказалось не менее трудно, чем протиснуться к центру.

— И где нам теперь искать наших? Мы их окончательно потеряли, — забеспокоилась Тамара Ильинична.

— Ой, смотрите, вон и Софочка! — воскликнула я.

Но у нас не хватило времени удивиться, откуда бы тут взяться Софочке, как Мариша воскликнула:

— А вон и дядя!

— Где?! — хором спросили мы с Тамарой Ильиничной, но Мариша уже бросилась вперед.

Нам оставалось только помчаться за ней, стараясь не потерять ее из виду.

— Действительно, Валериан, — выдохнула на бегу Тамара Ильинична. — Рубашка его и брюки. И фигура тоже его. А вон и Сима.

Я лично ничего и никого знакомого не видела и страшно завидовала ей.

— Где? — спросила я, но неожиданно и сама увидела пестрое платье Серафимы Ильиничны.

Та в этот момент как раз приблизилась к мужчине в клетчатой рубашке. Дотронулась до его спины и поравнялась с ним. И тут случилось нечто странное. Серафима Ильинична неожиданно опустилась на землю, а мужчина продолжил свой путь.

— Мешок, наш мешок уже у дяди! — заволновалась Мариша. — Господи, что же это делается! Куда же эти горе-менты подевались? Мама, останься с тетей. А мы с Дашей попытаемся догнать дядю и проследить за тем, кому он передаст мешок.

И мы снова помчались, искусно лавируя в толпе.

— Ну и скотина! — бушевала Мариша. — Жена в обмороке валяется, а он шпарит себе с денежками к похитителям. Ну и дядя!

Словно услышав ее слова, дядя припустил еще пуще. Поскольку он уже успел выйти на относительно свободный участок, а мы все еще толкались возле поездов, то дядя мигом оторвался от нас на добрую сотню метров. Но неожиданно с ним пересеклась какая-то женщина с длинными светлыми волосами. Секунда встречи, и они тут же разминулись. Дядя бодрой рысью поскакал дальше, а дама направилась прямиком в женский туалет, куда вроде бы и направлялась до столкновения с дядей.

— Смотри-ка, у него уже нет мешка! — удивилась Мариша.

Мы с ней стояли на небольшом возвышении и хорошо рассмотрели всю эту сцену. Завертев головами во все стороны, мы увидели красный пакет в руках у блондинки, скрывающейся в туалете.

— Мешок с деньгами теперь у нее, у этой белой лахудры. Спорим, что это она, а не тетка, приезжала к братьям в Зеленогорск?

— Что делать-то будем?

— Ничего, пойдем за ней в туалет. Слава богу, он женский. Дядя и сам теперь до дома доберется.

— А вдруг она вооружена? — спросила я. — Может быть, лучше позвать патруль?

Мы огляделись по сторонам. Но ничего даже отдаленно напоминающего патруль не увидели. Обычно ментов тут больше, чем бомжей, но сейчас не было ни единого даже самого хлипенького стража порядка.

— Ничего! — успокоила Мариша. — В конце концов мы ничего же не будем делать. Проследим только, что там эта баба делает.

В туалет вело два пути. Мариша пошла справа, а я слева. Но, спускаясь по ступеням вниз, никого, даже отдаленно напоминающего нашу блондинку, не увидели.

— Никого?

— Никого, — подтвердила я. — А зачем нам в туалет идти? Подождем ее у входа. Никуда ей отсюда не деться.

— Она может передать деньги сообщнице, — сказала Мариша. — Если уже не передала. Я вот встретила двух торговок с огромными сумками, туда не то что сто тысяч влезут, а и миллион спокойно затолкаешь.

Я вспомнила, что на лестнице мне тоже попалась какая-то бабулька с кошелкой, и загрустила. Мы подошли к турникету, закрывающему вход в туалет, и тут обнаружилось, что у нас нет мелких денег. Самой мелкой купюрой оказалась бумажка в сто долларов, которую Мариша впопыхах запихнула себе в карман. Сунув ее малость оторопевшей старушке на входе, мы прошли внутрь.

Первой, кого мы увидели, была Софочка, приводящая себя в порядок перед зеркалом. Я только успела поразиться, как некоторые тщательно следят за своей внешностью, даже в экстремальной ситуации, когда вот-вот должны выкупить их начальника и друга, они находят время и место для этого занятия, как Мариша уже оказалась рядом с женщиной.

— Ой! — воскликнула Софочка. — Как вы меня напугали. А я узнала, что мне на работу звонил какой-то милиционер и просил передать, что вы все едете на Московский вокзал. Вот я сюда и примчалась. А куда идти, не знаю. Так разволновалась, что у меня живот схватило. У вас так бывает?

— Бывает, — сочувственно закивали мы.

— Здесь не было высокой светловолосой женщины? — спросила Мариша. — Чуть пониже вас, одета в легкий шелковый костюм абрикосового цвета, явно очень дорогой. Издали она немного похожа на тетю Симу.

— Не знаю, не заметила, — удивилась Софочка.

— Она точно здесь, — сказала Мариша. —

Mochaка

Мы видели, как она зашла, но не видели, как вышла. — Софочка, останьтесь здесь и постарайтесь ее не упустить. А в случае чего кричите.

— Хорошо, — послушно кивнула Софочка.

А мы с Маришей отправились обследовать кабинки. Они тут располагались не в ряд, что усложняло нашу задачу. Не все двери сразу открывались, в некоторые приходилось заглядывать, чтобы выяснить, есть ли там кто-то. Посмотрели уже много кабинок, но все безрезультатно. Как вдруг от выхода раздался пронзительный крик. Мы переглянулись.

— Бежим! Это Софочка!

Но было уже поздно.

— Она удрала! — плакала Софочка в разодранной от ворота кофточке, указывая рукой на выход. — Вырвалась и убежала.

Не обращая внимания на удивленных женщин, мы рванули к выходу. Старушка-уборщица пыталась нам что-то сказать, но нам было не до нее. Увы, на улице блондинки с пакетом, внутри которого лежало целое состояние, уже не было.

— Ч-черт! — простонала Мариша. — Надо же так оплошать!

— Это я виновата, — разрыдалась Софочка и полезла в карман за платком.

Мы растерянно смотрели на нее, не зная, что сказать.

— Ладно, пойду хотя бы заберу у бабки ту стошку, что сунула ей второпях, — сказала Мариша. — Подождите меня здесь. Я мигом.

— Ну, мне тоже пора, — сказала Софочка, в последний раз шмыгнув носом. — Не буду я ждать Маришу. У меня еще куча дел. Передайте

Серафиме Ильиничне, что я к ним сегодня загляну.

И она пошла прочь.

— Вот хитрюга бабка, не хотела отдавать мне деньги, — возмущенно сказала Мариша, выходя из туалета. — А где Софочка?

— Пошла к машинам. Я не стала ее задерживать, что уж теперь? Но я рада, что хотя бы твой дядя вернулся. Хотела бы я знать, чем занимаются эти бездельники, Полено с Севой, которым и полагалось бы вести это дело? Где они болтаются?

— Пошли лучше за Софочкой, — перебила меня Мариша. — Мне надо с ней еще поговорить.

Софочка тем временем шла к площади. Подходя к нашим машинам, которые мы оставили перед вокзалом, мы увидели Севу с Поленовым. Они стояли и курили. Софочка, заметив их, почему-то повернула назад. Но мы шли ей навстречу, и она наткнулась на нас.

— Нет, вы это видели! — воскликнула Мариша так громко, что на ее вопль обернулись люди, в том числе и оба наших мента. — Они тут стоят и курят. А женщины тяжеленные сумки таскают!

Она схватила вдруг Софочкину сумку и дернула к себе. Но получилось это у нее так неловко, что на тротуар выпал оранжевый шелковый костюм и увесистая пачка долларов. Я замерла от удивления — с открытым ртом. Должна заметить, что менты повели себя более профессионально. Не прошло и нескольких минут, как Софочка уже сидела в «Опеле» со скованными за спиной руками и отчаянно ругалась. Несмотря на всю свою прыть, сбежать она не успела.

— Софочка, как ты могла? — поразилась я.

— Ты еще не все знаешь, — сказала Мариша и резким движением руки сдернула с головы Софочки скальп.

Я в ужасе зажмурилась, а когда открыла глаза, то обнаружила, что вместо Софочки в машине сидит та самая длинноволосая блондинка, которой дядя Валериан передал пакет с выкупом; она и скрылась от нас в туалете.

— Что это значит? — прошептала я. — Кто это вообще?

— Вы еще не все видели, — мрачно сказал Поленов, наблюдая за этой метаморфозой с Софочкой. — Идите-ка сюда.

И он поманил нас к «пятерке» Севы. Мы нагнулись к стеклу. В салоне сидел мужчина в клетчатой рубашке и тоскливо смотрел прямо перед собой.

— Но это же не дядя! Только рубашка его! — воскликнула Мариша. — Теперь мне ясно, почему тетя в обморок грохнулась. А где же дядя?

Оба мента только руками развели.

— Думаю, что это нужно спросить у вашей Софочки, — сказал Сева. — Кстати, ты молодец, Мариша. Очень ловко ты ее провела. Но как ты догадалась?

Вместо ответа Мариша подошла к пленной и с вызовом мрачно спросила у той:

— Ну, и где мой дядя? Выкуп ты получила, отрицать это бессмысленно, а где же дядя?

— Выкуп? — прошипела Софочка. — Где же он? Что-то я его у себя в руках не ощущаю. Нечестная игра, я ни за что не отвечаю.

— Так и с вашей стороны тоже без подвоха не обошлось, — заметил Сева. — Так что мы квиты. А теперь, если хочешь выйти из тюрьмы еще молодой, говори, где похищенный?

— Не знаю, — неожиданно расплакалась Софочка. — Его и не было. Я просто не знаю, зачем я все это затеяла. Я немного растерялась.

— А потом сообразила и нарядила в его шмотки своего сообщника, да? — поинтересовался Сева. — А вещи его у тебя откуда? Вы его голым, что ли, держали?

— Предлагаю все вопросы потом, — сказала Мариша. — Давайте наконец заберем мою тетку и поедем домой. Там все и выясним. Да, кстати, куда вы дели тетю?

— Она в медпункте, — сказал Сева. — А мы за этим лжедядей погнались, только пропустили момент, когда он мешок передал Софочке. Только поедем мы не к вам домой, а в милицию. Тут такая каша заварилась, что своими силами уже не разобраться.

Мариша поморщилась, как от зубной боли, но делать нечего. Сева был прав. В это время из-за угла появилась Тамара Ильинична, она заботливо поддерживала под руку свою сестру.

— Как ты? — бросилась Мариша к тете.

— Могло быть и хуже, — едва слышно прошептала та, театрально закатывая глаза. — Все деньги пропали, а твоего дяди как не было, так и нет.

— Деньги мы нашли, — сказала Мариша. — А вот дяди и в самом деле тут не было. Но не переживай, мы задержали Софочку, она нам в милиции живо все расскажет.

— Софочка! — вскинулась Серафима Ильинична, как бы забыв, что она едва ноги передвигает и вообще едва не умирает от слабости. — А она тут при чем?

— Узнаешь, — зловеще сверкнув глазами, сказала Мариша, которая, как мне показалось, сама пока ничего не понимала, то есть не знаю, как она, а я-то уж точно ничего не понимала.

Картохин вместе с капитаном нас уже ждали, это Сева позвонил им с вокзала и сказал, что рыбка попалась. Картохин сиял, капитан сладко жмурился в предвкушении скорой награды. Но при виде мужика, который походил на Валериана Владимировича лишь ростом и цветом волос, лица у обоих вытянулись. Но они еще надеялись на чудо.

— Что, похищенный так плох, что не смог даже приехать для допроса? — робко спросил Картохин.

— Не знаю, хочу надеяться, что нет, — сказал Поленов. — Но точно об этом знает лишь он сам.

— Что ты имеешь в виду?

— Не было его там, — сказал Поленов. — Этих вот поймали — и все.

После того, как мы ввели в курс дела Картохина и капитана, капитан приказал привести задержанных в кабинет. Все дружно уставились на мошенников. Мужик в рубашке дяди Валериана заерзал на стуле и сказал:

— Я тут вообще ни при чем. Меня вон та бабенка, — и он указал на Софочку, — на вокзале попросила переодеться в эти шмотки, прогуляться с полчасика по перрону и взять пакет из рук женщины, которая ко мне подойдет. Ну, я все так и сделал. Ко мне подошла вон она, — и мужик указал на Серафиму Ильиничну, — протянула пакет, а сама грохнулась. Но так как я получил указание: что бы ни случилось, быстрей дойти до женского туалета и отдать сумку или пакет другой женщине, то...

— Какой другой? — перебил его Картохин. — Тебе там что же, первая женщина фотографии своей подружки показывала?

— Нет, зачем фотографии? — удивился мужчина. — Она мне описала свою подружку. Сказала, что светленькая, с длинными волосами и в оранжевом костюме. Так оно и оказалось, я пакет отдал и дальше пошел. А тут на меня эти двое набросились, — и мужчина указал на Севу с Поленовым, — и зачем-то по морде надавали, да еще скрутили.

— По морде надавали за дело, чтобы операм не сопротивлялся, — сказал Поленов. — И мало еще дали.

— Так откуда я знал, что вы менты? На вас же не написано, — защищался мужчина.

— И что же, тебе не показалась подозрительной просьба женщины? — спросил у него Картохин.

— Ясное дело, я смекнул, что тут нечисто, — кивнул мужчина, — но свободного времени у меня было навалом, мой поезд отходит только в одиннадцать тридцать. А эта баба предлагала хорошие деньги. Я сам с Украины, у нас зарплаты копеечные. Я сюда на заработки приехал. А мне эта баба предложила за плевое дело столько, что я и за месяц не заработаю. У меня дома жена, двое детишек, вот я и согласился. А вы бы не согласились? Откуда мне знать, что там она затеяла? Чего особенного — взять от одной женщины сумку и передать другой? Может, все трое друг с другом так не ладят, что даже встречаться не хотят? Мало ли чего у баб в голове бывает.

— С тобой ясно, — сказал капитан. — А что вы, прекрасная незнакомка, скажете? Кто же вы такая? По-прежнему будете утверждать, что вы Софочка?

— Самое занятное, что она и в самом деле Софочка, — сказал Сева.

— Как это? — растерялся капитан. — Но зачем же ей похищать собственного начальника?

— А я его и не похищала, — сердито заявила Софочка. — Больно нужно с этим козлом старым возиться.

— Но вы же не будете отрицать, что выкуп оказался у вас?

— Не буду, потому что это глупо, вы мне все равно не поверите. — Выкуп оказался у меня, но никого я не похищала.

— Так, давайте по порядку! — взмолилась Серафима Ильинична, совершенно забыв, что дала клятву во время допроса молчать как рыба.

Но, как ни странно, капитан на нее ничуточки не рассердился. У него у самого был малость ошарашенный вид.

— Почему ты уверен, что эта женщина и есть Софочка? — спросил у Севы Картохин.

— А я знаю это точно. Дело в том, что мне показался подозрительным явный интерес секретарши к делу о похищении босса. К тому же, по ее собственным словам, она была по горло занята работой, ведя переговоры вместо босса и встречаясь с иностранными гостями. Но тем не менее она находила время, чтобы хотя бы раз в день появиться в квартире у Серафимы Ильиничны и проконтролировать ситуацию. И по рассказам остальных я понял, что она постоянно звонит и выясняет, как идут дела.

— И ты расспросил про нее на работе? — спросила Мариша. -

— Да, и мне сказали, что я говорю о какой-то посторонней женщине, потому что их Софочка не носит очков и к тому же она блондинка с роскошными естественными волосами. У этих женщин была похожа лишь фигура. Обе чуть полноваты. Ну а рост можно подкорректировать высокими каблуками. Так что сейчас перед нами настоящая Софочка, то есть та, которая появлялась в доме у Серафимы Ильиничны, предварительно замаскировавшись. Очки и парик с короткими темными волосами делали ее неузнаваемой. Очень ловкий ход. Если бы выяснилось, что она как-то замешана в похищении, то к ответу ее призвать было бы трудно: перед милицией предстала бы не брюнетка, а самая ясно выраженная блондинка. Она бы изобразила обиду и возмущение, как это ее подозревают на том основании, что какая-то проходимка присвоила себе ее имя. — И в конце своего объяснения Сева спросил: — А как ты догадалась, что Софочка не так проста, как казалась поначалу?

— Честно говоря, не сразу, — призналась Мариша. — Если бы не моя дурацкая забывчивость, то вообще ничего бы не узнала. Когда мы увидели, как эта блондинка перехватила пакет со ста тысячами, мы тут же помчались за ней в туалет. Но туалеты ведь все платные, а у нас были только бумажки по сто баксов. Одну мы и сунули бабке на входе.

— И что? Нельзя ли покороче, — перебил ее Сева.

— Не перебивай, я отвечаю на вопрос, — недовольно сказала Мариша. — Так вот, в туалете мы встретили Софочку, которая уже успела навести на себя маскировку, и, конечно, не признали в ней нужную нам блондинку. И отправились искать ее по кабинкам, оставив Софочку на входе. А когда она подала ложную тревогу, уверив нас, что блондинка только что промчалась мимо нее, мы даже не поняли, что стали жертвами ловкого обмана. Мы, конечно, обратили внимание на удивленные взгляды окружающих, но не придали им значения.

— Да, я решила, что так смотрят на нас, потому что нечасто роскошные блондинки затевают драку в общественных туалетах, а потом бегут от них сломя голову, — сказала я.

— Вот именно, а люди-то таращились на Софочку, потому что та начала ни с того ни с сего орать во весь голос, раздирая при этом на себе одежду. — И мы так бы и ушли, ни в чем не заподозрив Софочку, если бы я не вернулась за сотней баксов. Жаль мне было оставлять их бабке. Но та буквально заткнула мне рот, бурно предостерегая меня от нашей знакомой. Мол, та явно не в себе. Вдруг без причины завопила на весь туалет, так что все женщины шарахнулись от нее. И тут уж я поняла, что никакая блондинка в оранжевом костюме из туалета не выбегала. Для очистки совести я еще раз обшарила кабинки, и в одной из мусорных корзин нашла пустой полиэтиленовый пакет, в котором раньше были доллары. Ну а дальше мы пошли за Софочкой и... словом, вы потом все видели.

— Теперь события на вокзале мне стали ясны, — с довольным видом заявил капитан. — Но что толку? Похищенного Валериана Владимировича мы так и не нашли. Почему вы его не вернули? — обратился он к Софочке.

— Где я вам его возьму? — сердито буркнула Софочка. — У меня его никогда и не было. Я просто узнала, что кто-то его похитил, требует выкуп, и решила, что грех мне не попользоваться случаем. Осталось только успеть вклиниться между двумя звонками настоящих похитителей. Между первым, когда они назвали сумму выкупа, и вторым, когда они назначили место передачи денег. Вот для этого мне и нужно было находиться поблизости от семьи босса, чтобы быть в курсе того, как у них продвигаются дела. А молодых и легкомысленных мужчин вокруг навалом, нетрудно было найти того, кто бы согласился помочь мне в розыгрыше. Один позвонил Серафиме Ильиничне и сказал, где и когда она сможет передать выкуп за мужа, а второй согласился сыграть роль этого самого мужа.

— Но зачем вам это понадобилось? — поразилась Серафима Ильинична.

— Вы совсем дура, — презрительно бросила Софочка. — Кому же повредят сто тысяч? Во всяком случае, я их честно заслужила, вкалывая по двенадцать часов в сутки на вашего муженька, а он лишь снимал все сливки. Мне доставались жалкие огрызки, я имею в виду мою зарплату, хотя я заслуживала большего. К тому же я твердо знала, что мой начальничек не обеднеет от потери каких-то ста тысяч. Я догадывалась, что у него имеется несколько счетов с более чем кругленькими суммами. Так что настоящие похитители тоже получили бы свою лепту. Вообще-то я готова была довольствоваться и меньшей суммой, да спасибо шантажистам, они назвали именно сто тысяч. Я на них не в обиде. К тому же я подсказала им и вам, как добыть деньги со счета. Теперь у вас с настоящими похитителями проблем не будет.

— Так вы даже не знаете, где мой муж? — с трудом веря в услышанное, спросила Серафима Ильинична.

— Да не имею ни малейшего понятия, — презрительно рыкнула Софочка. — Так что вы арестовали меня совершенно напрасно. И этого парня тоже, — она указала на своего сообщника, изображавшего дядю Валериана.

Пока все разочарованно молчали, Мариша подошла к Картохину и что-то ему шепнула на ухо.

— Вы когда-нибудь обращались за помощью в охранную фирму «Барс»? — спросил Картохин, едва Мариша отошла от него.

— Нет, что мне там делать? — сказала Софочка, но ее лоб покрыли предательские капельки пота, а сама она слегка побледнела.

— Вам бы лучше сказать правду, — посоветовал ей Картохин. — Потому что обман мы легко сможем установить, предъявив оба ваши обличья для опознания служащим этой фирмы.

— А что тут такого, если даже и обращалась? — с возмущением спросила Софочка. — Фирмы для того и существуют, чтобы в них обращались за помощью. Почему вас это интересует?

— Но нас это интересует, — сказал Картохин. — И я даже могу объяснить вам, почему. Только вы ведь и сами знаете. Фирма оказывала явно противозаконные услуги по похищению людей. Но до тех пор, пока это касалось исключительно родственников, мы закрывали глаза на ее деятельность, но когда «Барс» стал участвовать в похищении совершенно посторонних лиц, тут уж мы обязаны были вмешаться.

Софочка на этот раз промолчала. Картохин подошел к капитану и о чем-то пошептался с ним.

— Объявляю перерыв! — сказал капитан. — Уведите задержанную. А этого, — и он указал на мужчину, сыгравшего роль Валериана Владимировича, — переведите в другую камеру.

— У меня поезд! — возмутился «Валериан».

— Нам нужно выяснить вашу личность, — отрезал капитан. — Если окажется, что вы виновны лишь в легкомыслии и глупости, то мы вас отпустим.

Следом за Софочкой, которую увел Поленов, и стонущим мужиком с Украины мы вышли в коридор.

— Какая негодяйка, — сказала Тамара Ильинична, судорожно комкая в руках носовой платочек. — Я уверена, что она что-то знает про Валериана, просто не хочет в этом признаваться.

— Конечно, — поддержала я. — Так ей грозит статья мошенничество, а если признается, да еще назовет соучастников, да признается в убийстве братьев, так вообще финиш.

— И что нам делать, если она не признается, а Валериан сейчас погибает от голода и жажды? — спросила Тамара Ильинична, совершенно не подумав о том, как отреагирует на ее слова сестра.

Серафима Ильинична протяжно застонала — и лишилась чувств.

— Вот еще, возись теперь с ней! — с досадой воскликнула Мариша. — А ты, мама, говоришь какие-то глупости! Какой еще умирающий от голода пленник?! Сейчас Картохин притащит кого-нибудь из «Барса», и нашей Софочке придется признаться в том, что это она заказала похищение Валериана Владимировича. А признавшись в этом, она признается и в остальном. Чистосердечное раскаяние смягчает вину, разве не слышали? А если будет упираться, так ее вину все равно докажут, но только впаяют уж на всю катушку. Могут и пожизненное дать.

— Пожизненное? — усомнилась Тамара Ильинична. — Скажешь тоже...

— В любом случае никто не захочет лишние годы сидеть только из-за упрямства, — сказала Мариша. — Ведь Софочка же не дура и должна понимать, что игра проиграна. Наверняка понимает. Так что, тетя, открывай глаза и смотри веселей. Еще до рассвета твой муженек будет снова у тебя под боком. Надеюсь, что эта история послужит ему хорошим уроком.

Картохин действительно привез из «Барса» свидетелей, вернее, свидетельниц — Розу и двух ее подружек; все они видели в офисе Софочку и помнили, что именно она делала заказ на похищение Валериана Владимировича и называла его своим мужем. Девушки сразу же опознали Софочку. Причем на Серафиму Ильиничну не показала ни из одна из них, так что Картохин убедился в том, что она не имеет отношения к похищению мужа. Впрочем, кое-какие подозрения все-таки остались, ведь Серафима Ильинична могла сговориться с подчиненной мужа.

— Да, признаю, что я заказала похищение Валериана Владимировича, — сказала Софочка после опознания. — Ну и что? Это же была всего-навсего шутка. Признаюсь, что немного жестокая, но если бы знали, сколько мне пришлось вытерпеть из-за моего дорогого начальничка, то вы бы меня поняли. Я заказала его похищение и назвалась женой, так как со слов знакомых знала, что там помогают только женам. А свидетельство о браке у меня не спросили.

— И куда же его потом дели? — спросил Поленов.

— Не знаю, — пожала плечами Софочка. — Меня не заботило, куда они его повезут, поэтому я и не спрашивала, просто доверилась тем ребятам, которые его похищали.

— И даже не проследили за ними до их дачи в Зеленогорске? — усмехнулся Картохин.

— Так он там был?! — воскликнула Мариша. — А как вы узнали? По отпечаткам пальцев?

— И по ним тоже, — сказал Поленов. — Но вообще-то там нашли футболку, которую потом опознала ваша тетя, и записку, написанную рукой вашего дяди. Сейчас мы уже точно знаем, что он какое-то время находился в том доме.

— А записка?.. — допытывалась Мариша. — Что дядя написал? Наверное, сообщил приметы похитителей?

— Возможно, — кивнул Поленов.

— Что это значит? Вы не знаете, что там он написал?

— К сожалению, записка серьезно попорчена водой и грязью, — ответил Поленов. — Но кое-что нам удалось разобрать. Вам что-нибудь говорят эти три цифры: четверка, двойка и восьмерка. Именно в этом порядке.

— Но это же... — Роза в смущении умолкла.

— Что — это же? — спросил Картохин.

— Ничего, глупости... — Девушка покраснела. — Просто у нас в офисе телефон начинается с этих цифр.

— Неужели? — усмехнулся капитан. — А вы знаете, что в Петроградском районе добрая половина телефонных номеров начинается на эти цифры? Так что придется потрудиться, понимаете.

— У меня дома телефон точно так же начинается, — сказала Серафима Ильинична. — Наверное, Валериан просил, чтобы человек, нашедший записку, позвонил мне и...

— Не будем гадать, скоро все узнаем, — перебил капитан. — Но кое-что я и сейчас могу вам сообщить. Вот эта особа, — он указал на притихшую Софочку, — заказала похищение своего шефа. Назвала его мужем и сказала, что ревнует... братья не раз выполняли подобные поручения, поэтому не почуяли подвоха. Проследив за ними, она вернулась в город, а на следующее утро взяла машину Валерина Владимировича, снова поехала в Зеленогорск и убила братьев. Кстати, в машине найдены ее отпечатки пальцев.

— Не убивала я их, — зарыдала Софочка. — Они были уже мертвые. А Валериана я не забирала. Ладно, так и быть, расскажу вам все. Пусть это зачтется мне в качестве смягчающего обстоятельства. А насчет отпечатков... Видите ли, Валериан Владимирович много раз подвозил меня до метро, так что в машине, конечно, были мои отпечатки. Так вот, вы все правильно сказали, но только с Зеленогорском ошибаетесь. Там я ни в чем не виновата. Кто-то до меня побывал в этом доме. Я вошла — и как будто меня что-то потянуло к сауне. Я открыла дверь — еще с засовом долго возилась, он очень тугой, увидела мертвых братьев... и вылетела из дома. Про Валериана я вспомнила уже по дороге к городу. Но возвращаться, конечно, не стала, никто на свете не заставил бы меня снова войти в тот дом. И вещи Валериана я не трогала. «Пропади они пропадом, эти деньги, проживу и без них», — так я тогда решила. А потом подвернулся шанс получить выкуп, надув настоящих шантажистов, и я не могла им не воспользоваться. Вот и все, что я могу сообщить.

Софочка умолкла, и всем стало ясно, что она больше ни слова не скажет. Во всяком случае, капитан это понял, потому что приказал Картохину увести задержанную.

— По-моему, она врет, — сказала Тамара Ильинична. — То есть не врет, но и всей правды не говорит. На такую аферу с подставным Валерианом можно было решиться только от отчаяния, когда времени в обрез, настоящего пленника нет, снова куда-то исчез, а деньги получить все-таки охота.

— Вот-вот, — кивнул капитан. — Но не забывайте: у нее было время, чтобы подобрать в магазине подходящую одежду для этого мужчины. Потому что рубашка явно не вашего мужа, на ней даже магазинный ценник сохранился.

Но одежда такая же, во всяком случае, очень похожая на ту, которая была на Валериане Владимировиче в день похищения. Так что Софочка видела вашего мужа в день похищения. Но у нее есть сообщник.

— Почему вы так решили? — спросила Тамара Ильинична.

— Чутье, — лаконично ответил капитан. — Кто-то же должен был вам позвонить, чтобы потребовать выкуп.

— Она вполне могла найти какого-нибудь лопуха и что-нибудь ему наплести. Например, могла сказать, что хочет разыграть подругу, — проговорила Мариша.

— Хотя, конечно же, она никого не убивала, — сказала Тамара Ильинична. — Для того, чтобы убить, нужно обладать особой жестокостью, а ее у Софочки нет. Хитрость и изворотливость — это да, а жестокости нет.

— А вот я все думаю о бедняге химике, — проговорил Сева. — Его ведь тоже похитили. Думаю, это та же самая банда. Томов утверждает, что их было по крайней мере двое. Конечно, одним из похитителей могла быть переодетая Софочка. Ведь мы знаем, что переодеться для нее не проблема. Но был еще и второй. Возможно, и третий.

— Ну, пошел считать, — проворчал капитан. — Так у тебя получится целая группировка, занимающаяся похищением ученых. Никогда бы не подумал, что наша отечественная наука наконец-то стала представлять интерес для преступного мира. В каком-то смысле я даже рад за них.

— Но как нам искать моего мужа? — спросила Серафима Ильинична. — Эта Софочка уверяет, что не знает, где он. Как вы заставите ее сказать правду?

— Пусть это вас не беспокоит, — отозвался капитан. — Найдем вашего мужа. Уверен, что настоящие похитители все-таки захотят получить свои деньги. Будем считать сегодняшнюю операцию на вокзале просто военными учениями. Не беспокойтесь, ваш телефон, Серафима Ильинична, мы возьмем на прослушивание. Так что преступникам не уйти от ответственности.

С этими словами капитан выпроводил всю нашу компанию из своего кабинета. Просто удивительно, как ловко это у него получилось! Ведь никто из нас не собирался уходить, не выяснив, что именно предпримет милиция для розыска дяди Валериана. Но не успели мы и глазом моргнуть, как оказались в коридоре.

— Что же это такое! — вспылила Мариша. — Мы имеем право знать, что они затевают.

Мы попытались снова проникнуть в кабинет. Но дверь оказалась заперта, а ломать ее нам не позволил дежурный. Должно быть, его натравил на нас противный капитан, потому что по собственной инициативе дежурный, конечно, не стал бы провожать нас до выхода. Приехав к Серафиме Ильиничне, мы сели держать совет.

— Не стоит особенно переживать, я обязательно все выясню у Поленова, — утешал нас Сева. — Он нормальный мужик, он расскажет, что они там со своим капитаном надумали.

— Но когда это будет? — всхлипнула Серафима Ильинична. — И смогут ли они придумать что-нибудь дельное?

— Ну, кое-что я вам и сейчас могу сообщить, — сказал Сева. — Они решили заняться окружением Софочки. Всегда так делается, когда подозреваемый виляет в своих показаниях.

— А кто нам мешает сделать то же самое? — воодушевилась Мариша. — Предлагаю начать прямо сейчас. Ну и что с того, что уже поздно? А вдруг нам повезет, вдруг в том офисе кто-нибудь остался? К тому же для визита туда у нас есть отличное прикрытие... — жена похищенного желает осмотреть его офис, а заодно — побеседовать с кем-нибудь из сотрудников мужа. Тетя, у тебя есть там близкие друзья?

— Что ты мелешь?! — возмутилась Серафима Ильинична. — Я всю жизнь была верна Валериану и ни с кем в близких отношениях не состояла! Неужели ты думаешь...

— Ты все не так поняла, — перебила Мариша. — Я хотела спросить: есть ли там какая-нибудь добрая душа, которая тебе симпатизирует? И желательно, чтобы эта душа была любопытна и болтлива. Теперь понимаешь?

— Пожалуй, есть у них там одна старуха, — в задумчивости проговорила Серафима Ильинична. — Они ее называют «хозяйкой офиса», но на самом деле она для них готовит, а вечером убирает в кабинетах. На редкость пронырливая особа. И очень любопытная.

— Думаю, подойдет, — кивнул Сева.

Оставив на телефоне Тамару Ильиничну, мы снова отправились в путь.

В офисе Валериана Владимировича было неспокойно и народ присутствовал. Более того, воздух сотрясался от громового голоса, причем орал он не по-нашему — мне показалось, что кричал финн. В надежде понять, что же так вывело из себя представителя иностранного государства, мы прошли в один из кабинетов.

В центре комнаты, в окружении сотрудников фирмы, стояли два высоких румяных господина средних лет. Оба были в сильном подпитии и действительно говорили по-фински — причем возмущались. Стоявшие рядом мужчины пытались что-то им объяснить, но говорили по-русски, и финская сторона отказывалась их понимать.

— Что тут происходит? — удивилась Серафима Ильинична. — И где переводчик? Ничего ведь не понять.

— А зачем переводчик? И так все ясно, — неожиданно раздался чей-то голос.

Мы повернулись и увидели представительную женщину лет шестидесяти. Матрона держалась с необыкновенным достоинством — так могла держаться лишь бывшая общепитовская повариха. Мы сразу поняли: перед нами всезнающая «хозяйка офиса».

— Здравствуйте, Светлана Георгиевна, — сказала Маришина тетя. — Что тут творится? Вы что-нибудь понимаете?

— А что тут понимать? — усмехнулась матрона. — Финны подозревают, что с ними ведут нечестную игру. Они еще в тот день, когда Валериана Владимировича похитили и он не смог их встретить в аэропорту, начали подозревать, что их намереваются обуть. Михаилу Федоровичу с огромным трудом удалось их убедить, что Софочка справится с обязанностями Валериана Владимировича ничуть не хуже его самого. Конечно, финнам это не понравилось, но вы их, Серафима Ильинична, убедили, когда рыдали в трубку и сетовали на свою судьбу. Они все слышали и сказали, что такое горе невозможно симулировать. Спасибо вам. И переговоры шли довольно гладко... До сегодняшнего дня. А сегодня пропала и Софочка. Так что финны окончательно уверились, что их собираются обмануть. И теперь они вообще не желают иметь дела с фирмой, которая не может обеспечить даже того, чтобы сотрудники выполняли свои обязанности вне зависимости от обстоятельств. Они ведь должны были встретиться с Софочкой в баре и пойти вместе с ней в ресторан. Но она не пришла, а они, пока ее ждали, нализались до свинячьего визга. Вот теперь и вопят, что контракт подписывать не будут. А наши их умоляют не торопиться и сначала выяснить, в чем дело и куда подевалась Софочка.

— А что эта Софочка собой представляет? — спросила Серафима Ильинична. — Мне Валериан Владимирович про нее столько рассказывал, что я даже начала подозревать, а уж нет ли у них с ней чего.

— Что вы! — засмеялась Светлана Георгиевна. — И не думайте. Пойдемте ко мне, я вам все про нее расскажу. Здесь-то они еще долго разбираться будут, не до вас им сейчас.

«Хозяйка офиса» провела нас в уютную кухню, сверкавшую безупречной чистотой. Все кастрюли и банки находились в шкафчике, лишь на столе, рядом с чашками, стоял поднос с аккуратными бутербродиками, прикрытыми салфеткой. На плите же закипал огромный блестящий чайник.

— Поздно вы работаете, — сказала Мариша.

— Это только сегодня, потому что наши остались ждать решения финнов. Они сегодня целый день мотались по предприятиям, а потом Софочка должна была остаться с ними и во что бы то ни стало уговорить их подписать контракт. Только теперь это вряд ли получится.

— Прямо золотое дно, а не Софочка, — заметила Мариша. — Где мой дядя ее нашел?

— Это вовсе не он ее нашел, — ответила «хозяйка»; она уже разливала заварку по чашкам. — Это Михаил Федорович ее привел, сказал, что знакомые попросили пристроить. Вот вы, Серафима Ильинична, беспокоились, что ваш муж ухаживал за Софочкой, и ошибались. Софочка с самого начала была на особом положении, Михаил Федорович ей все время протекцию делал и дифирамбы пел, что она и умница, и исполнительна, и образованна, и с людьми у нее проблем нет. В общем, всем надоел, даже шептаться стали, что это он неспроста такое внимание оказывает. Но в какой-то степени он был прав, Софочка себя на работе не щадила. Ваш муж сначала, когда ему эту Софочку в заместители определили, не очень-то обрадовался, а потом привык и уже ничего толком без нее решить не мог. Но ни о каких амурах у него с ней речи не было. А вот с Михаилом Федоровичем...

Светлана Георгиевна сделала паузу по всем правилам театрального искусства, чем еще больше подогрела интерес слушателей. Разлив по чашкам кипяток, она положила себе сахару и только после этого снова заговорила:

— А с Михаилом Федоровичем их связывали не просто хорошие отношения...

— Они были любовниками? — перебила я.

— Может быть, — с загадочным видом ответила «хозяйка». — Правда, в офисе они всегда общались друг с другом подчеркнуто официально. Никогда не оставались наедине, цветы вместе тоже не поливали и обедать ходили поодиночке.

— Тогда почему же вы решили...

— А что у меня, глаз нет, что ли?! — возмутилась Светлана Георгиевна. — Ведь я все вижу, не слепая. Да и любой, кому пришла бы охота понаблюдать за этой парочкой, понял бы, что они знакомы очень давно и близко. Например, в первый день, когда она пришла к нам устраиваться, Михаил Федорович привел ее сюда — выпить кофе с Валерианом Владимировичем и поговорить о делах. Наливал кофе Михаил Федорович. Так вот, у Валериана Владимировича, с которым столько лет вместе работает, он спросил, как тот любит, а Софочке сразу же сделал кофе со сливками и тремя ложками сахара. Когда же зашел разговор о том, какие напитки покупать к Новому году, он настаивал на мартини и белом вине. Но сам пил только коньяк, а вот мартини и белое вино пила Софочка. К тому же он знал, где она живет. И вообще, знал про нее всякие мелочи, которые сейчас уже не помню.

— Понятно... — пробормотала Мариша. — Но отчего же они скрывали свое близкое знакомство?

— Не знаю, — пожала плечами Светлана Георгиевна. — Может быть, потому что Софочка в то время была еще замужем.

— Замужем?

— Ну да. Только об этом тоже мало кто знал. А я узнала, потому что однажды задержалась в офисе — в тот вечер предстояло сделать генеральную уборку. Так вот, я слышала, как Софочка разговаривала со своим мужем по телефону и кричала: «Хоть по бумагам ты мне и муж, но ты не имеешь права требовать, чтобы я тебя содержала! Ты здоровый мужик, иди работать, почему я должна вкалывать за тебя?»

— Но жила Софочка одна?

— Считалось, что одна. Так она, во всяком случае, говорила. Софочка, кажется, рассказывала, что сама она родом из Киришей и что мать ее живет там до сих пор. А она перебралась в Питер, когда родители купили ей тут комнатку. Потом она уже сама скопила на доплату и купила квартиру. А недавно переехала в двухкомнатную. Объяснила мне, что получила наследство от какой-то своей дальней родственницы, поэтому и смогла купить новую квартиру. Только вранье это, ей Михаил Федорович дал деньги на обмен.

— Откуда вы знаете? — поразилась Мариша.

— Я не слепая и не глухая, — с достоинством ответила Светлана Георгиевна. — И я достаточно пожила на этом свете, чтобы смекать, что к чему.

— Значит, он в нее влюблен, — сказала Серафима Ильинична. — Так почему бы ему на ней просто не жениться?

— Потому что у него жена, — пояснила Светлана Георгиевна. — И, честно говоря, я не замечала, чтобы он так уж был влюблен в Софочку. Скорее всего, ему просто нужно было место, где он мог бы уединиться и отдохнуть. Ну а в двух комнатах они друг другу не мешали.

— Мог бы купить себе отдельную квартиру и отдыхать там сколько душе угодно, — сказала Мариша.

— А убираться кто будет? А обед готовить? А... а постель согревать? Здесь же он имел все в одном лице, без особых проблем, — усмехнулась Светлана Георгиевна.

Неожиданно дверь отворилась, и на пороге возник тот самый субъект, которому мы только что перемывали косточки. Михаил Федорович был высок ростом, и этим его достоинства исчерпывались. Дальше начинались сплошные недостатки. Кожа у него была бледная и какая-то нечистая. Глаза мутные и бегающие, а волосы редкие и жесткие. В общем, очаровашка. Конечно, и годы его не пощадили. Страшно было даже представить, что женщина могла лечь с таким в постель.

— Светлана Георгиевна, — обратился он к «хозяйке», — кто эти люди и что они тут делают?

— Миша, неужели вы меня не узнаете? — спросила Серафима Ильинична, поднимаясь со стула.

— Боже мой! Это вы?! А что, Валериан Владимирович уже нашелся?

— Нет. А почему вы так решили? Но нам удалось поймать сообщницу преступников.

— Сообщницу? — Михаил Федорович заметно побледнел.

— Да-да, — закивала Серафима Ильинична. — И вы не поверите, но ей оказалась ваша сотрудница — Софочка.

Светлана Георгиевна тихонько «ойкнула», а Михаил Федорович, похоже, не на шутку испугался.

— Что вы такое говорите? — пробормотал он с дрожью в голосе. — Уважаемая Серафима Ильинична, вы уж извините, но мне кажется, что сейчас не самое подходящее время для розы-

грышей. У нас тут как раз возникла проблема...
И как раз из-за того, что куда-то подевалась
Софочка.

— Это вовсе не розыгрыш, — сказала Мариша. — Лучше бы вам не надеяться на то, что
ваша Софочка вернется в ближайшее время.
Эй, что это с вами?

Михаил Федорович тихонько вздохнул и начал сползать вниз по стенке.

— Вот это любовь! — в восторге шептала мне
на ухо Серафима Ильинична.

— Чего он так перепугался? Прямо лица на
нем нет, — зашептала мне в другое Мариша.

Тем временем Светлана Георгиевна с Севой
приводили Михаила Федоровича в чувство. Оч-
нувшись, он обвел нас всех полубезумным взглядом и пробормотал:

— Так это не шутка? Когда же ее арестовали?

— А что она сделала, вас не интересует? — с
ехидной усмешкой спросила Мариша.

— Да-да, — поспешно закивал Михаил Федорович. — Что́ же она натворила?

— Ничего особенного, пыталась получить
выкуп за Валериана Владимировича, то есть бле-
фовала, не имея на руках ровным счетом ничего, кроме пары на «двойках».

— Что? При чем тут покер? Господи, да говорите же вы нормально! Она что, похитила Валериана Владимировича?

— Да, похитила. Только потом кто-то у нее
его увел, — сказала Серафима Ильинична, не
замечая яростных взглядов, которые бросал на
нее Сева.

— Чушь какая-то, — пробормотал Михаил
Федорович. — А где она сейчас?

— В милиции, — сообщила Мариша, и бедняга еще больше побледнел.

— Я должен немедленно сообщить об этом Петру Леопольдовичу, — прошептал он, когда снова пришел в себя. — Петр у нас специалист по чрезвычайным ситуациям, в прошлом вояка, вот и пусть решает, как быть дальше. А у меня что-то с головой... Ничего не соображаю.

Михаил Федорович выбежал из кухни и помчался в комнату напротив. Дверь оставалась открытой, и мы увидели, как он подскочил к полному лысоватому средних лет мужчине и начал что-то шептать ему на ухо. Выслушав коллегу, Петр Леопольдович тоже побледнел. Он тотчас же утратил интерес к перепалке с финнами и, покинув кабинет, направился к нам.

— Серафима Ильинична, здравствуйте, что вы тут за слухи распускаете? — выпалил он на одном дыхании, едва переступив порог кухни. — Что случилось с Софочкой?

— Она в милиции, — сказала Маришина тетка. — Ее арестовали на вокзале, когда она пыталась получить выкуп за Валериана Владимировича.

— Мы погибли, — прислонившись к стене, пробормотал Петр Леопольдович.

Сева и Светлана Георгиевна бросились к нему с мокрым полотенцем и стаканом воды, но он оказался покрепче Михаила Федоровича и, судя по всему, вовсе не собирался падать в обморок.

— Ну, не стоит расстраиваться, — попыталась утешить его Серафима Ильинична. — Подумаешь, будут у вас еще и другие заказы. Не свет же клином сошелся на этих финнах?

Петр Леопольдович бросил на нее ничего не

выражающий взгляд; похоже, он не понимал, о чем она толкует.

— Я должен идти, — пробормотал он наконец. — Просто не представляю, как объяснить нашим гостям, что контракт придется подписывать без Софочки. Господи, почему я так доверял этим двоим, почему тоже не выучил финский? Может быть, кто-нибудь из вас знает финский?

Увы, никто ему не мог помочь.

— Я пропал, — прошептал Петр Леопольдович. — Чувствую, что Микке и Юсси сейчас соберутся и уедут, а мы окончательно разоримся. — Он направился к выходу, но у порога остановился и, обернувшись, сказал: — Извините меня, дорогая Серафима Ильинична, я совсем забыл про вашу беду. Вы пришли ко мне за помощью, а я, словно последний эгоист, думаю только о своем кошельке. А ведь вы можете потерять самого дорогого человека... Так чем же вам помочь?

— Благодарю вас, мне уже помогли, — ответила Маришина тетка.

Петр Леопольдович помотал головой, пытаясь усвоить полученную информацию. Затем молча пожал плечами и, кивнув нам напоследок, вышел из кухни. Несколько минут спустя раздался очередной взрыв финской брани. Должно быть, Петру Леопольдовичу все-таки удалось довести до сведения финских гостей, что Софочки нет и в ближайшее время она не появится.

Решив не дожидаться окончания переговоров, мы попрощались с милейшей Светланой Георгиевной и покинули офис.

— Один из них замешан в этой истории, — сказала Мариша уже на улице. — А может быть, оба замешаны. Вы заметили, как они перепугались, когда узнали, что Софочка в милиции? На них жалко было смотреть, они стали... точно мокрые белые мыши. Вы как хотите, а я считаю своим прямым долгом проследить за ними.

— Как же ты одна?! — заголосила Серафима Ильинична; в ней вдруг проснулись родственные чувства к племяннице. — Если с тобой что-нибудь случится, то что я скажу твоей матери? Я останусь с тобой.

— Это невозможно. Ты должна находиться дома и ждать звонка от похитителей, а потом отвезти выкуп, — сказала Мариша. — И тебе нужно поторопиться, наверное, они уже что-то заподозрили. Я одна прослежу...

— Не валяй дурака, — перебил Сева. — Их двое, и у них две машины. Не сможешь ведь ты разорваться надвое. Сейчас мы посадим твою тетю в такси, а я останусь с вами.

Это предложение всем пришлось по душе. Правда, Серафима Ильинична уверяла, что ей было бы спокойнее, если бы мы предоставили милиции ловить преступников, а сами поехали с ней, но мы ее не послушались.

— Если бы мы не проконтролировали действия милиции на вокзале, где были бы сейчас ваши с дядей денежки? — спросила Мариша у тетушки, и та смирилась.

Оставшись одна, Тамара Ильинична тоже не сидела без дела. Она покормила Оранж и собралась провернуть фарш для котлет или для праздничного пирога — чтобы испечь к возвращению Валериана Владимировича. Потом, вспомнив, что давно не мыла голову, решила сначала заняться волосами. И тут зазвонил телефон. Выругавшись сквозь зубы, Тамара Ильинична сняла трубку.

— Где ты болтаешься? — раздался в трубке сиплый мужской голос. — Тебе что, муж живым не нужен?

Тамара Ильинична уже хотела заявить, что ее муж и так давно мертв и она не намерена шутить на эту тему, но вдруг сообразила, что это звонят по поводу Валериана Владимировича.

— Что молчишь? — допытывался незнакомец. — Денег жалко? Или муж не нужен? Так ты так и скажи. Мы ради такой симпатичной женщины, как ты, пойдем навстречу. Муженька твоего по кускам к нему же на работу зашлем. Пусть там с ним возятся.

Тамара Ильинична припомнила, сколько раз Валериан оскорблял ее, подводил Маришу, обижал Симу, и ей ужасно захотелось сказать: «Да, денег на этого мерзавца у меня нет. Делайте с ним, что хотите». Но, представив, как будет убиваться сестра из-за этого негодяя, она со вздохом сказала:

— Деньги есть. Когда вы пожелаете получить их?

— Вот это разговор, — одобрил шантажист. — А то вчера весь вечер ты болталась непонятно где, я уж решил, что тебе муж не нужен. Расстроился за мужика даже. Я тебе перезвоню, не хочу, чтобы сюда сейчас нагрянули, если ты вдруг телефон на прослушку поставила.

Тамара Ильинична повесила трубку и задумалась. Конечно, капитан обещал, что будет прослушивать все разговоры, ведущиеся по телефону Серафимы Ильиничны, но все же... А вдруг он забыл о своем обещании? А вдруг, допрашивая Софочку, очень уж увлекся?

Внезапно Тамара Ильинична поняла, что ей страшно хочется в туалет. Это с ней бывало каждый раз, когда она волновалась.

«Не мог позвонить немного раньше! — мысленно воскликнула Тамара Ильинична, сидя в туалете. — Тогда бы еще сестра была дома... И вообще, все были тут, вместе мы решили бы, как поступить. А теперь что делать? Нужно позвонить Картохину — вот что!»

Тамара Ильинична схватилась за телефон, который предусмотрительно захватила с собой в туалет.

— Я немедленно беру группу и выезжаю, — сказал ей Картохин. — Ни в коем случае не соглашайтесь на встречу с ними до нашего приезда. Мы будем через полчаса. Ждите!

— Хорошо, — пробормотала Тамара Ильинична; она даже не представляла, как проживет эти полчаса. — Хорошо, буду ждать.

Но томительного ожидания не получилось. Похититель позвонил сразу же после того, как она закончила разговор с Картохиным.

— В общем, так... Через полчаса встречаемся у Ботанического сада. Деньги принесешь туда — и без опозданий. За каждую минуту простоя твой муженек будет лишаться какой-нибудь части тела.

Прежде чем Тамара Ильинична успела возразить, шантажист дал отбой.

— Господи! — Она заломила руки. — Что же делать?

Немного подумав, Тамара Ильинична снова позвонила в милицию. Картохина там уже не было, но трубку тотчас же передали капитану, и тот заверил Тамару Ильиничну, что Картохин или кто-то другой будет у Ботанического сада одновременно с ней. Так что пусть отправляется на встречу с похитителями и не волнуется.

«Тебе легко говорить, сидя у себя в кабинете, — думала Тамара Ильинична, шагая по улице. — У тебя там пули над головой не свистят».

Впрочем, это было преувеличение. Пули и у нее над головой не свистели. Но минут через десять после выхода из дома она поняла, что к назначенному времени не успевает. Тамаре Ильиничне ужасно не хотелось ловить машину — ведь она несла сто тысяч долларов, но ей пришлось пойти на этот риск.

«В конце концов, не у всякого шофера вместо глаз рентген, — размышляла Тамара Ильинична. — Не сможет ведь он догадаться, что у меня в сумке, если я ему не скажу. А я, понятное дело, не скажу. Ну, а сама по себе я уже давно не представляю интереса для мужчин моложе шестидесяти. Так что можно рискнуть».

И она, обернувшись, помахала рукой. Рядом тотчас же остановилась красивая черная машина, преданно катившая за Тамарой Ильиничной от самого дома.

Такое внимание, конечно же, казалось подозрительным. Правда, Тамара Ильинична надела лучший костюм своей сестры — но неужели только из-за этого владелец черной машины ею заинтересовался? Нет, разумеется, у него имелись более веские причины для того, чтобы преследовать Тамару Ильиничну. Но она слежки за собой не замечала, поэтому без всяких опасений распахнула переднюю дверцу и спросила:

— До Ботанического сада подбросите?

На этом ее беседа с водителем красивой машины закончилась. В следующее мгновение в нос ей ударила струя какой-то вонючей дряни, голова у Тамары Ильиничны закружилась, и бедняжка, даже не вскрикнув, повалилась на сиденье. Перед тем как лишиться чувств, она еще успела подумать о том, как глупо попалась, как ужасно подвела сестру и загубила все дело...

Мужчина, сидевший за рулем, тотчас же приподнял Тамару Ильиничну и захлопнул дверцу. Все произошло так быстро, что люди, проходившие мимо, ничего не заподозрили. Просто женщина поймала машину и, усаживаясь, оступилась. Хорошо, что хоть водитель оказался галантным, помог даме забраться в салон.

Отпирая дверь, Серафима Ильинична заранее ругала свою легкомысленную сестру. Неужели та ушла куда-то, неужели оставила доверенный ей пост? Наконец-то справившись с последним замком, она вошла в квартиру и осмотрелась.

— Так я и знала, Тамарка ушла! — закричала возмущенная Серафима Ильинична. Куда же ты, дорогая сестрица, подевалась? Мы же договорились, что ты будешь ждать звонка похитителей!

«Может быть, она его уже дождалась? — предположил внутренний голос. — Может, пошла на встречу с ними?»

— Без денег? — усмехнулась Серафима Ильинична, помня про красный полиэтиленовый пакет, полный стодолларовых купюр, который лежал под кроватью в ее комнате.

— Да, конечно, — ворчала Серафима Ильинична, в возбуждении расхаживая по комнате, — наверняка сестрица отправилась в магазин. Луку в доме для котлет не оказалось или соли. Хозяйственность ее проклятая!

И вдруг она резко остановилась. Затем подскочила к своей кровати и нырнула под нее. Там было полно пыли, но Серафима Ильинична не обращала на пыль внимания; лежа под кроватью, она перебирала пачки денег. Все они оказались стопроцентно качественными — ни одной «куклы». Серафима Ильинична задумалась... Потом потянулась к телефонной трубке, набрала номер Поленова, но ей сообщили, что Поленов выехал на задержание.

— Очень странно... Кого же они собрались задерживать? И где Тамара, если деньги здесь? — в растерянности бормотала Серафима Ильинична.

Тут раздался телефонный звонок, и она, схватив трубку, прокричала:

— Алло, я слушаю!

— Почему же вы дома?! — возмутились на другом конце провода. Ведь вам следует находиться около Ботанического сада. Что вы вытворяете? Что за шуточки?

— У какого сада? — прошептала Серафима Ильинична. — Я ничего не понимаю. Кто это говорит?

— Ах, скажите, она меня не узнает! — разозлился капитан. — Вы что, поиздеваться над нами решили? Не прикидывайтесь. Я еще полчаса назад выслал группу захвата к Ботаническому саду. Они перекрыли все ближайшие улицы и ждут вас там уже десять минут. Значит, вы до сих пор дома?

— Да, дома, — подтвердила Серафима Ильинична. — А моя сестра — нет.

— У меня просто нет слов, чтобы охарактеризовать ваше поведение, — заявил капитан. — И при чем тут ваша сестра?

— Она оставалась дома за меня. Теперь я пришла, а ее нет. А мешок с деньгами, то есть с выкупом, тут. Я ничего не понимаю... Я уже звонила Поленову, но его на месте не оказалось.

— О, черт! — заорал капитан. — Сидите дома, дверь никому не открывайте, мы сейчас приедем. — А второй мешок на месте?

— И в самом деле... Где же мешок с «куклами»? — пробормотала Серафима Ильинична.

Она в растерянности осмотрелась. И тут же вспомнила, что Мариша этот мешок куда-то кинула, когда все вернулись из милиции. Но вот куда?!

— Ищи! — приказала себе Серафима Ильинична. — Если его нет, значит, Тамарке грозит опасность, о которой она и не подозревает. Вряд ли она сознательно прихватила фальшивый пакет, просто могла перепутать мешки и взять не тот. И если шантажист это поймет...

Серафима Ильинична бросилась обшаривать квартиру. К счастью, в ней имелось не так-то много мест, где можно было спрятать большой красный пакет, набитый деньгами. Она обыскала всю квартиру, но нигде второго пакета не обнаружила. Остановившись посреди комнаты, Серафима Ильинична уставилась на свое отражение в зеркале. Что делать дальше, она не знала. Но тут раздался спасительный звонок в дверь.

Мы с Маришей выпили уже по пятому пластмассовому стаканчику омерзительного сладкого пойла под названием «кофе», и я чувствовала, что от шестого меня вывернет наизнанку. Тут Мариша позвонила какому-то своему приятелю и потребовала, чтобы тот привез ей росянку для братишки.

— Ты не находишь, что сейчас не самое лучшее время для сбора гербария? — проворчала я.

Мариша захихикала и заявила, что я когда-нибудь уморю ее своими шуточками. Но я ничего смешного в своих словах не улавливала, поэтому снова уставилась в окно машины. Вскоре приехал Маришин знакомый, передал ей какую-то небольшую коробочку и, распрощавшись, укатил. А наши подозреваемые и не думали покидать рабочие места.

Наконец появилась первая ласточка — миловидная молоденькая девушка, которую мы приметили в офисе полчаса назад. Она ужасно торопилась куда-то; было видно, что одевалась впопыхах.

Сева за стеклом своей машины поднял указательный палец, призывая нас к вниманию. Но мог бы не волноваться, мы и сами догадались, что раз появилась девушка, то скоро потянутся и остальные. Однако произошло это не так-то скоро, часа через полтора. Из офиса выбрались совершенно зеленый Михаил Федорович, желтый Петр Леопольдович и двое пьянющих красных финнов — то есть получился своеобразный светофор.

Мариша вцепилась в баранку, но предприниматели вместе со своими гостями остановились прямо у входа и принялись что-то обсуждать. Мимо них тонкой струйкой сочились их бледные подчиненные. Увидев Светлану Георгиевну, величественно выплывавшую из здания, мы поняли, что в офисе больше никого не осталось. Светлана Георгиевна что-то сказала четверым мужчинам, те утвердительно покивали и направились к своим машинам.

— Пора! — сказала Мариша.

Мы заранее договорились, что Сева поедет за Петром Леопольдовичем, а мы с Маришей — за Михаилом Федоровичем. В машину к Петру Леопольдовичу сели оба финна. Троица тотчас же укатила, и Сева последовал за ними. Наконец серый «Форд» Михаила Федоровича тихонько заурчал и тоже тронулся с места.

— Я поведу машину, а ты запоминай все необычное, — сказала Мариша. — Нет, лучше записывай.

— Необычное? Что именно?

— Ну, номера домов, где он остановится, или название улицы, где он остановится выпить газировки. Тут мелочей быть не может.

По счастью, Михаил Федорович нигде не стал останавливаться, пока не подъехал к новенькому кирпичному дому, стоявшему почти на самом берегу одного из Суздальских озер. Дом оказался многоэтажный — точней сказать было трудно, потому что местами в нем насчитывалось двенадцать этажей, а кое-где только восемь, а то и семь. Возле дома гуляла с маленькой пушистой собачкой девочка лет десяти. Девочка с радостным криком бросилась к Михаилу Федоровичу и повисла у него на шее.

— И что нам это дает? — спросила я. — Человек после трудового дня приехал домой.

— Ты все сразу хочешь, — проворчала Мариша. — Подождем и посмотрим, что он будет делать дальше.

— Что дальше? Пойдет домой, поужинает и завалится спать. Ведь сейчас уже одиннадцатый час.

— Посмотрим. Может, у него найдутся еще какие-нибудь дела, — сказала Мариша.

И что вы думаете?.. Моя подруга снова оказалась права! Как ей это удается, хотела бы я знать. Где-то в двадцать минут двенадцатого Михаил Федорович вышел из дома и чуть ли не бегом устремился к своей машине. Мариша завела мотор, и мы покатили следом за серым «Фордом». И на этот раз Михаил Федорович нигде не останавливался, пока не оказался в центре города. Остановившись же, оставил свою машину возле Пассажа и дальше пошел пешком, постоянно оглядываясь.

Мы с подружкой последовали за Михаилом Федоровичем, однако нам приходилось соблюдать солидную дистанцию, иначе он мог бы нас заметить. При этом мы по максимуму использовали все укрытия, которые предоставляли нам стены домов.

Наконец наш подопечный вышел на набережную Фонтанки, миновал цирк и перешел на другую сторону набережной. Тут начинались жилые дома, протянувшиеся вдоль реки.

— Слушай, я сейчас догоню этого типа и спрошу у него, который час, — заявила Мариша. — А ты должна в тот момент, когда он остановится на секунду, подойти сзади и якобы случайно толкнуть его в спину. Но предупреждаю, толкать нужно изо всех сил. Чтобы он налетел на меня. Ясно?

— Зачем?

— Затем, что он сейчас зайдет в какой-нибудь дом, — а тогда как нам узнать, что он там делает?

— Но он же видел нас в своей фирме, — сказала я. — И сразу заподозрит неладное...

Но Мариша уже мчалась по набережной. Мне не оставалось ничего другого, как поспешить следом за ней. Михаил Федорович, конечно, слышал, как мы топаем, словно стадо слонов, но почему-то не оборачивался, лишь прибавил шагу. Когда же Мариша почти догнала его, он вдруг резко остановился и обернулся. Так что она и без моей помощи отлично в него врезалась.

— Здравствуйте, — обворожительно улыбнулась Мариша. — Который сейчас час? Я за вами уже сотню метров бегу, на этой улице вы единственный производите впечатление человека, имеющего на руке часы.

Тут и я подоспела. И, конечно же, врезалась в мужчину, как и было запланировано.

— Ой, это вы, Михаил Федорович! А Мариша мне еще и говорит, спорим, что я знаю того человека, давай его догоним. Мы за вами от самого цирка идем и все спорим, вы это или не вы. Надо же, какая неожиданная встреча. А куда вы идете? Тоже гуляете? Давайте гулять вместе?

Михаил Федорович стал совсем плох лицом и начал бормотать, что у него неподалеку небольшое дельце, что в другой раз он с удовольствием, но не сегодня.

— И вообще, такие красивые молодые девушки должны поискать себе компанию получше, чем старая развалина вроде меня, — добавил он в смущении.

— Никакая вы не развалина! — решительно заявила Мариша. — Вы самый интересный мужчина, которого я когда-либо видела. Неужели ваше дело такое важное и долгое, что, закончив его, вы не сможете погулять с нами? Мы бы вас подождали вот тут, на набережной.

И она одарила беднягу своим знаменитым взглядом. Против этого взгляда не мог устоять еще ни один мужчина. И Михаил Федорович не стал исключением. Он залился краской и пробормотал, что дело у него долгое, но он будет рад встретиться с нами в другое время, вот визитка, звоните, мол, буду счастлив...

— А мы вас все-таки тут с часик подождем, — сказала Мариша. — Вдруг вы передумаете.

Но было очевидно, что Михаил Федорович не передумает.

— Видишь, как торопится? — сказала Мариша, глядя вслед удаляющейся фигуре. — Я как чувствовала, что тут дело нечисто. Чтобы такой червяк отказался от вечера с такой роскошной женщиной, как я! От вечера... ну, и так далее, сама понимаешь. Нет, тут замешаны большие деньги. Настолько большие, что даже перевесили меня.

— Пойдем за ним? — спросила я.

— Зачем? — удивилась Мариша. — Теперь он от нас никуда не денется.

И подруга достала из сумки ту самую коробочку, которую ей передал ее приятель и в которой якобы находилась росянка для брата. Под передней панелью оказался экран с какой-то мерцающей точкой. Присмотревшись, я поняла, что точка движется.

— Конечно, в условиях города, где столько поворотов, эта штука не идеальна, но если мы не будем слишком отдаляться от нашего дорогого Михаила Федоровича, то мы не потеряем его.

— Ты прилепила ему на одежду «жучок»? — догадалась я.

— «Росянку», — поправила Мариша. — Витька так их назвал. Это почти его собственное изобретение, значит, нужно уважать изобретателя...

— Почему «почти»? — перебила я.

— Потому что идею он позаимствовал из какого-то боевика, — сказала Мариша. — А вот технология изготовления таких «росянок» кустарным способом — это уже личный вклад Витька в российскую науку. К сожалению, его изобретение пока еще не пользуется широким спросом, так как Витька — человек очень скромный и особо о своих открытиях не распространяется.

— Ясно, — кивнула я. — Ну, пошли, а то еще потеряется. По-моему, он уже достаточно отдалился. Во всяком случае, на набережной его нет.

Маришино приобретение и в самом деле здорово облегчило нам жизнь. По крайней мере, теперь не нужно было перед каждым поворотом трястись от страха, гадая, не стоит ли за углом наш Михаил Федорович, заметивший слежку. К тому же мерцающая точка прочерчивала на экране траекторию движения объекта, так что все повороты, которые он проделывал, были у нас перед глазами. Внезапно точка на экране побледнела.

— Он вошел в дом! — в возбуждении прошептала Мариша.

Мы прибавили шагу и вскоре оказались во дворе-колодце, между обшарпанных стен старых домов. Взглянув на наш экран, мы решили, что Михаил Федорович скрылся где-то в левом углу двора. Там действительно была дверь. Осторожно приоткрыв ее, мы, как и следовало ожидать, обнаружили темный провал и такую же темную лестницу, не освещавшуюся ни единой лампочкой. И по ступеням этой лестницы кто-то поднимался.

— Пойдем? — взглянув на меня, прошептала Мариша.

— Пойдем, — вздохнула я. — Нужно ведь посмотреть, куда он идет. А повезет, так и разговор подслушать удастся. Ведь эта твоя штука не передает звук?

— Нет, — покачала головой Мариша. — Звук у Витька в перспективе.

Мы стали осторожно подниматься по ступеням следом за Михаилом Федоровичем. На втором этаже остановились, замерли. Сверху доносились мужские голоса. Разговаривали двое. Любопытство победило, и мы поднялись еще немного. Голоса стали звучать громче и отчетливее. Разумеется, одним из собеседников был Михаил Федорович. Второй голос казался сиплым и хрипловатым.

— Чего приперся сюда? — проворчал хриплый; он к тому же плохо выговаривал букву «р». — Говорил же, сюда ни ногой. Тут мое логово. А вдруг менты за тобой следят? Все дело загубишь.

— Не следят, — сказал Михаил Федорович. — Я от самого Невского пешком шел, никого за мной не было.

— Вот врун! — прошипела мне в ухо возмущенная Мариша. — А как же мы?

— Сам виноват, — продолжал Михаил Федорович. — Поставил бы телефон, я бы тебе позвонил.

— Пошел ты, — просипели в ответ. — Еще указывать мне будешь! Пошли на чердак. Тут говорить резона нет, соседи ходят.

Мужчины поднялись наверх. Мы, разумеется, последовали за ними. Чердачная дверь была заперта на замок, но оказалось, что замок — только для видимости. С одной стороны винты легко вынимались, и замок откидывался. Дрожа от страха, мы с Маришей прошли на чердак.

— Говори, что случилось, и уматывай. Нечего тут светиться, — услышали мы сиплый голос, и нам в ноздри ударил едкий запах табачного дыма.

— Пахан, Софочку менты арестовали, — пробормотал Михаил Федорович. — Она пыталась деньги с Серафимы получить.

— Вот дура! Говорил же, дерьмо баба, ее кончать нужно было. Я сразу понял, что от нее беда одна.

— Говорил, говорил, — с раздражением подтвердил Михаил Федорович. — Но теперь-то что делать?

— Есть выход, — просипел Пахан. — Ты только не беспокойся, я все улажу. Благодари бога, что встретился со мной. Пропали бы вы без меня.

— Да-да, пропали бы, — с готовностью подтвердил Михаил Федорович. — А как там наш пациент? Все еще молчит?

— Не бойся, — засмеялся собеседник. — Теперь ему не так скучно. Мы ему женушку подвезли. Думаю, что при ней он живо заговорит.

— Серафиму?! — изумился Михаил Федорович. — Когда же вы успели? Я с ней всего несколько часов назад виделся.

— А для этого много времени не нужно, — усмехнулся Пахан. — Она уже сидит в тепле и с муженьком воркует. Думаю, она его уговорит. А нет, так мы его и сами попросим, не гордые.

— Так с Софочкой ты уладишь? — пролепетал Михаил Федорович.

— М-да... — протянул Пахан. — Только в связи с этим нужно пересмотреть наше соглашение. Теперь я меньше чем за сорок процентов работать не собираюсь.

— Сорок?! — задохнулся от возмущения Михаил Федорович. — Почему же тогда не все? Бери уж, не стесняйся.

— Ну, не хочешь, как хочешь, — с притворным равнодушием проговорил Пахан. — Только не обессудь, тогда уж мы с ребятами работать для тебя не будем. Сам утрясай свои проблемы. В конце концов Софочка эта про меня знать не знает. Так что в тюряге ты окажешься, не я.

— Ежели я туда попаду, так и тебе не миновать, — сказал Михаил Федорович.

— Вот это не советую, — с угрозой сказал Пахан. — Стукачей учить нужно, а знаешь, как их на зоне учат? Перо в бок, и все дела. Можешь не сомневаться, у меня в любом лагере рука есть. Тебя везде найдут. Ну, пока.

— Подожди, — остановил его Михаил Федорович. — Но сорок процентов — это несерьезно. Договаривались же на десять.

— Так и про мокруху никто не заикался.

— Мокруха — это уже на совести твоих ребят, — возразил Михаил Федорович.

— А почему им пришлось убирать этих двух братьев, ты мне не скажешь? — прошипел Пахан. — Да потому, что кое-кто перед ними засветился. Менты на братьев вышли, еще немного, и всю цепочку повязали бы. Ничего другого сделать было нельзя. Я тебе советовал Софочку сразу же после того, как она свою роль сыграла, убрать? Ты не согласился. Теперь плати за свою глупость.

— Но хоть двадцать-то процентов, — умоляюще протянул Михаил Федорович. — Пойми, нам ведь еще нужно искать покупателя, который бы точно взял. На примете кандидатур много, но кто из них клюнет, неизвестно.

— Тебе напомнить, как мы с тобой договаривались? — снова зашипел Пахан. — Ты явился ко мне с невинными глазами и начал петь, мол, нужно перевезти одного твоего знакомого за город и там подержать недельку, пока он будет зреть. Вот что ты сказал. Ни про мокруху, ни про его бабу слова не было сказано. А за обман наказывают. Сорок процентов.

— Двадцать пять, — не сдавался Михаил Федорович. — Пойми, я же не один. Мне еще с тремя делиться нужно.

— А у меня десять ребят на службе, — сказал Пахан. — Чем они хуже твоих компаньонов? Они своей свободой рискуют, и ты хочешь, чтобы я их обидел?

— Мы все тут свободой рискуем, — сверкнул

глазами Михаил Федорович. — Без нас тебе вообще ни копейки из этих денег не видать. А ты хочешь сорок процентов. Да я за тысячу баксов мог бы нанять людей, которые запросто выполнили бы работу твоих ребят.

— Вот и нанял бы, а сейчас условия диктую я.

— Ну скинь хоть до тридцати. Ей-богу, больше не могу заплатить.

— Тридцать, и чтобы больше без фокусов. Никаких там Софочек, Манечек, Аглаш, Дуняш, — сказал Пахан, заметно добрея. — Тебе ясно? Старый кобель, а все не угомонишься. Все на молодых баб взобраться норовишь.

Поняв, что разговор между двумя сообщниками закончен, мы с Маришей начали осторожное, но стремительное отступление вниз, думая лишь о том, как бы этот страшный человек, который так легко убирает ненужных свидетелей, не увидел нас.

Тамара Ильинична лежала на чем-то жестком и ровным счетом ничего не понимала. Последним воспоминанием, сохранившимся у нее в голове, было то, как она запирает квартиру сестры и спускается вниз. Так, это уже кое-что, а зачем ей понадобилось вниз? Поморщившись, Тамара Ильинична с недоумением обвела вокруг себя глазами. К разгадке того, что с ней случилось, это не приблизило ее ни на шаг. Вокруг была кромешная темнота, и раздавался какой-то тихий шорох.

— Эй, кто там? — прошептала она, не осмеливаясь повысить голос.

Из темноты никто не откликнулся. Тамара Ильинична снова закрыла глаза и попыталась убедить себя, что она лежит в своей комнате, за окном светит солнышко, вокруг куча соседей, а тихий шорох — это всего лишь возня Стрелкиных щенков в прихожей.

«Итак, — принялась она рассуждать, — попытаемся восстановить все по порядку. Да, мне позвонили похитители, и я отправилась на встречу с ними. Деньги я прихватила... Деньги!»

— Боже мой! — простонала вслух Тамара Ильинична. — Какая же я дура. Взяла с собой такие деньги и не позаботилась об охране. Так мне и нужно. Меня провел какой-то мальчишка, которого я доверчиво попросила подкинуть меня. Господи, нужно было пользоваться общественным транспортом. А теперь меня выбросили в кромешной тьме, а денежки улетели!

И Тамара Ильинична попыталась стукнуть себя по лбу. К ее удивлению, ей это не удалось. Она принялась думать, в чем же тут загадка, и внезапно поняла, что руки, впрочем, как и ноги, у нее связаны.

— Хотела бы я знать, — почти закричала она, — кому понадобилось меня связывать? Забрали деньги и шли бы себе дальше. Зачем же связывать?

Но ее вопрос повис в воздухе. Внезапно раздались шаги, которые так гулко отдавались по земле, что Тамара Ильинична осязала их, можно сказать, всей кожей. И вот в сплошной тьме, окружавшей Тамару Ильиничну, прорезалась тонкая полоска света. Постепенно она становилась все шире, и наконец она поняла — просто кто-то открыл дверь. И этот кто-то стоял на пороге, но Тамара Ильинична не смогла разглядеть его лицо.

Мужчина подошел к Тамаре Ильиничне, заклеил ей рот пластырем, рывком поднял ее на ноги и перекинул через плечо. Тамара Ильинична благоразумно не стала возникать, мол, такое обращение, принятое с горскими девушками, не слишком подходит даме ее возраста. Но она все же попыталась определить, куда ее несут. Это оказалось не слишком сложно. Ее несли по коридору, похожему на заброшенную шахту. Во всяком случае, стены здесь были образованы самой природой, из них выступали даже ребра камней. Однако цивилизация забралась и сюда, тут имелось электричество, хоть лампочки светили очень тускло, подвешенные на шнурах — на расстоянии десяти метров одна от другой.

Ее внесли в камеру за железной дверью, снабженной внушительным засовом. Бежать из такой темницы было невозможно, и Тамара Ильинична приуныла. Исподтишка, чтобы мужчина не заметил, что она пришла в себя, женщина попыталась рассмотреть похитителя, но это оказалось не так-то просто. Он был весь в черном, в глухой черной шапочке, где имелись лишь прорези для глаз. Нес он сюда Тамару Ильиничну недолго, а добравшись до цели, грубо привалил ее к стене, совершенно не заботясь об удобстве живой ноши.

— Подожди! — раздался голос снаружи.

Тамара Ильинична скосила глаза в ту сторону и увидела, что из другого конца коридора к ним приближается еще один мужчина в черном. Вдвоем мужчины заперли дверь и ушли. Тамара Ильинична открыла глаза и огляделась.

Она находилась в пещере, созданной то ли
людьми, то ли природой. Сбоку висела лампоч-
ка, поэтому часть помещения можно было рассмотреть. Тамара Ильинична повернула голову
в другую сторону и вздрогнула. Буквально в
метре от нее лежало еще одно тело.

— О! — вот и все, что нашла в себе силы сказать Тамара Ильинична из-под своего пластыря. — Эй, вы кто? Вы в порядке? Не поможете
ли мне освободиться? — бормотала она не очень
внятно.

Вопросов у нее было много, но пластырь
страшно мешал общению, и вместо человечес-
кой речи раздавалось лишь мычание. Соседнее
тело не шевелилось и не подавало признаков
жизни. Однако Тамара Ильинична заметила,
что оно скорей всего принадлежит или принад-
лежало мужчине и что ноги у ее соседа не связаны. Стараясь не думать, что сосед может быть,
скажем так, не совсем жив, Тамара Ильинична
решилась подползти к нему. Пол камеры был
шероховатый, усеян мелкими и острыми ка-
мешками, и женщина сто раз уже готова была
отказаться от своего замысла. Но все же ей удалось подобраться к соседу поближе, и она боднула его головой, как единственно свободной
частью тела. Тело не шевелилось. Тамара Ильинична боднула сильней, не слишком заботясь о
том, что может сломать себе шею. Боднула еще
и еще — увы, безрезультатно.

Остановившись передохнуть, Тамара Ильинична принялась вспоминать, что бы стали делать в аналогичной ситуации герои книг и ки-
нобоевиков. Впрочем, у них, помнится, имелись
в заначке либо хитро запрятанные приспособ-

ления для освобождения, либо друзья, готовые в критическую минуту прийти им на помощь. Наконец она вспомнила о совете лизать заклеенный скотчем рот. Тамара Ильинична трудолюбиво лизала свой пластырь минут двадцать. После чего убедилась, что, может быть, со скотчем этот фокус и проходит, а вот с пластырем — нет.

Советы не помогали, нужно было придумать что-то свое. И Тамара Ильинична попыталась избавиться от пластыря, потершись им о камни. К счастью, их тут было в избытке. И минуты через три, исцарапавшись в кровь, она освободилась от пластыря. Не совсем, но достаточно, чтобы говорить.

— Эй вы, очнитесь! У вас гостья! — с наслаждением выговаривая слова, произнесла Тамара Ильинична.

Но эхо под потолком принялось так жутко передразнивать ее слова, что Тамара Ильинична заткнулась. Видя, что она не может общаться с соседом с помощью речи, она изо всех сил куснула его за ляжку. Свод пещеры огласил чудовищный рев. Сосед подскочил на месте и возмущенно уставился на нее.

— Валериан! — обрадовалась Тамара Ильинична. — Это ты! Ты жив!

Но Валериан Владимирович лишь удивленно таращился на нее.

— Вы кто? — наконец выдавил он из себя.

— Я Тамара — сестра твоей жены! — радостно улыбаясь, пояснила Тамара Ильинична.

— Тамара? — недоверчиво переспросил Валериан Владимирович. — Что у тебя с лицом? Тебя пытали? Ты вся в крови.

— Это я пыталась снять пластырь, — объяснила Тамара Ильинична.

— Могла бы меня попросить, я бы тебе помог, — сказала Валериан Владимирович, и Тамара Ильинична, несмотря на свою радость, ощутила знакомое раздражение.

— Ты дрых без задних ног, — рубанула она.

— Вовсе нет, — запротестовал Валериан Владимирович. — Просто я...

Но Тамаре Ильиничне так и не удалось узнать, что же он делал, потому что дверь открылась и на пороге возник еще один мужчина в черном. На этом тоже была маска, но на груди висела маленькая табличка с именем. Гостя звали Сергей.

— Очень рад! — сказал он. — Просто счастлив. Вся семья в сборе.

— Не вся, — возразил Валериан Владимирович.

— Ну, не будьте так строги, — сказал Сергей. — Не могли же мы притащить сюда всех. Радуйтесь, что хотя бы жена с вами.

— Жена? — вытаращил глаза Валериан Владимирович. — Где?

— Да вот же, — не чувствуя подвоха, сказал Сергей.

— Я ему не жена, — решительно возразила Тамара Ильинична. — Еще чего не хватало, да я бы его убила после месяца супружества. Не было бы у вас сейчас хлопот.

Сергей растерянно посмотрел на обоих, должно быть, неприязнь, написанная на лицах пленников, убедила его. Он явно смутился и пробурчал:

— Я должен об этом доложить. Сейчас вернусь.

С этими словами он удрал, не забыв, впрочем, старательно запереть за собой дверь.

— Скажи на милость, с какой стати ты стала выдавать себя за мою жену? — спросил Валериан Владимирович.

— Чушь какая! — фыркнула Тамара Ильинична. — Развяжи меня.

Валериан Владимирович послушно принялся распутывать узлы на руках своей родственницы.

— Меня, да будет тебе известно, вообще никто ни о чем не спрашивал, — сказала Тамара Ильинична, когда он освободил ей руки. — Привезли сюда, и все.

— И все? — настороженно повторил Валериан Владимирович.

— Ну, вообще-то не все, — призналась Тамара Ильинична и, уже самостоятельно распутывая узлы на ногах, рассказала ему все, что произошло с момента его похищения.

— М-да, — протянул Валериан Владимирович, когда она закончила. — Попали мы в историю.

— Мы?! — возмутилась Тамара Ильинична. — Это ты влип за какие-то свои грешки. А я попала словно овечка невинная.

— Ты не поверишь, но единственный раз я хотел, чтобы воцарилась справедливость, и вот на тебе, — сокрушенно признался Валериан Владимирович. — Не нужно было мне на старости лет новые фокусы изучать.

— Это ты с Ленкой своей фокусами занимался? — ехидно спросила Тамара Ильинична.

— Отстань, — отмахнулся Валериан Владимирович. — Клянусь тебе, если останемся живы, никогда больше не изменю Фиме. Но вообще-то произошло все не из-за моей измены.

И Валериан Владимирович поведал исто-
рию, из-за которой он и оказался в этих казематах.

— Однажды к нам в фирму пришел молодой
ученый, — начал он рассказ, — парень принес
свое изобретение. Вообще-то мы к таким гени-
ям относимся с осторожностью, они много о
себе воображают, а открытия их либо яйца вы-
еденного не стоят и уже давно открыты другими, либо настолько дороги и трудоемки, что
никак не подходят для реальной эксплуатации.
Но в этот раз все было наоборот. Этот молодой
химик...

— Притащил вам свое открытие, как нефть
превращать в бензин почти задаром, — перебила его Тамара Ильинична.

— Вот видишь, и ты уже знаешь, — расстроился Валериан Владимирович. — А я ведь говорил Мишке, что так и будет. Кто тебе рассказал?

— Мент, к которому ваш ученый помчался
жаловаться на произвол и грабеж, — сказала
Тамара Ильинична.

— Ну, все правильно, — подтвердил Валериан. — А я догадался: что-то тут неладно, когда
ко мне явился Петр Леопольдович и, сияя не-
виннейшей из своих улыбок добродушного гнома,
сказал, что молодой ученый передумал, денег,
мол, больше не хочет, а отдает свое открытие на
благо человечества бескорыстно. Дескать, Михаил Федорович с ним поговорил, он осознал,
как это открытие важно для нашей страны, и
устыдился своих корыстных намерений. И те-

псрь желает, чтобы наша фирма разрабатывала его открытие. Никаких авторских прав ученый тоже не требовал. И хотя бумаги были подписаны и оформлены как положено и работа тоже лежала передо мной, мне показалось все это странным. Я взял труд молодого ученого и поехал к нему домой разбираться. Думаю, что не нужно снова пересказывать его историю. Достаточно того, что я понял: мои ближайшие соратники и сотрудники оказались замешаны в очень грязном деле. Не говоря уж о том, что они пошли на прямое преступление, нанеся парню моральный и физический ущерб, они попрали звание ученого. Я был в бешенстве и помчался к Мишке выяснять отношения.

— А он?

— Сначала от всего отпирался — и что работу ему подбросили таинственные доброжелатели, и твердил, что старался для меня. Потом пытался поэксплуатировать мою жадность. Не знаю, если бы я немного остыл, то, возможно, не так бурно отреагировал бы на его слова. Но теперь я чуть не убил его. Он здорово перетрусил, я видел это по его глазам, и сказал, что он все осознал и готов вернуть ученому его труд и авторские права. Но мною уже руководил ангел мщения. Я потребовал, чтобы Мишка выплатил парню денежную компенсацию и никак не участвовал в разработке этого проекта. Иначе... и я пригрозил ему тюрьмой. Отправить мерзавца на скамью подсудимых, как он того заслуживал, я не мог. Во-первых, он был моим другом, пусть и оступившимся, но все-таки другом. А во-вторых, в понедельник приезжали финны, с которыми мы должны были подписать очень важный для нашей фирмы контракт. Полученные от сделки деньги позволили бы нам, ни от кого не завися, профинансировать разработку изобретения молодого ученого.

— Чтобы потом ни с кем не делиться прибылью? — догадалась Тамара Ильинична.

— Да, — кивнул Валериан Владимирович. — Таков закон бизнеса, никто просто так ничего не делает, поэтому лучше ни у кого и не занимать. Но финны отличались удивительной подозрительностью по части того, с кем работают. То есть если бы до них дошел слух, что один из наших руководящих сотрудников угодил в тюрьму, то о контракте можно было бы просто забыть. Но я взял распечатку работы нашего химика себе. Мишка был настолько подавлен, что не решился протестовать, он заверил, что копии у него нет. Я был готов торжествовать победу, но оказалось, что я недостаточно хорошо знал своего друга. Никогда бы я не подумал, что Мишка способен запереть меня здесь, да еще требовать деньги у моей Фимы. Как она?

— Отлично. С тех пор, как она узнала, что у тебя сразу несколько счетов в разных банках, она уже не так горюет по тебе.

— Я знаю, я виноват перед ней, — покаянно опустил голову Валериан. — Я был дураком. Причем дураком слепым. Сплотил вокруг себя отпетых мерзавцев.

— Послушай, а почему ты так уверен, что твое похищение дело рук Михаила? — спросила Тамара Ильинична. — Я тут видела по крайней мере двоих головорезов, и ни один из них не напоминал ученого. Ты говоришь, что твой Мишка похож на гнома? То есть невысок и толстоват? Здесь я мужиков с такими приметами не видела. Это кто-то еще.

— Невысок и толстоват — это Петр Леопольдович, думаю, он тоже участвовал в деле. А Михаил Федорович, напротив, высокий и худой.

— Но худых тут тоже нет, — возразила Тамара Ильинична.

— Все равно, больше организовать мое похищение некому. И потом, эти типы настырно допытываются, куда я дел рукопись с открытием молодого химика. А о том, что рукопись у меня, знал только Мишка и те бандиты, с которыми он связался, чтобы прижать меня.

— Что же нам делать? — вздохнула Тамара Ильинична. — Может быть, ты отдашь им эту рукопись? Жизнь все-таки важней.

— Понимаешь ли, я уверен, что как только я расстанусь с рукописью, они сразу же убьют меня, а теперь и тебя.

— А меня за что? — простонала Тамара Ильинична. — Что за кровожадность, мы, кажется, не на Сицилии.

— Ты им опасна как свидетель, — пояснил Валериан Владимирович. — И еще есть одно: я догадываюсь, зачем они тебя доставили сюда. Но боюсь, что тебе это будет неприятно услышать.

— Давай говори, — подбодрила его Тамара Ильинична. — За последнее время я столько всего пережила, что вряд ли меня что-то способно потрясти.

— Думаю, что они хотят воздействовать на меня через тебя. Они ведь думают, что ты моя жена, а, стало быть, если я увижу, как тебя пытают, то воля моя будет сломлена. А будь у меня дети, они бы и их сюда притащили. Легче перенести свою боль, чем боль родных.

Тамара Ильинична про себя подумала, что бандиты слишком высокого мнения о Валериане, а потом — еще одно: если у российских бандитов так высоко развито чувство привязанности к женам, то еще не все потеряно для страны. Но тут до нее дошел смысл сказанного Валерианом.

— Они будут меня пытать? — дрожащим голосом спросила она.

Валериан с мрачным видом кивнул. И в это время скрипнула стальная дверь.

— Дорогая Серафима Ильинична, вы совершенно правы! — воскликнул коренастый тип, вошедший в этот момент в камеру.

Тамара Ильинична оторопело уставилась на этого человека. Его внешний вид так поразил ее, что она даже забыла сказать, что она вовсе не Сима. У вошедшего мужчины были явные проблемы с волосами, которые имели собственное представление о том, как им жить, и густо росли по всему его жилистому телу, везде — кроме головы. Ноги у мужчины были слегка кривые, но стоял он на них очень крепко. Как ни странно, лицо у мужчины было довольно приятное, глаза яркие и выразительные, нос прямой. Такое лицо могло бы привлекать к себе, если бы не два шрама. Один шел от брови и до носа, а второй от уха и до ключицы. И тем не менее...

— Смотрите на мои награды? — спросил мужчина. — Поверьте, мне бы очень не хотелось, чтобы и у вас были такие же. Но ваш муж очень упрям. Не знаю, как его убедить, что нехорошо запрещать людям дышать.

— Он мне не муж, — выдавила из себя Тамара Ильинична, завороженно глядя на шрамы собеседника и прикидывая, сможет ли какая-нибудь клиника эстетической хирургии избавить ее от чего-то подобного.

— Ну, конечно, вы на него сердиты! Это можно понять! Но думаю, что долгие совместно прожитые годы неизбежно должны помочь ему сделать правильный выбор. Надеюсь, он не будет жадничать и отдаст нам эти бумаги.

— А сами вы, значит, их уже поискали? — осведомилась Тамара Ильинична. — Теперь я понимаю, это вы обыскивали мою квартиру и квартиру Серафимы. Думали, что Валериан спрятал бумаги там?

— Отдаю должное вашей догадливости, — сказал Гена. — Но сейчас для меня важно воссоединить супругов. Так простите вы Валериана? Не стоит городить проблемы из маленькой шалости на стороне. Что с того? Некоторым мужчинам это необходимо.

— Некоторым? — язвительно поинтересовалась Тамара Ильинична, думая про себя, что ей, как всегда, не везет, в кои-то веки встретился интересный мужчина, так вот — собирается ее пытать и вообще главарь бандитской шайки. — А как вас, собственно, зовут? И кто вы такой?

— Вы можете звать меня Геной, — сказал кривоногий предводитель бандитов и кинул гневный взгляд на своих подчиненных, которых скрючило от сдерживаемого хохота. — И здесь мое царство.

— Значит, я у вас в гостях? — игриво спросила Тамара Ильинична.

— Вы и ваш муж, — подтвердил ей Гена.

— Я уже говорила, он не муж мне, — сказала Тамара Ильинична. — Вы приняли меня за сестру.

— Вам эта ложь не поможет, — огорчился Гена. — Но я восхищаюсь вашей смекалкой и выдержкой, вы сразу же верно оценили ситуацию, такие женщины встречаются одна на миллион. Обычно ваша сестра пытается воздействовать на психику мужчин визгом и воплями. На меня такие аргументы действуют плохо, я начинаю свирепеть.

Тамара Ильинична, которая как раз прикидывала, а не забиться ли ей в истерике, прикусила язык.

— Но я действительно не его жена, — сказала он. — У нас с сестрой очень похожи голоса, все путают. Вот она и попросила меня остаться на телефоне, чтобы ждать звонка похитителей, а сама поехала в офис мужа, чтобы разузнать там поподробней о Софочке.

— О ком? — заинтересовался Гена.

— О Софочке, — простодушно повторила Тамара Ильинична. — О заместительнице Валериана Владимировича. Это она шантажировала нас, но мы подозреваем, что с вашей подачи.

— Ни в каком шантаже я участия не принимал, — отказался Гена. — И сколько она требовала?

— Сто тысяч.

— Рублей?

— Долларов.

Помощники Гены изумленно присвистнули.

— Все равно это мелочи по сравнению с тем, какую рыбу пытается утаить ваш муж, — сказал Гена. — Хотя девка молодец, не теряется. Но я не люблю таких, которые действуют за спиной своего босса. Нужно ее наказать за самоуправство.

— Что, вы надеетесь получить с Валериана больше ста тысяч? — удивилась Тамара Ильинична.

— В десятки раз, — кивнул Гена. — Только не с него самого. Весь мир будет ломиться к нам, умоляя продать им уникальную технологию. Вы же умная женщина, вы должны понимать, что недаром нефть назвали черным золотом. А на этой технологии можно стать богатым человеком не только по российским меркам. Но и на Западе. А ваш муж желает все захапать единолично.

— Он мне не муж, — машинально поправила его Тамара Ильинична. — Дело в том, что Валериан хочет гарантий того, что он выйдет отсюда живым после того, как отдаст вам рукопись.

— Таких гарантий у меня нет, — честно сказал Гена. — Раньше нужно было думать. А теперь ведь его не удовлетворит просто мое слово?

— Не удовлетворит.

— А у вас есть какие-нибудь предложения? Видите, я демократ и совершенно искренен с вами, я готов выслушать вас и вашего мужа.

— Не муж он мне, вот мой паспорт. Ваши люди могли бы и проверить, прежде чем хватать кого попало.

— Я не буду их наказывать за ошибку, тогда бы я не имел счастья познакомиться с вами, —

галантно заметил Гена, ознакомившись с паспортом Тамары Ильиничны. — Честно говоря, я рад, что вы не замужем за этим упрямцем. И теперь у меня нет причин откладывать. И я могу с чистой совестью просить вас стать моей женой.

— А я согласна! — неожиданно для самой себя сказала Тамара Ильинична.

В комнате повисло молчание.

— Тома, ты с ума сошла! — первым опомнился Валериан. — Он же бандит. Нельзя же спасать свою жизнь такой ценой.

— А я и не спасаю, я действительно была бы рада выйти замуж, — сказала Тамара Ильинична. — Надоело мне жить одной с моими зверями. Они, конечно, славные, но иногда хочется с кем-то и поговорить по-человечески.

— Ты всегда можешь позвонить своей сестре, и, клянусь, я больше не буду на нее шуметь, что она вечно висит на телефоне! — воскликнул Валериан. — Не губи свою жизнь!

— Отстань, — величественно вскинула голову Тамара Ильинична. — Ты мне надоел. Сидишь тут и ни о чем не беспокоишься. Я уверена, что Гена, будучи в твоем положении, уже сто раз нашел бы выход из положения и сбежал.

— Он пытался, — заступился за пленника Гена. — Но мои ребята оказались на высоте. Все-таки инструктировал их я.

Словом, в камере наступила мирная и дружественная обстановка. Все друг друга любили, и все восхищались друг другом. Но все испортил тот самый парень — Сергей, который первым пришел проведать Валериана Владимировича после его воссоединения с мнимой женой. Видя, что все спокойно, он вытащил пистолет

Макарова и принялся его начищать, покашливая от подвальной сырости. Именно это многозначительное покашливание и пистолет нарушили идиллию. Разговор увял, и все снова насторожились.

— Так что будем делать? — немного нервно спросил Валериан Владимирович. — Как вы понимаете, рукописи у меня с собой нет. Я предлагаю отпустить Тамару, а в благодарность я верну вам первую половину. Потом вы отпускаете меня и получаете вторую половину.

— Ай-ай, так не пойдет, — сказал Гена. — Вы нас за дураков не держите. Мы вас отпустим, а вы нам дулю с маслом?

— Но с первой частью моего плана вы согласны? — спросил Валериан Владимирович. — Тамару вы отпускаете?

— Что же, раз она и в самом деле не ваша жена и особой симпатии к ней вы не питаете, то я могу ее отпустить. Но вы должны пообещать, моя дорогая, что вы не будете вредить мне, своему будущему спутнику жизни.

— А как бы я могла это сделать? Вы привезли меня сюда в бессознательном состоянии. Номера машины я не запомнила, да они наверняка были фальшивыми, — сказала Тамара Ильинична. — Так что на ваш след я никого навести не смогу. А словесный портрет? Ну так и что? Пусть милиция ищет, город большой, мужчин много.

— Мужчин много, а я такой один, — сказал Гена. — Вы не правы, любезная Тамара Ильинична. — Мой словесный портрет очень даже может заинтересовать милицию. Думаю, что для них не составит большого труда заглянуть в

свой архив и продемонстрировать вам небольшую, но познавательную коллекцию фотогра-
фий. Уверен, что моя фотография будет там на
почетном месте.

— Я вас не выдам, — пообещала Тамара
Ильинична.

— Очень надеюсь, потому что я мигом узнаю, если вы задумаете меня обмануть, свои
люди у меня есть и в милиции, — сказал Гена. — Так вот, я мигом узнаю о вашем преда-
тельстве и очень расстроюсь. А так как Валериан Владимирович все еще здесь...

Он не договорил, и это было бы лишним.
Все и так отлично поняли, что Валериану тогда
не поздоровится. Валериан Владимирович прошептал Тамаре на ухо, где нужно искать первую
часть рукописи молодого ученого, и ее снова
связали, но на этот раз под присмотром Гены
обращались с ней более учтиво и даже оставили
свободными ноги. Но на голову надели какое-
то темное покрывало, под которым она мигом
ослепла.

— Значит, помните, никаких разговоров с
милицией, — напутствовал ее на прощание
Гена. — Даже если они будут поджидать вас в
вашем же доме. Ни единого слова о том, что тут
было. Иначе они от вас не отвяжутся. Ясно?

Тамара Ильинична кивнула вполне искренне. Магия этого странного человека была такова, что она сейчас целиком и полностью была
согласна с его несколько странной точкой зрения. Действительно, зачем впутывать милицию,
когда Мариша и сама отлично справится. Уж ее
дочь придумает какой-нибудь способ, чтобы
спасти Валериана и не подставить Гену.

— А мне вы, конечно, не скажете, где Валериан Владимирович спрятал эти бумаги? — раздался вкрадчивый хрипловатый шепот возле ее уха.

Тамара Ильинична покачала головой.

— И я вами восхищаюсь! — почему-то обрадовался Гена. — Если бы вы предали вашего родственника, находящегося сейчас в таком беспомощном положении, я бы в вас страшно разочаровался. Прощайте, дорогая. Или, верней, до свиданья.

За ее спиной лязгнула дверь, и она оказалась на свободе, то есть весьма относительно на свободе, так как ее сопровождало несколько человек. Вдыхая свежий прохладный воздух, Тамара Ильинична старательно смотрела себе под ноги — из-под своего балахона Тамара Ильинична могла разглядеть лишь покрытую хвоей и опавшими листьями тропинку. Но даже этим зрелищем ей не пришлось долго наслаждаться. Ее усадили в машину, и они куда-то поехали. Куда и откуда, Тамара Ильинична, разумеется, не видела.

Прислушиваясь, она определила, что в машине находятся три человека. Один сидел за рулем, а двое находились по бокам от Тамары Ильиничны. Притворившись, что ее сморил сон, Тамара Ильинична громко захрапела. Издавая заливистые рулады и сонно вертя головой, она умудрилась настолько сдвинуть свой балахон, что ей стал виден затылок шофера и часть дороги.

Это была победа! Но, боясь, что стражники заметят ее маневр, она затихла и сосредоточила все свое внимание на дороге. Только бы какой-нибудь указатель, молилась она про себя.

Но навстречу попадались лишь фонарные столбы и дважды — километражные столбики.

Оказывается, они находились всего на двадцать седьмом километре от города. Но по какой дороге? Тамара Ильинична уставилась на дорогу, моля небеса послать ей знак. И небеса ее услышали. Перед ней мелькнул огромный синий стенд, сразу с тремя названиями. Два Тамара Ильинична просто не увидела из-за мешающего балахона, но одно все-таки попало в поле ее зрения. От огромного белого слова «Всеволожск» шла стрелка вправо и стояла цифра пятнадцать. Итак, они были возле Всеволожска. Что ж, это уже какой-то ориентир.

После этой явной удачи пошла полоса неудач — машина немедленно свернула, хотя Тамара Ильинична полагала: чтобы попасть в Питер, надо было ехать прямо. После поворота они долго ехали по прямой, затем несколько раз поворачивали, в том числе и назад. Тамара Ильинична догадалась, что они пытаются сбить ее с толку, и торжествующе улыбнулась. Их маневр запоздал, она уже знала приблизительно, где находится логово главаря. Она закрыла глаза и даже успела задремать. Наверное, сказывалось нервное перенапряжение, да и элементарно на дворе была ночь. Проснулась Тамара Ильинична от того, что кто-то осторожно трясет ее за плечо.

— Приехали, — сказал мужской голос. — Сейчас вы выйдете, досчитаете до десяти и только после этого снимете с головы шарф. Обманывать не стоит, номер на машине все равно фальшивый, а сама машина в угоне. Так что ничего не добьетесь, а своего родственника погубите.

Дав ей этот добрый совет, похитители выпихнули ее на дорогу. Тамара Ильинична послушно выждала некоторое время, почти не сомневаясь, что про машину бандиты говорили чистую правду, а значит, время рисковать еще не пришло. Наконец она решила, что пора. Почти сразу же выяснилось, что бандиты любезно высадили ее почти возле дома Симы. Была ночь, поэтому, к счастью, никто из соседей не видел, как она глупо стояла посреди дороги с обмотанной темным шарфом головой.

Звонок среди ночи сорвал нас всех с кроватей. Белка и Стрелка залились визгливым лаем, почему-то радостно помахивая хвостами, а ворон хрипло проорал что-то неприличное. Одна Дина вела себя примерно, первой подскочила к двери и теперь с независимым видом прогуливалась перед ней, путаясь в ногах у собак. С тех пор, как похитили Тамару Ильиничну, мы все обосновались у Маришиной тети. Мариша сказала, что мотаться дважды в день в мамину квартиру, чтобы выгулять собак, у нее нет времени, поэтому она перевезет весь мамин зверинец к тетке, нравится той это или нет.

Серафиме Ильиничне это не нравилось, но она молчала. Сева сегодня тоже остался ночевать у Серафимы Ильиничны, так как считал себя виновным в похищении Маришиной мамы. Его слежка за Петром Леопольдовичем закончилась неудачей. Тот уехал к себе домой, Сева ждал его до часа ночи, а потом вернулся к нам.

— Кто это может быть в такое время? — насторожено спрашивали мы друг у друга. — Бандиты?

— Предлагаю дверь не открывать, — прошептала Серафима Ильинична.

— Если они захотят, то все равно войдут, — сказала Мариша. — Нужно хотя бы спросить, кто там. А пока уберите собак, толку от них все равно никакого, только мешают.

Я оттащила собак в комнату и заперла их там.

— Открывайте! — донесся из-за двери до боли знакомый голос. — Стучу, стучу, вы там оглохли, что ли?

— Мама! — воскликнула Мариша и кинулась открывать.

Пока она открывала дверь, я встала с обломком старой табуретки по одну сторону двери, Сева по другую со вторым обломком, на случай, если вместе с Тамарой Ильиничной ворвутся бандиты. Но она влетела в квартиру одна. Вид у нее был странный. Волосы на голове взъерошены, косметика размазана, но глаза сверкали огнем.

— Боже мой! — воскликнула Серафима Ильинична и бросилась обнимать сестру.

Все дружно последовали ее примеру. Когда страсти угомонились, Тамару Ильиничну накормили, напоили и дали вымыться. После чего она усадила нас вокруг и поведала историю, которая с ней приключилась.

— Значит, бандиты приняли тебя за тетку? — уточнила Мариша. — Представляю, какие у них были рожи, когда они поняли, что ошиблись.

— Не могу тебе сказать, потому что они были в масках, — сказала Тамара Ильинична.

— Все?

— Все, кроме одного, — ответила Тамара Ильинична. — Я так поняла, что это был их главарь. Очень симпатичный мужчина. Честное слово, я в него почти влюбилась.

— Мама, опомнись! — воскликнула Мариша.

— А что мама? — возмутилась Тамара Ильинична. — Мама у тебя что — не человек? Только тебе позволено мужиков менять, словно тапочки?

— Перчатки, — машинально поправила я. — И как выглядел ваш избранник?

— О, — выдохнула Тамара Ильинична. — У него потрясающий голос, сиплый и удивительно страстный. Сам он невысок, коренаст и...

— Кривоног, — закончила я.

Тамара Ильинична обиделась и надулась.

— Ну, мамочка, не обращай внимания на Дашу, — проворковала Мариша. — Она у нас редкая мужененавистница.

Такая откровенная ложь заставила меня проглотить язык. Да, мужчины чаще всего меня страшно раздражают, но это не значит, что я их всех поголовно ненавижу. Вот еще, как их можно ненавидеть, ведь они, словно дети — не ведают, что творят.

— В общем, Гена мне приглянулся, — вздохнула Тамара Ильинична. — У него такая романтичная хрипотца в голосе и два шрама.

— Ах, он уже Гена! — простонала Мариша. — И когда мы к нему переезжаем жить? Или он к тебе приедет?

— Не знаю, мы об этом еще не говорили, — сказала Тамара Ильинична. — Но он очень славный, тебе понравится. К тому же он очаровательно не выговаривает букву «р».

— Кривоногий, «р» не выговаривает и с хриплым голосом, — бормотала я себе под нос. — Слушай, Мариша, а случайно это не тот приятель Михаила Федоровича, который обещал ему все уладить. Он ведь собирался съездить к якобы похищенной Серафиме Ильиничне и все там утрясти. Вот и приехал.

— А что, очень может быть. — Мариша задумалась. — Но почему он не побоялся, что она увидит его лицо? Мама, а ты не поняла, куда тебя везли?

— Куда везли — нет, а вот откуда — помню, — загадочно сказала Тамара Ильинична и торжествующе посмотрела на нас. — В общем, на обратном пути мне удалось обмануть моих сторожей и подсмотреть, откуда меня везут. Так вот, это где-то возле Всеволожска. Думаю, километров семнадцать-двадцать от него.

— Всеволожск, Всеволожск, — забормотала Серафима Ильинична. — Постойте, там же у Валериана были лаборатории. Верней, не совсем там, а на полигоне возле Ржевки. Они арендовали там часть подземного бункера.

— Для каких таких целей им целый бункер понадобился? — поинтересовалась Мариша. — Они что, взрывчатку изобретали? Кажется, теперь я начинаю догадываться, откуда у нашего замечательного дяди завелись счета во многих банках города. Не удивлюсь, если он и за границей имеет с десяток счетов.

— Не знаю я ничего про взрывчатку, меня твой дядя не очень-то в свои дела посвящал, — раздраженно сказала Серафима Ильинична. —

Если будешь говорить гадости, то я вообще потребую, чтобы ты ушла.

— Не дождешься, — буркнула Мариша.

— Так вот, этот полигон тянется на многие километры, а подземный бункер и вовсе замаскирован то ли под обрыв, то ли под карьер.

— Вот, вот! — обрадовалась Тамара Ильинична. — И меня под землей держали, а я все не могла понять, что там такое — то ли заброшенный рудник, то ли прогулочная пещера.

— А узнала я про бункер по чистой случайности, — продолжила Серафима Ильинична. — Мне Валериан, когда им наконец удалось у армии его арендовать, на радостях все и выложил.

— Не знаю, каким образом ему удалось это сделать, но не думаю, что честным путем, — пробурчала Мариша.

— Фирма твоего дяди не раз выполняла заказы для армии, — с достоинством сказала Серафима Ильинична. — И обе стороны всегда были довольны друг другом. А в последнее время армия обеднела, а расплачиваться с дядей было нужно, вот они в счет долга и позволили арендовать у них бункер. Конечно, не афишируя это. Теперь ты успокоилась?

— Вот как, — сказала Мариша, — тут еще и военные замешаны. Слушай, мама, а что твой Гена, про военных ничего не говорил? К ним он обращаться не запрещал?

— Нет, — пискнула Тамара Ильинична. — Только насчет милиции предупреждал, — и она многозначительно посмотрела в сторону Севы.

— Он свой человек, — успокоила ее сестра. — Сева в милицию не побежит. Ведь не побежишь, Сева? Ты же видишь, что толку от твоего

Поленова — чуть. Обеспечить прикрытие для Тамары Ильиничны они не смогли, а уж что на вокзале устроили... Больше рисковать мы не можем. Дай слово, что не пойдешь.

— Ладно, даю, — сказал Сева. — А вот просить военных о помощи нужно как можно скорее. Серафима Ильинична, у вас есть какой-нибудь способ связаться с ними?

— Господи, где-то тут должна быть записная книжка мужа. Только после обыска, который тут учинили эти бандиты, я с трудом вспоминаю, где у меня в доме что лежит. Но обычно она лежала под шкафчиком.

— Под шкафчиком? — хором спросила мы.

— Валериан все время твердил, что я засовываю его бумаги и документы так, что ему их потом без моей помощи не найти. Вот он и положил ее под шкаф, зная...

— Зная, что ты там никогда не подметаешь, — закончила за нее Мариша.

— Эта девушка начинает меня раздражать, — пробормотала Серафима Ильинична, залезая под шкафчик и выныривая оттуда с плоской книжечкой. — Вот и она! Сейчас посмотрим, полковник Земцов вроде бы.

На З ничего похожего на полковника не оказалось. На П тоже. Мы загрустили.

— Может быть, дядя закодировал его? — предположила Мариша. — Тогда без дяди нам телефон не найти. А у него на работе никто другой не может нам помочь?

— Михаил Федорович, — кисло сказала Серафима Ильинична.

— Да, к этому типу мы точно обращаться не

будем, — заявил Сева. — Полистайте книжку, может быть, найдете полковника где-нибудь еще.

Серафима Ильинична принялась листать.

— Какой срок дал тебе твой Гена, чтобы найти рукопись изобретения? — спросила Мариша у мамы.

— Он не сказал.

— А где она спрятана? — поинтересовался Сева. — Насколько я понял, неприятный разговор с Михаилом Федоровичем у них состоялся в пятницу вечером, потом Валериан Владимирович забрал рукопись домой. Но здесь он ее не оставил, иначе бандиты нашли бы ее во время обыска. И у Лены они тоже побывали, и у Тамары Ильиничны тоже ничего не оказалось.

— Он оставил ее у вашей соседки, — сказала Тамара Ильинична. — У этой, как ее, у Глафиры.

— У Глафиры! — воскликнула Серафима Ильинична, отвлекаясь от своего занятия. — Не может быть! Эта баба просто не способна хранить чей-то секрет дольше пяти минут. Она бы уже всему двору давно раззвонила, что Валериан Владимирович так ей доверяет и так ее ценит, что хранит у нее дома свои важные документы.

— Валериан сказал, что у нее.

— Ну надо же, — прошептала пораженная Серафима Ильинична. — А ведь и в самом деле. Они столкнулись внизу, а потом я ее встретила, и в руках у нее был точно такой же пластиковый пакет, как у мужа перед выходом. Но я тогда не обратила внимания на это. Вот оно как! Выходит, он ей передал бумаги, а потом сел в машину и уехал. И эта труба иерихонская никому ни словечком не заикнулась!

— Валериан велел забрать рукопись, разделить ее на три части. Одну отдать бандитам сразу же, вторую после его освобождения.

— А третью?

— А третью держать в качестве страховки, — сказала Тамара Ильинична. — И ни в коем случае не отдавать ее им.

— Если речь будет идти о его жизни, то я отдам, — заявила Серафима Ильинична. — Изобретатель тот еще чего-нибудь придумает, к тому же Валериан возьмет его к себе на работу. А рисковать мужем я не могу. И бандиты ведь не дураки, наверняка дадут рукопись проверить знающим людям, а те мигом углядят недостачу.

— Потом решим, — сказала Мариша. — Может быть, все пойдет путем.

— А я нашла телефон полковника! — обрадовалась Серафима Ильинична. — Вот он, почему-то записан в самом конце. Никаких букв тут вообще нет.

— Звони, другого выхода нет, — сказала Мариша.

Серафима Ильинична дрожащими руками набрала нужный номер.

— Полковника Земцова, — попросила она. — Ой, это вы! Простите, что в такой поздний час. Что вы говорите, скорее рано? Да, вы правы, время так летит. У меня к вам просьба, это касается моего мужа, он попал в нехорошую историю...

Картохин в этот ранний час не знал, чем себя занять. Своенравные коллеги снова сыграли с ним шутку, оставив его дежурить в отделении на всю ночь. В другое время Картохин и не протестовал бы особенно, ночью в отделении было тихо, можно вволю поспать, но сегодня сон к нему не шел. После разговора с капитаном, который после похищения Тамары Ильиничны в выборе выражений с подчиненными не стеснялся, Картохин переосмыслил себя как личность. Если раньше у него еще была капля самоуважения, то теперь он чувствовал себя ничтожным червем, который всем только мешает и раздражает полной никчемностью.

Картохин уронил голову на руки и попытался подумать о чем-то другом. Но в голову, как назло, лезли самые неприятные из эпитетов, которыми его наградил капитан. Внезапно слух опера уловил осторожные шаги. Коллеги так не ходят. Тот человек, чьи шаги услышал Картохин, явно не хотел, чтобы его услышали. Картохин настолько растерялся, что сразу не сообразил, как поступить, а потому так и остался сидеть, уронив голову на стол.

Шаги были уже совсем близко. Усилием воли Картохин заставил себя сидеть, не шевелясь. Чужак остановился, и голову Картохина облепила влажная вонючая тряпка. Задержав дыхание, Картохину удалось не наглотаться этой гадости, которая, по всей видимости, должна была его нейтрализовать. Обманутый противник, в чьих недобрых намерениях Картохин уже успел убедиться, пошел дальше к клеткам, где содержались задержанные.

— Любопытно, — прошептал Кратохин, — что ему там понадобилось?

И он осторожно пошел за наглецом, на всякий случай заранее ослабив кобуру и достав пистолет. Даже тот факт, что пришедший был в милицейской форме, Картохина почему-то не успокаивал. Очень уж странно вел себя этот тип. И кто такой?

Проникший в отделение мужчина был молод и здорово накачан. В общем, если бы не форма, — типичный боевик, таких десятками отстреливают во время бандитских разборок. Поручать ему что-либо, где задействованы мозги, было весьма опрометчиво. Хотя парень, несмотря на свою массивность, двигается легко, словно танцор. Может, он и не так прост, как показался на первый взгляд.

Парень подошел к той клетке, куда поместили прошлым вечером Софочку. Капитан распорядился, чтобы ее содержали одну, и его распоряжение свято выполнялось. Так что сомнений не было: парень интересовался именно Софочкой, и явно не с добрыми намерениями, так как он расстегнул куртку и вытащил из-под нее ствол. Ждать дальше, как решил про себя Картохин, было бессмысленно и даже опасно.

— Руки вверх, — сладким голосом сказал Картохин.

О, сколько раз он мысленно репетировал эти слова! И вот сейчас ему удалось на практике впервые использовать их. Этот волшебный миг искупил все неудачи и трудности работы начинающего сыщика. Но восторг длился ровно одну секунду, потому что противник отчего-то оружия не бросил и рук не поднял.

— Руки вверх, — повторил Картохин, но уже без всякой убежденности в голосе. — Стрелять буду.

— Я стою к тебе правым боком, так что если ты не попадешь в голову, то у меня еще будет время и силы, чтобы выстрелить пару раз. И я выстрелю, но не в тебя, можешь не волноваться, а в эту бабу, — сказал бандит, не оборачиваясь к Картохину.

Тот невольно отдал должное противнику, ему попался человек с истинно железными нервами. Впору в Кунсткамере выставлять.

— Собственно, я сюда и пришел для того, чтобы убить эту бабенку, — сказал смельчак в милицейской форме. — Сдаваться я не могу, если я вернусь, не выполнив задания, мне все равно не жить. Так что от твоей пули или от другой — разницы нет.

С такой дилеммой Картохин даже в мыслях не сталкивался. Он посмотрел на мирно сопящую Софочку, и ему стало очень жаль женщину, такую беззащитную и мирную в этот момент.

— А что, если ты в нее выстрелишь, но промажешь? — предложил он. — А я тебя арестую, и в тюрьме они тебя не найдут.

— Много ты понимаешь, — презрительно бросил пришедший. — Именно в тюрьме они меня и найдут. У меня нет выхода, ты пойми.

— И за что же ты ее должен убить? — решил завязать разговор Картохин, ожидая, что ситуация как-то изменится.

— Знает много, — пояснил киллер. — Вот мне и велено ее убрать.

— Кто велел?

— Этого мне знать не нужно, — сказал парень. — Сам видишь, что получается, когда слишком много знаешь, — и он кивнул на посапывающую под дулом пистолета Софочку.

Убийца поддерживал этот разговор, как ни странно, с той же целью, что и Картохин. Он тоже рассчитывал на то, что ситуация изменится и ему удастся выполнить задание и уйти живым. К сожалению, в этом ему здорово мешал странный парень, на которого почему-то не подействовал хлороформ. Как ни хотелось убийце избежать лишней крови, а паренька придется убрать. И чем скорей, тем лучше. Картохин в этот момент как раз боролся с собой, пытаясь убедить себя, что враг он и есть враг, что разговор был заведен лишь с единственной целью — усыпить его бдительность.

Но проклятая совесть Картохина совсем некстати вякнула, что, мол, как-то неловко стрелять в человека, с которым только что совсем по-дружески беседовал. Дальше события развивались совершенно стихийно, и от Картохина зависели очень мало. Киллеру надоело ждать, он развернулся словно змея и выстрелил в Картохина. Тот ничего не успел понять, как вдруг ощутил в груди страшную боль, и его палец просто инстинктивно нажал на курок. Прогремел еще один выстрел.

Наконец-то проснувшаяся от стрельбы, которая вдруг началась буквально в двух шагах от ее постели, Софочка завизжала так, что у Картохина заложило уши.

«Странно, — подумал он, — меня ведь убили, почему же я что-то слышу?»

Приходилось признать удивительную вещь: убийца промахнулся. Картохин пошевелился и тут же сморщился от боли. Нет, убийца не промахнулся, попасть он все-таки попал. Картохин опустил глаза, стараясь не обращать внимания на истошный бабий крик, от которого у него прямо лопались перепонки, и оценил ущерб, который нанес ему выстрел.

К его удивлению, оказалось, что кровью он вовсе не истекает и вообще никаких повреждений, кроме дыры в левом кармане рубашки, на нем нет. Картохин пощупал рубашку и с удивлением вытащил из нее то, что было старинными прадедушкиными часами-луковицей, которые сунула ему на счастье его мама. Прадед был чекистом, и его часы, по мнению мамы Картохина, могли отвести любую беду. Конечно, от часов мало что осталось, но то, что осталось, Картохин с благоговением положил обратно в карман, клятвенно пообещав себе с этого дня всегда слушаться маму.

На груди расплывался огромный синяк, но это все были пустяки. Поняв, что он жив и даже не ранен, Картохин сразу же почувствовал себя лучше и пошел смотреть, что произошло с остальными. С Софочкой, которая висела на прутьях клетки и завывала дурным басом, он разобрался быстро, просто влепив ей смачную пощечину. Это он-то, который стеснялся всех женщин без разбора, считая их существами высшего порядка.

Затем в наступившей тишине он приступил к осмотру киллера. Вот он убит, даже врача звать не нужно. В центре его не очень большого лба, даже удивительно, как Картохину удалось туда попасть, зияла аккуратная дырочка. Картохин полюбовался на дело рук своих и внезапно обернулся к Софочке, которая пугливо наблюдала за ним.

— Ты знаешь этого человека? — спросил он у нее самым суровым голосом, на какой был способен. — Думаю, что нет. А между тем, ему приказали тебя убить. За этим он сюда и явился.

— К-кому понадобилось меня убивать? — пролязгала зубами Софочка. — Он просто перепутал камеры. Он хотел убить кого-то другого.

— Ну, нет, — усмехнулся Картохин. — У него было достаточно времени, чтобы разобраться, что к чему. Ему нужна была именно ты, можешь не сомневаться. Значит, у тебя нет догадок, кто бы мог его послать?

Вместо ответа Софочка заплакала.

— Ну, как знаешь, — сказал Картохин, притворяясь, что уходит. — Только учти, что эти люди просто так не успокоятся. Один раз сорвалось, так они второй заход сделают. Только во второй раз они будут действовать хитрей.

Видя, что Софочка по-прежнему рыдает, он сделал один шаг по направлению к двери. Всего лишь один крохотный шажочек, но Софочке почудилось, что сейчас из всех щелей полезут убийцы, жаждущие ее крови, а симпатичный милиционер — единственная ее защита — сейчас уйдет.

— Подождите! — завопила она. — Я знаю. То есть догадываюсь. Но я согласна обсудить это.

— Вот это другое дело, — очень довольный, пробормотал Картохин, возвращаясь и отпирая замок. — Пройдем ко мне, здесь нам поговорить спокойно не дадут.

И точно, выстрел Картохина наконец-то привлек к себе внимание. В дверь вошел еще один мент. Картохин только подумал, что слишком много тут развелось незнакомых ментов, как вошедший потянулся за оружием. К счастью, Картохин еще не успел спрятать свой верный ствол, поэтому выстрелил первым. На этот раз он действовал вполне сознательно, этот маскарад начал его раздражать. Но убивать противника он не собирался, тот был ему нужен для дела. Поэтому он прострелил ему правую руку, а когда «мент» попытался его укусить, заодно — и ногу.

Итак, свидетелями Картохин себя обеспечил. Когда наконец соизволили появиться его настоящие коллеги, которым вроде бы померещился какой-то шум, Картохин передал им двух бандитов, а сам сосредоточился на Софочке. В том, что произошло, был один положительный момент. Если до сих пор Софочка еще колебалась, стоит ли рассказывать милиции все, что она знает, то теперь она была полна решимости заложить все и вся.

— Рассчитывать на благодарность людей в этом мире не приходится, — заявила женщина Картохину. — Вон она, благодарность в квадрате, на полу валяется.

Картохин ободряюще похлопал арестованную по плечу и приготовился слушать. Он предчувствовал, что в откровениях Софочки кроется разгадка преступления. Его также не оставляла мысль, что Софочка может знать, где искать похищенного. Искать, найти и тем самым доказать капитану, что он вовсе не такое уж ничтожество.

Серафима Ильинична закончила переговоры и с довольным видом повесила трубку.

— Все устроилось отлично, — с облегчением произнесла она. — Полковник сразу понял, о каком бункере идет речь. До него и самого уже не раз доходили слухи, что возле тех мест в лесу замечены подозрительные типы, которые явно не тянут на ученых. Он поможет нам освободить Валериана. Сейчас полковник приедет к нам, и мы вместе разработаем план.

— Отлично, — одобрил Сева. — А пока нужно получить у вашей Глафиры рукопись с изобретением этого Томова. Как вы думаете, она уже проснулась?

— Она ранняя пташка, — процедила Серафима Ильинична, которая все еще не могла простить Глафире, что та пользовалась доверием ее мужа.

Тем не менее Сима пересекла лестничную площадку и позвонила в дверь соседки.

— Серафима Ильинична, душенька! — расплылась в улыбке Глафира. — Заходите! Ранний гость самый дорогой.

— Вообще-то я к вам по делу, — сказала Серафима Ильинична, не без отвращения выдавливая ответную улыбку. — У вас есть одна вещь, которая принадлежит моему мужу. Он вам ее передал в субботу утром. Так вот, прошу вас мне ее вернуть.

Глафира внимательно посмотрела на Серафиму Ильиничну из-под полуприкрытых ресниц и ничего не сказала.

— Вы меня слышите? — начала закипать Серафима Ильинична. — Отдайте рукопись.

— Не знаю, откуда вам известно про рукопись, только я вам ее не отдам, — неожиданно сказала Глафира.

От удивления у Серафимы Ильиничны перехватило дыхание.

— Не отдам, — повторила Глафира. — Мне

ее ваш муж лично в руки дал и очень просил, чтобы я никому ни словечком не проболталась об этом и отдала ему рукопись лично в руки. Ему, слышите, а не вам.

— Но я его жена, — запротестовала Серафима Ильинична. — Он велел мне пойти и ее взять у вас. Вы понимаете, его похитили из-за этих бумаг и теперь требуют вернуть их. Если мы их не отдадим, то его могут убить из-за вашего упрямства.

Глафира слегка дрогнула, но быстро восстановила броню неприступности.

— А откуда мне знать, что вы не врете? — спросила она. — С вас станется. Нет уж, идите себе, а я должна подумать и все хорошенько прикинуть. После я вам ответ дам.

И она почти выпихнула за порог обескураженную Серафиму Ильиничну.

— Ну что? — бросились мы к ней.

— Не отдает, — растерянно сказала Серафима Ильинична. — Говорит, что отдаст лично Валериану.

— Это у нее вряд ли получится, — протянула Мариша. — Разве что на могилку ему принесет. Если бандиты, конечно, соизволят сказать, где она, эта могилка, находится.

При этих словах Серафима Ильинична залилась слезами, я бросилась ругать Маришу, а Тамара Ильинична принялась утешать сестру. Один Сева сохранял спокойствие.

— Я с ней поговорю, — сказал он. — По крайней мере попытаюсь.

Он ушел и долго не возвращался, мы даже стали думать, что с ним там что-то случилось, но идти к строптивой Глафире побоялись и мучительно терзались дома. Впрочем, эти терзания как-то нам не помешали плотно позавтракать, а потом выпить кофе и еще кофе. Когда я заканчивала пить третью чашку, появился бледный Сева с бумагами, судорожно зажатыми у него в руке.

— Тебе пришлось ее придушить? — поинтересовалась Тамара Ильинична, ставя перед ним чашку с кофе.

Сева залпом выпил кофе и немного порозовел.

— Жуткая баба, — наконец выдавил он из себя. — Никогда бы не стал с такой связываться. Просто вампир, она из меня всю силу до капли выпила.

— Замолчи! — закричала Серафима Ильинична. — Не желаю я слушать, каким способом тебе удалось выудить у Глафиры бумаги. Не хочу я про эту порнографию слышать! Ни слова больше, ясно? Достал бумаги?

— Да, — кивнул немного ошеломленный Сева. — Разделил на три части, две взял себе, а одну оставил вашей Глафире. Сказал, что только ей можно доверить хранение этих бумаг, что держать их в другом месте было бы слишком большим риском. А при чем тут порнография?

Вскоре прибыл полковник Земцов. Он оказался мужчиной лет сорока с небольшим, сухощавым и невысоким. Голову полковника окружал светлый редкий пушок. Подбородок и щеки были гладко выбриты. И держался он так прямо, как это умеют только военные. Вообще-то странный человек, весь словно туго натянутая струна, жить с таким вряд ли было приятно.

— Вы твердо уверены, что Валериана Владимировича держат именно в нашем подземном бункере? — первым делом спросил он.

Тамара Ильинична пересказала еще раз, специально для него, историю своего похищения и то, как ей удалось обмануть похитителей. Полковник вздохнул и сказал:

— Пожалуй, вы правы. Это самое подходящее место, но у меня в голове не укладывается, что Миша мог так подло использовать доверие Валериана Владимировича. Удивительно, как деньги меняют людей.

Полковник немного погрустил по поводу несовершенства этого мира и людей, его населяющих, затем оставил в покое меланхолию и перешел к действиям.

— Значит, так, — сказал он, — предлагаю нанести удар, не дожидаясь звонка от противника. Через час, нет, через час с четвертью в нашем распоряжении будет десяток лучших ребят из моего гарнизона.

— Не мало ли десятка? — усомнилась Мариша в его плане, плевать она хотела на любые авторитеты.

— Каждый стоит двоих, — заверил ее полковник. — Захватить тот бункер они смогут в течение восьми минут, мы проводили такие учения.

— За эти десять минут дядю прикончат, — сказала Мариша.

— Зачем им это делать? — удивился полковник. — Им ведь нужно изобретение, а не смерть вашего дяди? Уверяю вас, когда люди понимают, что им не избежать плена, они перестают помышлять о мести, а начинают думать о том, как бы им расположить к себе тех, кому они сдадутся.

— Но вдруг там окажется какой-нибудь слишком вспыльчивый тип? — продолжала настаивать Мариша. — Или не слишком сообразительный, который прикончит дядю, а потом только сообразит, что делать это было просто глупо.

— Тогда могу предложить вместо прямой атаки диверсантский подкоп, — сказал покладистый полковник. — Это займет немного больше времени, но в итоге позволит обойтись минимальными жертвами. К тому же сведет риск того, что они успеют убить Валериана Владимировича, практически к нулю.

— И сколько времени займет эта диверсия? — спросил Сева.

— От получаса до часа с небольшим, в зависимости от того, в каком состоянии находится подземный ход. Думаю, что в нескольких местах там придется расчищать завалы. Что поделаешь, денег не хватает даже на самое необходимое, а уж о том, чтобы поддерживать в порядке второй ход в заброшенный подземный бункер, речи вообще не идет. Поймите, мы уже больше двух лет туда не наведывались. Что-то могло и измениться, хотя не кардинально.

— Но бандиты тоже могут знать про этот ход, — сказала Серафима Ильинична. — И выставить там охрану.

— Во-первых, на нашей стороне фактор внезапности, — вскинулся полковник. — Вспомните, они ведь не ждут нашего нападения. Во всяком случае, не так скоро. А во-вторых, они могут просто про него не знать, ведь я не рассказывал Валериану Владимировичу про него. Валериану это было и не нужно, он не собирался использовать бункер в военных целях. Но даже если бандиты нашли ход самостоятельно, то не думаю, что они будут целыми днями его патрулировать.

— Что ж, — вздохнула Мариша. — Остановимся на втором варианте.

Только она произнесла эти слова, как раздался телефонный звонок.

— Алло, — сказала Тамара Ильинична, которая сидела ближе всего к телефону и первой потянулась к трубке.

— Стой! — воскликнула Мариша. — Я возьму вторую трубку. На счет «три».

И она умчалась в другую комнату, откуда послышался ее голос:

— Раз, два, три!

Маришина мама быстро сняла трубку.

— Тамара Ильинична? — спросил хорошо знакомый ей хриплый голос. — Вы меня узнаете? Вы скучали без меня? Вы рады, что я позвонил вам так скоро?

— Еще бы, — пробормотала Тамара Ильинична, с удивлением чувствуя, что она помимо воли заливается краской.

— Я очень доволен, что вы не побежали прямиком в милицию, — похвалил ее Гена. — Но вы не скажете ли, кто тот невысокий мужчина с военной выправкой, который с четверть часа назад пришел к вам в гости? Простите меня за излишнюю назойливость, но в нашем деле нужно быть настороже. И потом, я ревную.

Тамара Ильинична почувствовала себя словно провинившаяся школьница, которая задумала обмануть мудрого и доброго учителя, но попалась и теперь не знает, как выкрутиться.

— Рукопись изобретения, которая вас так интересует, Валериан Владимирович оставил на хранение у этого мужчины, — наконец выдавила она из себя. — Он принес ее половину.

— Очень хорошо, — одобрил Гена. — Тогда я хотел бы ее получить.

— В любое время, — храбро ответила Тамара Ильинична. — Только понесу ее я.

— Как вам будет угодно, — сказал Гена. — Ровно в десять часов отправляйтесь к станции метро «Петроградская». Ровно в десять двадцать к вам подойдет мой человек, скажет, что он от меня, и вы передадите ему половину рукописи. Надеюсь, она подлинная?

— Конечно, — заволновалась Тамара Ильинична.

— Я проверю, — успокоил ее Гена. — А копию вы с нее случайно не сняли? Впрочем, никто из вас из дома не выходил, а вряд ли у уважаемой Серафимы Ильиничны дома стоит ксерокс. Моим людям, во всяком случае, его обнаружить не удалось. Ну, до встречи, уважаемая Тамара Ильинична.

— А когда мы получим назад нашего пленника?

— Сегодня вечером, — заверил ее Гена и повесил трубку.

Раздался топот копыт стада мамонтов, и в кухню влетела Мариша.

— Это его голос, — убежденно сказала она. — Это Пахан. Даша, помнишь, тот мужчина на чердаке, с которым разговаривал Михаил Федорович?

— Пахан? — растерялась Тамара Ильинична. — Нет, это был Гена.

— Нет, мама, — возмущенно начала Мариша, — ты ошибаешься. Ты хоть теперь понимаешь, в кого ты влюбилась? Это же уголовник, к тому же пользующийся авторитетом. И у него в подчинении целая банда головорезов. Хорошенького папочку ты собиралась мне подсунуть.

— Простите? — поинтересовался полковник. — А кто этот Гена?

Мы все хором кинулись ему объяснять.

— Мне кажется, Тамаре Ильиничне небезопасно идти на встречу с этими бандитами, — сказал полковник. — Мало ли что им придет в голову.

— Не беспокойтесь, пока вторая половина рукописи у нас, они ничего не станут предпринимать, — сказала Тамара Ильинична. — Однако нам нужно быть осторожными, они следят за квартирой.

— Хорошо, я отправляюсь собирать своих ребят и готовиться к штурму бункера, — сказал полковник. — А вы постарайтесь потянуть время.

— Было бы хорошо сцапать всю эту банду разом, — сказала Мариша. — Если мы только освободим дядю, то опасность все равно будет ему грозить. В бункере сидят лишь шестерки. Конечно, мы знаем, где живет этот Гена, но он может обитать еще в нескольких местах. И мы знаем, где найти Михаила Федоровича, но он тоже может исчезнуть. Думаю, что денег у него для этого хватит. Так что нужно постараться сцапать их всех разом, и лучше всего — в бункере. А как бы нам их туда заманить?

— Я потребую, чтобы обмен состоялся имен-но там, — сказала Тамара Ильинична.

— Это покажется подозрительным, — возра-зил Сева. — Они сразу насторожатся. Ведь, по логике вещей, вы, наоборот, должны всячески избегать соваться к ним в логово.

— Тогда я скажу, что согласна передать им вторую половину рукописи лишь в присутствии всей их шайки, — сказала Тамара Ильинич-на. — Чтобы потом у них не возникло разногла-сий, правильно ли они поступили. Пусть все решится на месте.

— Можно попробовать, — решила Мари-ша. — Ты вот что, сначала послушай, что они тебе скажут. Думаю, что твой драгоценный Гена и сам захочет предложить тебе встретиться именно в бункере. Потому что невооруженным глазом видно, что он задумал устроить ловушку. Ведь дядю он при всем желании отпустить не сможет, слишком велик риск.

— Ты так говоришь, чтобы оправдать собст-венную подлость, — сказала Тамара Ильинич-на. — Ведь ты замыслила надуть Гену.

— В наших рядах наметился раскол, — про-комментировала Мариша. — Что ты имеешь в виду, говоря про мою подлость?

— А как еще назвать то, что мы собираемся заманить Гену в бункер, а потом подавить его сопротивление с помощью военных?

— Военная тактика, — подал голос полков-ник. — Нам объявили войну, иначе действия бандитов по отношению к нам не назовешь. Я считаю, что мы тоже вольны действовать про-тив них свободно — где хитростью, а где и силой.

Тамара Ильинична помолчала, было видно, что в ее душе идет борьба.

— В конце концов, — наконец сказала она, — я знаю Гену всего сутки, а Валериана уже долгие годы. Придется сделать выбор в его пользу.

— Молодец! — горячо одобрила ее дочь, толком не поинтересовавшись, кого же выбрала Тамара Ильинична.

Полковник отправился к себе в часть, чтобы держать наготове десяток бойцов, которых он обещал задействовать по первому же требованию. И сделать это было решено сразу же после того, как Тамара Ильинична узнает о времени встречи, а до того все могли немного расслабиться. Сева с Маришей вызвались проводить Тамару Ильиничну до метро. Так как Пахан, он же Гена, ничего не сказал про эскорт и не отменял его, Тамара Ильинична согласилась.

Картохин уже второй час слушал всхлипывания Софочки, которые перемежались бурными проклятиями в адрес всех без исключения мужчин, и главное — в адрес боссов. Их мужской шовинизм, по словам Софочки, и явился тем решающим моментом, который заставил ее пойти на преступление. К девяти утра, истратив весь свой запас бумажных салфеток, Картохину удалось дослушать исповедь Софочки до конца. Картина вырисовывалась следующая.

Михаил Федорович, будучи страшным скрягой, решил проблему денежного содержания своей любовницы за счет коллеги, присватав этому самому коллеге Софочку на должность заместителя. Сначала Софочка была даже довольна таким оборотом дела, это позволяло ей чего-то добиться своими силами. Пусть вначале ее немного подтолкнут, но дальше она могла уже действовать самостоятельно, ни от кого не завися.

Но это только так казалось. Вся женская половина коллектива в фирме Валериана Владимировича занимала исключительно второстепенные посты и ничегошеньки не решала. В руководстве не было ни одной женщины. Боссов это устраивало, Софочку — нет. Она отлично видела, что разбирается в делах фирмы ничуть не хуже, а порой и лучше своего босса и его друзей. Ей помогали женское чутье и живой ум. По ее мнению, она уже сто раз могла бы занять кресло дурака босса, если бы тот не сидел в нем так крепко. Во всяком случае, ему казалось, что он как бы сросся с этим креслом, и ни под каким видом не рассматривал Софочку в качестве своей преемницы.

Ну и, понятное дело, всей компанией он владел почти единолично. Акции у своего босса Софочка при всем желании отнять не могла, хотя кресло, как она полагала, — вполне. Но для этого нужно было, чтобы босс хотя бы на некоторое время из этого кресла вылез.

Короче говоря, Софочке казалось, что ее не ценят, что выражалось как материально (она получала лишь третью часть официальной зарплаты босса, а уж про неофициальные доходы она и не заикалась), так и в моральном плане. Ей вечно указывали на то, что она тут ноль, что попала в фирму лишь благодаря протекции, что ее дело работать, работать и помалкивать.

Раздражение в Софочке копилось годами и в конце концов стало просто невыносимым. Босса она ненавидела лютой ненавистью, кто-то из них двоих должен был уйти или исчезнуть. Но босс был вполне здоров и мог торчать на этом месте еще добрый десяток лет — столько Софочке не выдержать никак. И она решила: ей все-таки придется помочь боссу убраться.

Первые проблески плана появились у Софочки в тот момент, когда ученый-химик Томов притащил свое гениальное изобретение к ним в фирму. Даже чуточку поздней, уже после того, как Михаил Федорович в любовном пылу рассказал ей о визите этого сосунка, высказав мысль, что было бы неплохо перехватить у юнца его открытие. Благо пока что оно им нигде не запатентовано. Любовник опасался лишь того, что Валериан Владимирович, не терпевший криминала, будет возражать.

Тогда Софочка и подумала: исчезни Валериан Владимирович именно сейчас, никто в руководстве жалеть о нем не станет. О фирме «Барс» и ее услугах она услышала уже давно, от какой-то приятельницы. Теперь же Софочка заглянула к «барсам» и заказала похищение Валериана Владимировича. О существовании у босса любовницы Софочка знала все от того же Михаила Федоровича.

На выяснение адреса любовницы мнимого мужа «Барс» попросил у клиентки неделю. Софочку это вполне устраивало, она пока не знала, когда ей придется, и придется ли вообще, воспользоваться услугами похитителей.

Но все решил быстрый приезд финнов. Если бы Софочке удалось самой провести переговоры с ними, то она могла бы смело подменить босса, работая с мощной фирмой самостоятельно — она автоматически заняла бы место Валериана Владимировича. Пока неофициально, а потом — как знать... Нет, убивать своего босса она не собиралась, но продержать его где-нибудь в надежном месте недельки три, а лучше пару месяцев было бы неплохо. После длительной отлучки и стресса вряд ли Валериан Владимирович скоро взялся бы за работу. Возможно, и сам бы попросил отставку.

— И у меня все получилось, — всхлипнула Софочка. — Миша в постели полностью раскрепощался и становился страшно болтлив, он снова проболтался мне, что ему удалось раздобыть рукопись, где в деталях расписано открытие химика. А на следующий день разразился скандал. Мишка решил, что Валериан будет так же счастлив получить это изобретение, как и он сам. И не станет задаваться вопросами, откуда на него свалилось такое счастье. Но он ошибся, Валериан разбушевался, забрал рукопись себе и пригрозил Мишке.

— И ваш любовник все вам выложил?

— Конечно, рвал и метал, что никому не позволит с собой так обращаться. Я сочла, что ситуация подходящая, и рассказала про свой визит в «Барс». Мишка обрадовался моему плану словно ребенок, которому подарили игрушку. Он даже согласился заплатить половину за похищение. Думаю, что он заплатил бы и всю сумму, несмотря на свое скупердяйство. Тогда я и дала команду «Барсу», что операцию можно начинать. Я оплатила заказ, мне это обошлось в пять тысяч. Но что мне эти деньги по сравнению с моим блестящим будущим.

— И что было дальше?

— «Барс» сработал отлично, Валериана похитили. Был лишь один, но зато существенный изъян, фирма держала пленников у себя дня два, максимум неделю. А меня этот срок не устраивал. Мне пришлось проследить за тем, куда они повезут Валериана. Потом я взяла его машину и поехала за ним. Но выяснилось, что я опоздала, кто-то уже побывал в доме и забрал Валериана с собой. Кто это мог быть? Конечно, только Мишка знал о моих планах, и только ему я рассказала, куда похитители отвезли Валериана. Так что вывод напрашивался сам собой.

— И вы кинулись к своему любовнику?

— Да, я потребовала дать мне объяснения, какого черта он, не советуясь со мной, увел у меня из-под носа Валериана. Он сказал, что мне совершенно не нужно волноваться, что место Валериана остается за мной, теперь я должна сосредоточить свое внимание на финнах, на своей работе и успешном подписании контракта. Все остальное решится именно так, как я хочу. Но я по опыту знала, что Мишка никогда и ничего не делает, не думая при этом прежде всего поиметь выгоду для себя. Я сложила два и два и поняла, что Мишка хочет вытребовать у Валериана рукопись химика. Я догадывалась, где Мишка может держать Валериана, и пригрозила ему, что если он не поделится со мной прибылью от реализации своего плана, то я его выдам. Он не очень испугался, так как знал, что я была замешана в этом деле и в милицию не побегу. Еще он сказал, что ему пришлось обратиться за помощью к очень серьезным людям и мне было бы лучше в это дело не лезть, слишком опасно.

— И где они держали вашего босса?

— У нашей фирмы есть за городом лаборатория, — с готовностью продолжала рассказ Софочка, — то есть это так называется — лаборатория. На самом деле это настоящий подземный городок. Его выстроили военные для каких-то своих целей, а потом сдали нашей фирме. Мы использовали его для проведения опытов с высокотоксичными и взрывоопасными веществами. Он идеально подходил для этого. Ну, и для того, чтобы содержать пленника, — тоже. Городок очень большой, наши лаборатории едва ли занимают десятую его часть.

— И вы знаете, где это место находится? — спросил Картохин, боясь верить своей удаче.

— Знаю, — пожала плечами Софочка, немного поразмыслив.

— Если покажете, то даю вам слово, что я так скорректирую ваши показания, что вы окажетесь невинной овечкой, попавшей в лапы к волкам, — посулил Картохин. — И выйдете в итоге сухой из воды.

— Спасибо, — обрадовалась Софочка. — Только я и так бы вам показала. Сами понимаете, пока все те люди, которых нанял Мишка и которые наверняка сидят в лаборатории, находятся на свободе, мне не жить. Я ведь для них опасна. Думаю, что эта парочка, которая явилась меня убить, из их компании.

— Это так, — согласился Картохин. — И когда вы покажете нам их логово?

— Вообще-то я была там только один раз, — задумчиво сказала Софочка. — Но точно помню, что это было в лесу, а лес находился на территории полигона. Мы ехали до железнодорожной станции Ржевка, а потом по каким-то проселочным дорогам. Думаю, что в воинской части должны знать более точно, где находится полигон. Только захотят ли они показать нам его? И кто их знает, а вдруг военные чины прекрасно знают, что делается у них под носом. Хотя Валериан Владимирович говорил, что там в военной части у него друг. Но ведь он и Мишку считал другом. Да и про меня он всем рассказывал, какое я сокровище и как мы с ним душа в душу живем и работаем. Но все-таки надо рискнуть и спросить в штабе. Там еще был такой мелковатый из себя полковник, с ним Валериан и общался.

Картохин выслушал ее. Уже минут пять назад ему стало совершенно ясно, что собственными силами с бандой ему не справиться. Нет, он отнюдь не страдал недостатком уверенности, просто выходить одному против вооруженной и хорошо окопавшейся под землей банды ему казалось бесперспективным. Нужно обратиться к капитану за советом и помощью.

Тамара Ильинична благополучно сходила на встречу с посланником Пахана, которому она и отдала часть рукописи молодого ученого. Посланцем оказался мальчуган лет десяти, который, со степенным видом ковыряя в носу, заявил, что он от Гены, мол, давайте сюда бумаги. Сева попытался проследить за ним, но паренек шустро юркнул в проходные дворы и скрылся из виду. Сева догнал его лишь на набережной Карповки, но паренек запрыгнул в черную «десятку» с тонированными стеклами, которая стремительно унеслась прочь, обдав Севу облачком пыли.

Сева был почти уверен, что это та самая машина, на которой сначала похитили, а потом вернули в город Тамару Ильиничну. Номер на ней был, правда, другой, но почти наверняка тоже фальшивый. Сева его все же запомнил, хотя не сомневался, что толку от этого не будет.

За время его отсутствия с Тамарой Ильиничной ничего не случилось, может быть, потому что с ней оставалась Мариша. Когда Сева вернулся, они с аппетитом уплетали сахарные трубочки. Мариша вручила ему его порцию, и они не торопясь отправились домой.

— Где вы пропадали? — такими словами встретила их Серафима Ильинична. — Я тут уже места себе не нахожу. А вдруг позвонит полковник и скажет, что к штурму все готово.

— Во-первых, мы договорились, что сами ему позвоним, а во-вторых, тебя-то это чего волнует? — спросила Мариша. — Тебя он, будь уверена, в штурме не задействует.

— Как это? — растерялась Серафима Ильинична, которой такой поворот событий в голову не приходил.

— Очень нужно полковнику еще и за тебя волноваться, — ехидно заявила Мариша. — Толку-то от тебя...

— Ты хочешь сказать, что у меня не будет возможности проследить за тем, чтобы с Валерианом ничего не случилось?

— Вот именно, — подтвердила Мариша. — Ты можешь лишь сидеть дома и молиться, чтобы все прошло благополучно.

— Вот уж нет! — возмутилась Серафима Ильинична. — Я буду там и приду на помощь Валериану, если это понадобится.

— Твой героизм делает тебе честь, но только это без толку, — сказала Мариша. — Ты ведь не знаешь точно, где находится тот бункер. Даю тебе слово, полковник ни за что не возьмет тебя с собой. Разве что у тебя в запасе найдется приемчик, чтобы надавить на него. Ты не припасла случайно парочку пленок с компроматом, где он, к примеру, берет аванс от ЦРУ? Или хотя бы банальный стриптиз с участием хилого полковника и парочки, лучше тройки шлюх? Нет? Тогда и говорить не о чем.

Серафима Ильинична надулась и задумалась. Думала она долго, мы все успели пообедать изумительно вкусными котлетами с зеленью, которые успела приготовить Тамара Ильинична, а ее сестра все еще хранила глубокую задумчивость. В таком состоянии ее и застал звонок от Гены.

— Мы проверили ту часть, которую вы нам передали, — сказал он. — Я очень рад, что вы решили не играть с нами в игры. Нам лишь показалось, что там маловато листов.

— Нет, там половина, — храбро солгала Тамара Ильинична.

— Что же, будем надеяться, что вторая половина будет больше первой, — примирительно сказал Гена. — Вы ведь не собираетесь разделить рукопись на три части, оставив третью в качестве гарантии?

— Что вы? — совершенно неискренне возмутилась Тамара Ильинична. — Получите всю рукопись целиком.

— В таком случае, как вы смотрите на еще

одну прогулку за город? — спросил Гена. — Я снова приглашаю вас к родственничку. Тут мы проверим вторую половину рукописи, а потом вы заберете Валериана Владимировича, и мы доставим вас обратно.

— Честно говоря, хотя ваше предложение и звучит довольно заманчиво, но я бы предпочла встретиться в городе, — сказала Тамара Ильинична.

— Вы мне не доверяете, — расстроился Гена. — Как же так? Мне казалось, что мы подружились. И вдруг такое недоверие. Совершенно неуместное между друзьями!

— Но вы ведь тоже заподозрили, что я утаила от вас часть рукописи, — возразила Тамара Ильинична.

— Вы! — воскликнул Гена, изобразив самое праведное негодование. — Да никогда в жизни не заподозрил бы я вас в обмане, вас, честнейшую из женщин. Но сжульничать мог кто-то другой, даже без вашего, дорогая, ведома. Вот что я подумал, а вовсе не то, что это вы могли меня обмануть. Простите, если я невольно вас обидел... Но я приглашаю вас к себе на природу потому, что один из наших основных экспертов никак не может пока покинуть наше убежище. А я боюсь, что Валериан Владимирович окажется слишком строптив и, почувствовав запах свободы, захочет убежать. Конечно, мы попытаемся его отловить, но если все-таки станет ясно, что другого выхода нет, мне придется его убить. Согласитесь, из-за чьей-то глупой выходки я не могу ставить под угрозу свою безопасность и безопасность людей, которые мне доверяют.

— Хорошо, — согласилась Тамара Ильинична. — Вы меня убедили. За мной заедут, или мне нужно куда-то подойти?

— Что вы? — притворно изумился Гена. — Конечно, я пошлю за вами лучшую из имеющихся в моем распоряжении машин, — он замялся. — Есть еще одно обстоятельство, из-за которого я хотел бы вас видеть у себя. Думаю, что вы не откажетесь от скромного ужина в моем обществе. Не возражайте, будет шампанское во льду, а я по такому случаю в смокинге. Согласны? Итак, уважаемая Тамара Ильинична, ровно в пять часов дня за вами заедут.

— Знаете, вы такой темпераментный мужчина, у меня духу не хватает отказать вам, — сказала Тамара Ильинична. — Едва я вас увидела, сразу почувствовала, что нас соединяют невидимые нити, наша встреча должна иметь долгое и счастливое продолжение.

— Как вы замечательно сказали, — расчувствовался Гена. — Знаете, я ведь тоже почувствовал, что вы неслучайная женщина в моей судьбе. А я никогда не ошибаюсь.

— Только вот я совершенно ничего о вас не знаю, — сказала Тамара Ильинична. — Это меня пугает. Я бы хотела познакомиться с вашими друзьями или хотя бы коллегами, чтобы лучше понять, что вы за человек. Никогда не понимала людей, которые могут жить с человеком, не зная, чем он дышит, не разделяя его интересов за стенами дома. Мне всегда хотелось войти в жизнь мужчины, чтобы делить с ним все тяготы и радости жизни.

— Вы правы, — согласился Гена. — Я приглашу кое-кого. Я тоже хочу, чтобы мы стали единомышленниками, и мне не пришлось бы скрывать от вас то, чем я занимаюсь, как это бывало с другими женщинами. Словом, мы проведем незабываемый вечер.

— Когда я приеду, вы уже будете на месте? — спросила Тамара Ильинична. — Не хотелось бы оказаться там без вашей защиты, один на один с головорезами, которые на вас работают. Они ведь пока не знают, что мы стремимся к гармонии в наших отношениях.

— Им и не нужно ничего знать, не хватало посвящать этих шестерок в наши отношения, — сказал Гена своим охрипшим голосом. — Не волнуйтесь, я буду вас ждать на месте. Я еще не окончил приготовления к нашей встрече.

Повесив трубку, Тамара Ильинична запрыгала от радости.

— Получилось! — ликовала она. — Ручаюсь, что он позовет всех своих сообщников, чтобы познакомить их со мной.

— Я бы не стала так доверять словам этого человека, — угрюмо наблюдая за прыжками матери, сказала Мариша. — С него станется запереть тебя и Валериана в соседних комнатах и навещать то одного, то другого, пока вы ему не надоедите.

— Ты всегда плохо относилась к тем мужчинам, которые мне нравились, — укоризненно заметила Тамара Ильинична, перестав скакать. И я могла больше не метаться по кухне, ловя падающие с полок от ее прыжков банки.

— Я же не виновата, что тебе всю жизнь нравились исключительно подонки, — сказала Мариша. — Взять хотя бы моего папашу.

— Он был прекрасный человек, — горячо

возразила Тамара Ильинична. — Иначе от кого бы ты унаследовала все свои прекрасные качества?

— Не знаю, — пробормотала Мариша. — Я его никогда не видела.

— Видела, видела, просто не помнишь, — возразила мать.

— Я знаю, как мы поступим, — неожиданно сказала Серафима Ильинична, выходя наконец из глубокого ступора. — Мы проследим, куда повезут Тамару, и сами поедем за ней.

— Во-первых, мама никуда не поедет, — сказала Мариша. — Это было ясно с самого начала. Мы сейчас звоним полковнику, и он двигает свои части к бункеру. А в пять с минутами он бросает их в бой.

— Почему именно в пять с минутами?

— В пять мама должна сесть в посланную за ней машину. Несколько минут они ее подождут, а потом позвонят шефу. Тот заподозрит неладное и попытается смыться. Поэтому в пять ноль пять или в крайнем случае в пять ноль десять полковник всех повяжет, — объяснила Мариша.

— Нет, это не годится, — возразила Тамара Ильинична. — Главаря полковнику, может быть, и удастся захватить, но ведь существуют еще и его приятели. Уверена, что все они находятся в розыске уже много лет. Нельзя же упустить такой шанс.

— Всех не переловишь, — философски заметил Сева. — Так что не стоит так рисковать.

— А я все же рискну, — упрямо возразила Тамара Ильинична. — К тому же я не верю, что Гена способен причинить мне зло. А если я не поеду, то всю оставшуюся жизнь буду себя ругать. Уж я знаю. Так что я еду — и точка. И я попытаюсь напоить Гену, а вы сообщите полковнику, чтобы он начинал штурм не раньше, чем через два часа после того, как я войду внутрь. Хоть шампанского выпью. И не отговаривайте меня.

— Ты сошла с ума, — сказала Мариша. — Мы тебя просто не выпустим.

— Но ведь мы можем сделать так, чтобы и волки были сыты, и овцы целы, — вмешалась Серафима Ильинична. — Тамаре вовсе не обязательно идти в сам бункер. Пусть ребята полковника нападают в тот момент, когда увидят, что Тамара выходит из машины.

— Нет, все равно риск слишком велик, — забраковала и эту затею Мариша.

Тамара Ильинична еще немного повозмущалась, но наконец признала, что дочь в общем-то права и что лучше доверить действовать людям полковника и не зариться на слишком большой каравай. Серафима Ильинична тоже согласилась с ней, и мы позвонили полковнику, сообщив о наших планах. К нашему удивлению, он высказался за то, чтобы Тамара Ильинична все-таки пошла на встречу с бандитами.

— Иначе они могут, заподозрив неладное, отомстить вам и убить Валериана Владимировича, — сказал он. — А Тамару Ильиничну мы подстрахуем. К тому же я понял, что главарь к ней неравнодушен.

Ровно в пять преисполненная сознанием своей значимости и неотразимости Тамара Ильинична, потратив на свои сборы без малого три часа, спустилась по лестнице и села в сверкающий лаком черный «Мерседес».

— У него что, все машины в гараже черные? — задала Мариша, обращаясь к самой себе, риторический вопрос, заводя свой «Опель».

Номер на нем Сева уже поменял, да еще мы перекрасили его в неброский серый цвет специальной краской, которая потом, как уверял нас продавец, смывалась в пять минут особым растворителем, не причиняя нижнему слою ни малейшего вреда. Это была нелишняя мера предосторожности, потому что Маришин снежно-белый «Опель» слишком уж бросался в глаза. Севину машину мы не стали трогать, она и так была сама непрезентабельность, даже после ремонта в автосервисе.

Итак, мы тронулись. Впереди черный «Мерседес», за ним Севина «пятерка», а последними ехали мы с Серафимой Ильиничной. Где-то посередине дороги нам предстояло поменяться местами. Сева должен был отстать, а мы, наоборот, выдвинуться вперед. Так мы думали обмануть своих врагов, если они вдруг заметят за собой слежку.

Картохину и Поленову так и не удалось отловить того полковника, который, по словам Софочки, мог бы показать прямой и верный путь к подземной лаборатории. Они звонили в воинскую часть с самого утра. По приметам они установили, что им нужен полковник по фамилии Земцов, им довольно быстро удалось выяснить номер его рабочего телефона, но на этом их везение и закончилось. Застать на месте полковника не удавалось.

376 .... Дарья Калинина

— Черт, — не удержался от реплики Картохин, когда ему в десятый раз объяснили, что
полковника еще нет, а когда будет, он, его адъю-
тант, не знает, так как полковник перед ним
почему-то не считает себя обязанным отчитываться в своих перемещениях.

— Надо брать ребят и ехать на место, — решил Поленов. — Дольше ждать смысла нет. Может быть, там нам удастся найти кого-нибудь,
кто согласится показать дорогу к лаборатории.
И эту твою Софочку тоже возьми. С нами ей
будет безопасней, и, кто знает, на месте, глядишь, и сориентируется.

— Как у вас продвигаются дела? — поинтересовался капитан, входя в кабинет, где сидели
Поленов с Картохиным. — Мне удалось добыть
полтора десятка ребят, генерал лично снял их с
патрулирования улиц. Так что, считая всех гур-
том, нас набирается восемнадцать человек. Думаете, справимся?

— Должны, — пожал плечами Картохин. —
Может, военные еще помогут.

— Хм, точно рассчитывать на это нельзя, —
буркнул капитан. — Но попытаться можно.

Воинскую часть, на счастье, удалось найти
легко. Один из снятых с патрулирования парней недавно был мобилизован из армии, а служ-
бу он проходил как раз там, куда рвались менты.

— Тебя нам само провидение послало,
Юрий, — сказал капитан. — Ты поможешь нам
отыскать и эту чертову лабораторию. Ты сам-то
ее видел?

— Нет, — признался парень, — но слухи ходили.

— А эти слухи не рассказывали, где она находится?

— В лесу, — немного подумав, сказал Юра.

— В лесу, — повторил капитан. — А поточней?

Увы, поточней Юра не знал. Прибыв в штаб, менты столкнулись с поистине странным фактом: тут никто знать не знал ни про какой подземный город, находящийся на территории полигона. У всех сразу делались такие наивные глаза и удивленные лица, что капитану стало ясно — его банально водят за нос, и ни единая душа не только не покажет это подземное царство, но даже не признается, что оно здесь существует.

Все в один голос советовали обратиться к полковнику Земцову, но его-то как раз и не удавалось обнаружить.

— Он на учениях, — объяснил гостям смазливый адъютантик, с которым они разговаривали по телефону. — Будет не раньше вечера, а может, и вообще к утру. Но вы попробуйте найти его прямо там, на учениях, — добавил он, заметив, как вытянулось лицо крепыша Поленова. — Как туда добраться, я вам объясню.

И сержант вытащил из стола карту местности.

— Вот, поедете по этой дороге, — сказал он, тыча в карту красным фломастером, — здесь свернете, — он провел на карте жирную линию. — Вот тут еще раз свернете, потом еще и еще, — и карта стала похожа на густо измазанный кетчупом лист салата.

Все молча уставились на бумагу.

— Вот, — самодовольно заключил сержант, — где-то здесь полковник и находится. Теперь вы не заблудитесь. Только когда найдете его, не говорите, что это я вам объяснил, как до него добраться, а то он с меня с живого шкуру сдерет. И карту эту ему не показывайте.

Менты пообещали выполнить просьбу адъютанта и тронулись в путь. Дорога стала плоха уже через два километра. Им еще повезло, что милицейские «газики» и «Нива» капитана, машины ко всему привычные, и перли, и перли вперед. Проехав до указанного сержантом на карте поворота, они свернули. Потом еще и еще раз. Пока наконец не выяснилось, что следующего указанного на карте поворота быть не может, так как они стояли перед длинным глубоким оврагом, пересечь который могла бы скаковая лошадь, но никак не машина.

— Соорудим мост? — предложил Картохин.

Капитан опасливо покосился на дно оврага, на тонкие сосенки, которые росли вокруг и которым предстояло стать строительным материалом, и предложение отклонил.

— Скорей всего, мы не там свернули, — сказал он и склонился над картой. — Ну, конечно, растяпа сержант так густо тут намалевал, что на одной его красной линии сразу две дороги оказались. Мы просто не по той поехали.

Они вернулись и отправились по второй дороге. На этот раз они уперлись в гороховое поле.

— Черт знает что! — Поленов в сердцах сплюнул. — Может, у них карта устарела? А предприимчивый фермер взял и засадил пустующую целину ценной культурой, не обратив внимания на дорожку, которая проходила по его земле.

— Обогнем поле и посмотрим, что там за ним, — сказал капитан.

За полем и в самом деле начиналась дорога, причем довольно широкая. Они поехали по ней и выбрались на шоссе, которого на карте сержанта не было. Все растерянно смотрели по сторонам, не зная, что делать дальше. И в этот момент подала голос Софочка, которая до этого сидела тихой мышкой.

— Кажется, — сказала она, — кажется, я узнаю дорогу. По-моему, мы тут проезжали.

Ее тихий голос отдался триумфальным маршем в ушах спутников. Капитан распрямился и лихо швырнул в окно не оправдавшую надежд карту. Поленов перестал хмуриться и завел машину, а Картохин погрузился в сладкие мечты, как его фотографию вывесят на стенде передовиков и все коллеги будут ходить и завидовать. О, он всем им еще покажет!

Мы уже в третий раз перестраивались, меняясь местами с машиной Севы, а черный «Мерседес» мчался вперед по дороге.

— Боюсь, когда мы в четвертый раз снова вылезем вперед, они все-таки заподозрят неладное, — озабоченно произнесла Мариша.

Но «Мерседес» вдруг свернул с дороги на луг. Выждав немного, мы тронулись за ним следом. К счастью, трава была достаточно высокой, и на ней четко отпечатались следы машины. По ним мы следовали за «Мерседесом», и на отдалении, не сбиваясь с пути. Бандиты довольно долго кружили по местности, и мы не очень понимали, ради кого или чего они так стараются.

Наконец им надоело петлять, и они остановились. Мы с Маришей успели заметить это в последнюю минуту, да и то благодаря тому, что бандитам вздумалось погудеть. Звук раздался подозрительно близко, что нас и заставило затормозить. А то бы выехали прямиком на черный «Мерседес», который остановился на самом краю песчаного карьера. Мы с Маришей вылезли из машины и подползли к нему поближе. Через минуту к нам присоединились Сева и Серафима Ильинична.

— Куда это они? — удивилась Серафима Ильинична, когда бандиты подошли вплотную к песчаной стене, которая тянулась далеко вдаль.

«Не знаю», — хотела ответить я, как вдруг в песчаной стене образовался проем, в котором возник кривоногий коренастый мужчина.

— Пахан! — ахнула Мариша. — Вот как ты выглядишь! Господи, ну до чего любовь зла.

Пахан, он же Гена, тем временем раскланивался с Тамарой Ильиничной. Он даже поцеловал ей руку. И между прочим он действительно был в смокинге и держал в руках огромнейший букет алых роз на жирных стеблях.

— Таким веником убить можно, — прошептала мне на ухо Мариша.

— Завидуй молча, — прошипела я ей в ответ. — Тебе небось не всякий раз розочку дарили от такого букета.

— При чем тут моя зависть? — начала закипать Мариша. — Ты посмотри, он ведь даже бабочку нацепил, явно каждый день в ней ходит. Ради мамы, гад такой, вырядился. И вообще все это ни в какие ворота не лезет. С него еще станется, будет угощать ее икрой и французским шампанским. Мама тогда вообще голову потеряет. Где этот чертов полковник? Он уже давно должен был как-то дать нам знать о себе. Господи, как представлю, что может случиться с моей мамой, которая оказалась в лапах этого кривоногого орангутанга.

— Ладно, не думай о ней слишком плохо, — сказала я. — Что особенного, если она поимеет от этого дела немного приятных воспоминаний?

Мариша лишь скрипнула зубами, глядя, как ее мама скрывается за потайной дверью, замаскированной чахлой березкой. Серафима Ильинична ахнула и растерянно произнесла:

— А как же мы туда попадем? Как мы его выручим?

Это был вопрос вопросов. Мы почему-то думали, что подземный бункер встретит нас распахнутыми дверями, пока его обитатели будут отбиваться от смелой атаки полковника. Мы тихо и мирно проскользнем под носом у сражающихся, спасем мужа Серафимы Ильиничны и Маришину маму, а потом отойдем в укромное место и переждем, пока спадут страсти. В действительности все оказалось совсем иначе. Может быть, полковник и бросил уже в бой своих ребят, но нам об этом знать было не дано. Мы ничего не слышали, кроме пения птичек да шелеста ветра в кронах деревьев.

— Пошли поищем другой вход, — сказал Сева. — Этот, должно быть, открывается изнутри, и к тому же возле него слишком людно. Нам он не подходит.

Но дело осложнялось тем, что мы не знали, в какую сторону от карьера и песчаной горы

382 .... Дарья Калинина

располагался подземный бункер. Поэтому мы, озираясь и прислушиваясь, просто бродили по округе, стараясь не слишком шуметь и не натолкнуться на кого-нибудь из бандитов, поднявшихся на поверхность.

— Слышите! — подняла руку Мариша. — Какой-то шум. По-моему, он идет из-под земли.

И она плюхнулась животом на траву.

— Точно, — прошептала она, — здесь где-то вход. Ищите же.

И мы принялись искать. Как ни странно, но повезло именно Серафиме Ильиничне, которая сидела на пеньке и деловито ковыряла тонким прутиком листочки и прошлогоднюю хвою. Неожиданно она вскрикнула и бросилась разгребать листья руками, не обращая внимания на свежий маникюр.

— Железо, — обратилась она к нам. — Тут под листьями железо. Помогите же мне.

Мы поспешили ей на помощь. Совместными усилиями нам удалось очистить от листвы и веточек участок размером примерно в один квадратный метр. В центре его тускло поблескивала металлическая ручка, за которую и ухватился Сева. Током его не убило, и ядовитые газы из земли смертоносными фонтанчиками не забили.

— Помогите же мне, — с натугой простонал Сева, пытаясь оторвать от земли дверцу. — Мне одному не справиться.

Но, увы, и вчетвером нам не удалось справиться с неподатливой дверцей.

— Тут должна быть какая-то особая хитрость, чтобы вход открылся, — догадался Сева. — Не могли же они каждый раз приходить сюда целым взводом, чтобы открыть этот лаз.

— Или в более позднее время лаз просто заварили изнутри, — сказала Мариша, облокачиваясь на пенек и падая на землю.

Пенек неожиданно для всех нас проявил удивительную прыть и отодвинулся от Мариши.

— Вот он секрет! — обрадовался Сева. — Теперь тяните.

На этот раз наша помощь даже не понадобилась, Сева справился с дверцей самостоятельно. Перед нами открылся лаз. Изнутри повеяло холодным и застоявшимся воздухом. Сразу же у поверхности земли начиналась узкая железная лестница.

— Ну, с богом, — сказал Сева и стал первым спускаться вниз.

Лестница подрагивала и прогибалась под его весом. Кроме того, на середине спуска она вдруг начала опасно потрескивать. Но Сева, не обращая на это внимания, продолжал спуск. Мы же с Серафимой Ильиничной, одолев метров десять пути, с ужасом думали, что же предпринять дальше: то ли продолжать спускаться вниз, положась на судьбу, то ли как можно быстрее карабкаться снова вверх, полагаясь на свои собственные силы и здравомыслие?

Увы, путь наверх был перекрыт Маришей, которая наотрез отказывалась возвращаться.

— Эта лестница строилась на века, она нас всех переживет, а что немного трещит, так это ржавчина с нее сыплется, — успокаивала нас подруга. Дорого бы я дала в этот момент, чтобы никогда в жизни даже не знакомиться с ней.

— Ну смотри, — прошипела Серафима Ильинична. — Ты из нас самая упитанная.

Каким-то чудом мы все же спустились, и лестница не рухнула, придавив наши бренные останки. Итак, мы оказались в небольшом, примерно два метра на полтора, помещении, а точнее — каземате с грубо облицованными камнем и цементом стенами. Из каземата вела всего одна дверь, так что выбора у нас, собственно, не было. Сева толкнул ее, но, как и следовало ожидать, дверь не поддалась.

— Все здесь у них не просто так, — рассвирепела Мариша. — Строители хреновы. Тоже мне гробница фараона. Они тут еще и ловушек небось понаставили. Сделаешь шаг, и поминай как звали. В лучшем случае размажет по стене взрывом.

— Замолчи! — простонала Серафима Ильинична.

— А что — замолчи? Чья это была идея сюда спуститься? — набросилась на нее Мариша.

— Тише! — шикнул на них Сева. — Чем ругаться, вы бы лучше помогли мне подтолкнуть эту дверь. Я чувствую, что она не наглухо замурована.

Мы все дружно налегли на дверь, и она в самом деле начала поддаваться. С другой стороны что-то с тихим скрежетом отодвигалось от нее. Когда образовалась щель, достаточная для того, чтобы в нее смог проскользнуть кто-то не слишком упитанный, мы перестали толкать, потому что теперь дверь уже встала намертво.

— Ну все, — сказал Сева. — Пошли! Но помните, как только нас обнаружат, нам сразу же придется уносить ноги. Осторожность и еще раз осторожность. Вы должны двигаться тише мыши.

— За собой последи, — обиженно буркнула Мариша.

И мы по очереди проскользнули в дверь. Верней, кто-то проскользнул, а кто-то еле протиснулся, оставив на ней добрую половину своей одежды.

— Тебе, милочка, похудеть бы не помешало, — заявила Серафима Ильинична, ехидно оглядывая, что осталось от Маришиного наряда.

Мариша ничего не ответила, она сосредоточенно рассматривала место, куда мы попали. Это был длинный и темный коридор, освещенный всего несколькими лампочками, висящими с большими интервалами на высоком потолке. Насколько мы могли судить, в коридор выходило несколько железных дверей, каждая была снаружи снабжена внушительным засовом. Словом, все выглядело именно так, как описывала нам Тамара Ильинична. Похоже, что мы прибыли на место.

В коридоре не было ни души, но в любой момент все могло кардинально измениться, поэтому нельзя было терять время зря. Мы прошли по коридору метров десять, открывая по очереди все двери и заглядывая внутрь. Разумеется, делали мы это в высшей степени осторожно.

За двумя дверями располагались какие-то лаборатории — стояли столы с бесконечными пробирками, колбами и спиртовками, а также суетились люди в белых халатах, которые не обратили на нас никакого внимания. Они не очень походили на пленников, хотя двери всех лабораторий были закрыты снаружи на засовы.

Должно быть, в этом и крылась причина полного отсутствия в коридоре охраны. Кого охранять, если все заперты по своим комнатам.

— Вряд ли они тут содержат своих пленников, — сказал Сева. — У этих, в лабораториях, не слишком угнетенный вид. Скорей всего, мы оказались в той части бункера, который используется действительно под лабораторию.

И мы продолжили нашу экскурсию, но шли уже более уверенно. Лаборатории тянулись еще долго. Я насчитала их не менее шести. Кстати, во всех, независимо от того, находились там люди или нет, двери были заперты снаружи. В одном из пустующих помещений Сева позаимствовал четыре белых халата, так что теперь мы стали почти неотличимы от работающих здесь людей.

К сожалению, на всех халатах аршинными буквами были вышиты имена, и все сплошь — мужские. Например, я стала Вячеславом, Мариша — Анатолием, а Серафима Ильинична — и вовсе Львом. Один Сева мог относительно спокойно идти в своем халате с именем Юрий. Если не считать того, что он был ему малость коротковат и рукава доходили лишь до локтей.

— Долго нам еще идти? — осведомилась Серафима Ильинична.

— Нет, — сказал Сева, — потому что мы уже пришли.

И мы тупо уставились на сплошную бетонную стенку, которой заканчивалась эта часть коридора.

— Пошли обратно, — устало вздохнула Мариша, убедившись, что в тупике нет ни малейшего намека на щель. — Видно, дядю прячут в другом конце.

— Да, только, вот странно, по нашим расчетам, полковник уже давным-давно должен был ударить. А тут такая тишина и спокойствие, словно бы ничего не произошло, — сказала я.

— Остается предположить, что либо эта часть не сообщается с той, где проворачиваются темные делишки, либо полковнику что-то помешало атаковать бункер, — сказал Сева.

— Обе версии дерьмо, — заявила бескомпромиссная Мариша. — Придумай что-нибудь получше.

Так мы дошли до шахты лифта, возле которой дремал охранник — седенький старичок. Мы прошли мимо него, лифт нас не заинтересовал, так как явно работал лишь на подъем. Внизу шахты не было. Затем мы прошли еще немного по длинному коридору, который уже трижды разветвлялся, так что теперь мы плохо представляли себе, в какую сторону и как будем отступать, и наткнулись еще на одну лестницу, ведущую вниз. Но это была не та лестница, по которой мы спустились под землю. Каменные марши были сработаны основательно — широкие и удобные.

Перед лестницей находилась небольшая комнатка, откуда слышались азартные споры. Мы прислушались — там, кажется, обсуждали последний матч «Зенита». Мы осторожно прокрались мимо, лишь бегло бросив взгляд внутрь. В комнате заседало четверо дюжих парней, должно быть, охрана — и от спорщиков разве что дым не шел, так разгорелись страсти.

Пройдя пост охраны, мы оказались на лестнице. Снизу доносились голоса. Мы осторожно спустились на один пролет и прислушались. Каково же было наше с Маришей удивление, когда мы узнали этот сиплый голос. Должно быть, такая уж была наша судьба, — встречи с Паханом она нам устраивала чаще всего на лестницах.

— Он! — прошипела мне на ухо Мариша.

Я лишь отмахнулась, стараясь не упустить ни одного слова из разговора Пахана — Гены с кем-то неизвестным. К моему удивлению, второй голос тоже показался знакомым. Но чей он — этого я, как ни пыталась, вспомнить не могла.

— Они у нас в руках... и изобретение — тоже, — сказал голос. — Чего тебе еще надо? Почему ты не торопишься от них избавиться?

— А кому они мешают? — спросил Пахан. — Да, они у нас в руках, значит — безобидны.

— Ты забываешь о его жене и тех ребятах, которых она наняла, чтобы спасти мужа. Они на свободе и знают, где его искать. И женщину тоже.

— И что из того? — спросил Пахан. — Все равно им никогда не найти своих в этом подземелье. Здесь ты хозяин, все прочие без карты совершенно беспомощны.

— Но если они вызовут спецназ, то и моей власти не хватит, чтобы спасти наше дело и увести пленников.

— Вот когда беда грянет, тогда и будем думать, что делать, — рассудил Пахан. — К тому же спрятать труп так, что никакой спецназ не найдет, ты всегда сможешь. Не так ли?

— У тебя же двое пленников? — удивился голос. — Почему же труп только один?

— Потому что женщину я тебе не отдам ни при каких обстоятельствах, — зло сказал Пахан. — Не дождешься.

Хозяин подземелья промолчал. Они помолчали, затем Пахан сказал:

— А что там с изобретением? Твои ученые проверили, все чисто?

— Проверяют дополнительно, ты же понимаешь, все должно быть сработано на совесть. Ладно, пошли, представь меня нашей гостье.

И они ушли.

— Черт знает что! — вскипела Мариша. — Моя мама в лапах этого бандита, а военные и не чешутся.

— Но Пахан вроде бы неплохо относится к Тамаре Ильиничне, — попытался успокоить ее Сева. — Защищает ее. Хотя, конечно, долго так продолжаться не может. Едва они поймут, что получили лишь часть рукописи, Пахан сразу же изменит свое отношение к пленнице. А судя по всему, произойдет это скоро. И если не случится чуда, то...

— Что «то»? — помрачнела Мариша. — Говорила я, нужно идти в милицию.

Мы не стали ей напоминать, что это именно она вырывала телефонную трубку у Севы из рук, когда тот хотел позвонить Поленову и рассказать, куда мы направляемся. К чему сыпать соль на свежие раны? Мариша и сама должна была понимать, что была не права.

— Ничего, — сказал Сева. — Попытаемся справиться своими силами. Времени на то, чтобы вызывать подмогу, у нас уже нет. Кто со мной, пошли. Но предупреждаю: мы рискуем не только свободой, но и жизнью.

Подавленные тем, что может произойти, мы начали спускаться по лестнице за Севой.

— А я даже оружия не взяла с собой, — посетовала Серафима Ильинична. — Ведь у нас был такой славный план, совершенно безопасный.

Да, по сравнению с теперешней нашей авантюрой план воспользоваться суматохой и увести Тамару Ильиничну и Валериана в более безопасное место и переждать, пока поле битвы не очистят ребята полковника, был всего лишь легкой прогулкой. Разумеется, никто из нас не взял с собой никакого оружия. Да и что мы могли взять? Скалку? Или утюг? В лучшем случае — топорик для рубки мяса.

— У меня есть газовый пистолет, — сказала Мариша. — А у тебя, Сева, не сохранилось табельного оружия?

— Сохранилось, — коротко бросил тот. — Меня ведь только отправили в отпуск, а не уволили подчистую. Только патронов нет уже третью неделю.

— Замечательно, — сказала я. — А что, если нам позаимствовать оружие у тех парней, что сидят наверху и вроде бы караулят лестничную площадку?

— А что? — оживился Сева. — Обсуждать футбол можно и безоружными. Им же лучше — живы останутся во всей этой заварушке, которая скоро начнется.

На этой оптимистичной ноте мы и повернули обратно. Охранники все еще самозабвенно спорили. Наше появление с оружием в руках у них за спиной оказалось для них неприятным сюрпризом.

— Все к стене! — прорычал Сева, плотно прикрывая за собой дверь.

Никогда бы не подумала, что он может так страшно рычать. Деморализованная охрана послушно двинулась к стене, недоуменно потряхивая головами, — сейчас они вполне сошли бы за футбольные мячи. Но вдруг один из парней дернулся, Сева нажал на курок, и грянул выстрел.

— Руки за голову! — продолжал разоряться Сева, удивленно глядя на дымящийся ствол своего пистолета. — Не двигаться! Девочки, заберите у них оружие.

Мы с Маришей послушно принялись обыскивать пленных. После выстрела никто из них не пытался больше сопротивляться. Тревоги мы не опасались, стены тут были такой толщины, что хоть из пушки пали, ничего не услышишь. Когда все оружие, которое мы изъяли у охраны, оказалось на столе, Сева приказал нам связать парней и заткнуть им рты.

Мы успешно справились и с этим заданием. Кляпы отлично получились из носков незадачливых пленников, двое сразу же упали в обморок. Сами виноваты, нужно было хотя бы время от времени менять носки. Двое других оказались покрепче, их мы связали особенно тщательно, используя для этого различные части их одежды. Ребята стали похожи на славных толстеньких куколок, из которых, впрочем, никогда бы не вылупилась даже плохонькая бабочка.

— Слушай, — покончив с пленными, обратилась я к Севе, — ты же говорил, что у тебя нет патронов. А чем же ты выстрелил?

Услышав, что, оказывается, их скрутили три бабы и один безоружный мужик, наши пленники судорожно задергались и что-то протестующе замычали. Сева успокаивающе похлопал их рукояткой по головам, и все четверо благодарно затихли.

— Забыл, видимо, — пояснил он нам.

— Слушай, а больше ты ничего не забыл? — спросила у него Мариша. — Может, у тебя где-нибудь и миномет припрятан?

— Ладно, оставь его, — заступилась я за Севу. — Победителей не судят.

Мы разобрали доставшееся нам в честном бою оружие и тронулись дальше. Теперь мы чувствовали себя значительно уверенней. В случае чего пыток и плена мы смогли бы избежать. Лестница оказалась длинней, чем можно было предположить. Мы спустились метров на десять вниз, достигнув конца. Дальше начиналась опасная зона, где каждый шаг мог грозить нам гибелью.

Нижний этаж не многим отличался от верхнего — такой же длинный коридор, в который выходило множество дверей. Разве что тут было более прохладно, чем наверху. Хотя особым уютом не отличался и верхний этаж, но тут было и вовсе мрачно.

— Найдем Валериана с мамой, и срочно надо смываться, — тихо сказала Мариша. — Жутко тут как-то. Словно в огромный склеп попали.

Может быть, когда-то давно, во время военных учений, тут бывало оживленно и даже весело, но сейчас... мы все были согласны с Маришей. Подземелье не вызывало ни малейшего желания задержаться в нем. Почти все встречающиеся нам на пути двери были снабжены крепкими засовами. Охраны или вообще кого-то не наблюдалось. Стараясь не шуметь, мы открывали одну дверь за другой. Наконец в пятой по счету камере нам повезло — она оказалась обитаемой.

— Что вам угодно? — поднялся нам навстречу седенький старичок. — Я еще не закончил. Вы сами дали мне время до девяти часов. Поймите, здесь очень интересное решение, я не могу так сразу с ходу вникнуть в него и дать вам...

— Смотрите, — перебила его Мариша, — у него рукопись дяди.

— Дяди? — растерялся старичок. — Ничего не понимаю. Кто вы такие?

— Нет времени, — с досадой отозвался Сева. — Ответьте лишь на один вопрос: хотите вы остаться тут или пойдете с нами и, даст бог, выйдете на поверхность?

— Молодой человек! — обрадовался старичок. — Я стар, но если мне еще суждено прожить сколько-то, то я хотел бы прожить отпущенное мне время под солнцем, а не в темных казематах. К тому же здешняя обстановка тяжко сказывается на моем ревматизме.

Итак, наш отряд пополнился ревматическим старичком, а также разрозненными листками рукописи.

— У меня не вся рукопись, — пытался объяснить нам старичок. — Я так понимаю, что у них тут не я один работаю в качестве принудительного консультанта. Полагаю, еще человека

два или даже три таких же недотеп маются
здесь. Их нужно тоже спасти.

— Вот еще, — пробормотала Мариша. — Сначала скажите, где они держат моего дядю Валериана?

— Откуда же мне знать? — искренне удивился старичок. — Меня ни разу не выпускали из
моей комнаты.

— Комнаты, — нервно хихикнула над его
словами Серафима Ильинична. — Прямо номер люкс.

— Однако же, что вы тут не один пленник,
вы знаете, — сказала Мариша.

— Потому что я ученый, а не школьник, — с
достоинством сказал старичок. — И когда мне
приносят разрозненные листки и просят проверить расчеты, я понимаю, что это лишь часть
какой-то работы, а значит, над другой ее частью
тоже корпят мои неизвестные коллеги.

Пока старый ученый все это разжевывал нам,
мы открывали двери все новых камер. Меня
уже стала настораживать та легкость, с которой
все происходило. Мне казалось, что Пахан мог
быть и поосторожней, проворачивая свое мно-
гомиллионное дело, в которое втянута куча народа. По идее коридор должен быть просто на-
шпигован охраной, а он пуст. Мы нашли еще
троих ученых и собрали рукопись целиком.

— Ох, не нравится мне все это, — пробурчала у меня над ухом Мариша, и я поняла, что ее
терзают те же мысли.

Наконец наши поиски увенчались успехом.
В одной из комнат мы обнаружили изрядно об-
росшего и грязного, но еще живого и сохранив-

шего рассудок (если он у него когда-нибудь вообще был) Валериана Владимировича.

— Боже мой! — воскликнул он. — Глазам своим не верю!

— Лучше бы тебе сразу поверить, — прошипела Серафима Ильинична. — Потому что это и в самом деле я.

После чего закатила ему звонкую оплеуху, а потом еще и еще.

— Уф, — удовлетворенно выдохнула она. — Теперь я сделала все, о чем мечтала все это время. Мы можем идти. А этот, — и она указала на красного, как вареный рак, мужа, — пусть остается здесь.

Конечно, Валериана Владимировича мы все-таки забрали с собой.

— Дядя, ты не знаешь, где моя мама? — спросила Мариша.

— Что? — испугался тот. — Неужели они ее снова похитили?

— Нет, мама приехала добровольно. Дело, видишь ли, в том, что она немного свихнулась.

— И в чем это выражается?

— В том, что она влюбилась в их главаря, — с досадой сказала Мариша. — Она, которая всю жизнь внушала мне, что даже самый лучший мужчина все равно отъявленный лгун и подлец, — так глупо попалась.

— Знаете, в таком случае я догадываюсь, где она может быть, — сказал Валериан Владимирович. — Меня водили несколько раз для беседы в апартаменты Пахана. Думаю, что твоя мама там.

— Веди! — решительно сказала Мариша. — Без мамы я отсюда не уйду.

Было видно, что Валериану страшно хочется поскорей унести ноги, но остатки чести, а также присутствие разгневанной жены, которая вряд ли подобрела бы от того, что он трусливо бросил на произвол судьбы ее родную сестру, сделали свое дело.

— Пойдемте, — согласился он и повел нас по узкому боковому коридору.

Остановились мы перед внушительного вида бронированной дверью, которая, в виде исключения, не была снабжена снаружи засовом.

— Здесь, — сказал Валериан.

Мариша толкнула дверь, и та открылась. Нашим глазам предстала картина умилительная в своей несуразности. В этой холодной и мрачной дыре находилась роскошнейшая из всех когда-либо виденных мною комнат. Чего тут только не было! Мебель эпох всех французских Людовиков, сколько бы их там ни было; персидские ковры с разбросанными по ним турецкими бархатными подушками, вышитыми бисером и золотом. Тут же стояла отличная столовая мебель в стиле модерн, а у стены — трон. Точно такой же я видела в каком-то музее. Господи, а не тот ли самый? На троне восседала Маришина мама, а у ее ног сидел Гена и совершенно по-идиотски светился счастьем. Все это великолепие освещала люстра — висящая под потолком мощная лампа с бесчисленными подвесками из чешского хрусталя.

— Мама, — подавленно прошептала Мариша, — что это?

Тамара Ильинична оторвалась от созерцания своего милого друга и увидела нас.

— Ой! — воскликнула она. — Вы?

— Мама, собирайся, и пойдем, — сказала Мариша, доставая из кармана руку с зажатым в ней «макаровым».

— Куда это вы собираетесь увести вашу милую маму? — одним плавным движением поднялся с пола Пахан.

Издалека это было похоже на то, как если бы распрямилась туго сжатая стальная пружина. Зрелище захватывающее и столь же угрожающее.

— Гена, — умоляющим голосом обратилась к нему Тамара Ильинична, — не ссорьтесь, это ведь моя дочь.

— Вижу, что не сын, — пробурчал Пахан. — А что она тут делает? Помнится, я ее не приглашал.

— А я сама решила, что не стоит мне ждать особого приглашения, — нагло заявила Мариша. — Вы ведь тут, насколько я понимаю, предложение изволили моей маме делать?

— Можно сказать и так, — ничуть не смутился Пахан.

— Так вот, не знаю, чем вы ей голову задурили, только сейчас мы все уйдем, и мама уйдет с нами. Кстати, не советую вам сопротивляться, потому что по первому моему знаку в ваш гадюшник ворвется целая рота хорошо вышколенных солдат. И тогда вам точно будет не до матримониальных планов.

— И кто же их сюда приведет? — спросил Пахан. — Случайно не он ли?

И Пахан указал в пространство за нашей спиной. Лицо у него при этом было такое... Ну, словом, я уже заранее поняла, что оборачиваться не стоит, ничего для себя радостного мы там все равно не увидим. Но я все-таки обернулась и сразу же увидела полковника Земцова. Потом я перевела взгляд на его руки, явно не связанные. Впрочем, в этом не было никакой надобности, так как за ним толпилось без малого полтора десятка крепких молодцов с автоматами в руках.

— Теперь ясно, почему тут было так тихо, — пробормотала Серафима Ильинична. — Полковник, как же они вас поймали?

— Нет, нет, — засмеялся Пахан. — Вы не поняли, никто нашего бравого полковника и не думал ловить. Дело в том, что ваша наивность, друзья мои, просто очаровательна. Только такие недалекие люди могли всерьез предположить, что полковник и в самом деле не знал, что делается в подземном бункере, который находится на его собственном полигоне. Это военный человек! Вадим, ты только представь!

— Ах, вот как! — прямо-таки сочась ядом, сказала Серафима Ильинична. — Значит, вы, полковник, с самого начала замыслили предательство?

Тот цинично улыбнулся и пожал плечами.

— А сейчас прошу всю вашу компанию за стол переговоров, — сказал Пахан, указывая на огромный стол из палисандра, стоящий на чем-то, напоминающем вертящуюся сцену.

Нам ничего не оставалось, как подчиниться. В конце концов стол был очень даже неплох, он же был не виноват, что оказался в комнате, словно специально иллюстрирующей вопиющую безвкусицу. Да, переговоры за столом из палисандра были определенно лучше сырой камеры или пули в затылке.

— Итак, — начал Пахан, когда все расселись за столом и за каждым из нас встало по одному парню с автоматом, — итак, я предлагаю обсудить наше положение.

— А что тут обсуждать? — сказала Мариша. — Ясное дело, что вы нас убьете, как только получите рукопись.

— Я могу убить вас и без всякой рукописи — не обеднею, — сказал Пахан. — Но дело в том, что мне убивать вас не хочется.

Мы немного приободрились.

— Чего там с ними разговоры разговаривать, они у нас в руках, — заявил полковник, который так и не сел с нами за стол, а остался стоять возле дверей. — Как мы им велим, так и будет.

И должно быть, для подкрепления своих слов, он схватил ничего не подозревающую Тамару Ильиничну, весьма неосмотрительно усевшуюся к нему ближе всех, и приставил к ее голове пистолет.

— Где рукопись? — завопил он. — Живо говорите, не то я эту симпатичную головку у вас на глазах превращу в кровавое месиво.

Какое-то мгновение царило подавленное молчание, затем тишина взорвалась сразу же десятком криков. Мариша кричала, что рукопись мы отдадим, и в доказательство своих слов протягивала ту ее часть, которую мы собрали в комнатах ученых, занятых ее проверкой. Серафима Ильинична умоляла Пахана как-то повлиять на своего сообщника. Валериан заламывал руки и стонал, что он так доверял полковнику, своему другу, а теперь никому и никогда не сможет верить. Все ученые пытались урезонить полковника не делать глупостей, дескать, они и без оставшейся части рукописи сообразят, что там к чему. Я тоже втолковывала полковнику, что глупо так нервничать, ведь нам это изобретение совсем не нужно, мы лишь хотим все вместе выйти отсюда живыми.

Молчал один лишь Пахан. Во всеобщем переполохе мы этого как-то сразу не заметили и не обращали на него внимания. А Пахан встал и подошел поближе к полковнику. Тот воспринял это спокойно. Тогда Пахан встал за его спиной таким образом, что полковник оказался между стрелками и ним. А затем произошло нечто непостижимое — неуловимым движением руки Пахан вырвал из рук полковника оружие, Тамара Ильинична полетела на пол, полковник в один момент из диктатора превратился в пленника.

— Все вы, слушайте! — прорычал Пахан. — Если кто из вас, парни, вздумает стрелять, то учтите, что мне ваши пули не страшны, так как ваш полковник станет моим надежным щитом, и в заложников целиться не рекомендую. Скажи-ка им, — и он довольно резко ткнул полковника в спину.

— Не стреляйте, — послушно сказал полковник своим ребятам. — Делайте, что он скажет.

— Бросьте ваши пушки и отойдите в угол, — велел Пахан. — А вы, — обратился он к нам, когда солдаты послушно покидали свое оружие в кучу на стол, — идите сюда, да поживее. И свое оружие прихватите!

Мы все, включая ученых и оклемавшуюся от шока Серафиму Ильиничну, выполнили его приказ и сгрудились за спиной у Пахана, оказавшись в коридоре.

«Надо же, как нам не везет, — подумала я, — вся команда полковника осталась за единственной дверью во всем бункере, которая не снабжена снаружи запором».

Внезапно до нашего слуха донесся какой-то шум наверху. Там слышались выстрелы и топот ног.

— Кто это еще? — удивился Пахан. — Твоя работа? — и он тряхнул полковника.

Тот молча покачал головой.

— Мне по трубе докладывали, что в штаб с самого утра наведались менты, должно быть, это они и есть, — сказал полковник.

Воспользовавшись тем, что Пахан на секунду утратил бдительность, полковник резко отпихнул его и рванулся к столу, решив использовать его в качестве прикрытия. Пахан выстрелил в него несколько раз, но вряд ли попал.

— Бежим! — скомандовал он и первым бросился бежать.

Мы, повинуясь стадному инстинкту, рванули за ним следом. Инстинкт нас не подвел, потому что вряд ли менты в запале смогли бы отличить нас от врагов. Перестреляли бы под горячую руку, и все дела. Мы бежали по длинным извилистым и мрачным коридорам, которые, как мне показалось, вели скорее вниз, чем вверх. Наконец мы остановились в небольшой пещере, в углу которой бил источник воды, к которому мы все по очереди жадно припали.

— Так, — утолив жажду, сказал Пахан, — колитесь, кто из вас привел ментов?

Мы молчали.

— Никто, клянусь, — на правах будущей падчерицы осмелела Мариша. — Спасибо, что вы спасли маму.

Пахан пробурчал что-то нечленораздельное.

— Сейчас они все друг друга перестреляют, — удовлетворенно сказал он. — Там для такой славной компании, как мы, жарковато.

— И вам не жалко своих людей? — спросила Мариша.

— Моих там только трое, к тому же парни сидят наверху и караулят вход. Не думаю, что им грозит большая опасность, чем мне. Хотел бы я знать, какого черта они прошляпили ментов?

— И что мы будем делать? — спросила Тамара Ильинична, очень кстати переводя разговор на другую тему.

— Ничего, отсидимся тут, а потом выберемся наверх, — сказала я.

— Нет, я о том, что Гена спас мне жизнь, а менты посадят его, а то и расстреляют.

— Мама, не забывай, что он сначала похитил тебя, — вскипела Мариша. — И вообще он преступник! А что касается расстрела, так у нас никого сейчас не расстреливают.

— Он спас мне жизнь, — упрямилась Тамара Ильинична. — И всем нам, если уж на то пошло. Уверена, что полковник нас бы не пощадил.

Ее слова были слишком похожи на правду, поэтому мы задумались.

— Гена, вы нас простите, — сказал Валериан Владимирович, — мы перед вами в долгу. Но все-таки вы участвовали в этой некрасивой истории и были ее организатором. Так что мы обязаны сдать вас властям.

Хотя то, что он сказал, было справедливо, но все равно нам всем стало как-то неуютно.

— Ладно, чего уж там обсуждать, — с неожиданной покладистостью согласился Пахан и бросил свой пистолет.

Прошло около получаса.

— Пошли, что ли? — первым нарушил молчание Пахан. — Вряд ли они там все еще стреляют.

И мы пошли. В коридорах и правда было тихо. Хотя, может быть, мы забрались в такую отдаленную часть лабиринта, что сюда просто не доносились никакие шумы. Пахан шел впереди, без него мы вряд ли выбрались бы отсюда, он же вел нас уверенно. Наконец мне показалось, что я узнаю места, по которым мы шли. Еще несколько поворотов, и мы оказались возле бывших апартаментов Пахана. Тут явно шла война, почти на всей мебели были следы пуль, а из фарфора по странному стечению обстоятельств уцелел лишь один уродливый ночной горшок, выдающий себя за вазу для цветов.

— Я думаю, что хотя бы попрощаться со своим царством мы можем Гене позволить, — неожиданно произнесла Тамара Ильинична. — Или у вас совсем нет совести? Неизвестно ведь, сколько времени ему еще придется вести аскетический образ жизни.

— М-да, в тюрьме не тот антураж, — пробормотал Валериан Владимирович. — Пусть прощается.

Пахан как-то странно посмотрел на Тамару Ильиничну и вошел в комнату, плотно прикрыв за собой дверь.

— А вдруг он раздобудет там из тайника оружие? — опасливо спросила Мариша.

— Нет там у него никакого оружия, — набросилась на нее мать. — Перестань. В кои-то веки я встретила хорошего человека, так ты и тут норовишь мне все испортить. Мало я в тебя сил вложила? Почему ты всегда думаешь лишь о себе?

— Мама, он преступник! — снова завелась Мариша, вдруг ставшая ярой поборницей закона и порядка. — Он тебе не пара.

Мы вяло прислушивались к их пребранке. Когда прошло около четверти часа, даже самым терпеливым из нас показалось, что Пахан что-то уж слишком долго прощается там со своей свободой и роскошью.

— Может быть, посмотрим, что он там делает? — предложил наш старичок ученый. — Сколько можно? У нас ведь тоже дела.

Мы толкнули дверь и вошли в залу. Паханом тут и не пахло. Зато откуда-то здорово тянуло сквозняком. Мы бросились искать и поняли, что как раз над троном, в своде, образовалось круглое отверстие, отлично подходящее для того, чтобы в него пролез человек, — оттуда и дул свежий воздух.

— Вентиляционная шахта! — догадалась Мариша. — Ну, мама. Я никак не ожидала, что ты поможешь сбежать опасному преступнику!

— О чем ты говоришь? — притворно удивилась Тамара Ильинична, причем глаза ее светились самым неуемным торжеством. — Откуда я могла знать про этот ход? Я помогла сбежать преступнику! Придумаешь тоже!

Остальные молча смотрели в дыру.

— Может, попытаться его догнать? — задумчиво спросил Валериан Владимирович. — Кто рискнет?

— Думаю, что лучше подождать его на поверхности, — сказала я. — Вряд ли нам удастся лезть по этому ходу быстрей, чем ему.

— Да, — поддержала меня Мариша, — пошли отсюда побыстрее.

И дружной толпой мы устремились наверх. Возле шахты лифта в комнате охраны уже не было связанных нами пленников. Должно быть, милиция о них позаботилась. Мы прошли еще немного и наткнулись на Картохина. Увидев нас, он начал изо всех сил тереть глаза.

— Это и в самом деле мы! — крикнула ему Мариша. — Надо сказать, что вы явились очень вовремя.

Через час мы уже сидели в милицейском «газике» и ехали в город. Картохин настоял, что поедет с нами. Самим вести машины никому из нас не позволила строгая врач «Скорой помощи», уверявшая, что у всех нас шок и нам нужна врачебная помощь. Пахана догнать уже не удалось. Он опередил нас. К тому моменту, когда менты нашли вентиляционный выход из-под земли, Пахана уже нигде не было. Ищейка смогла взять след только до шоссе, там она обиженно завыла и поплелась обратно, всем видом выражая свой собачий укор коварным людям и презрение к их вечным штучкам.

Картохин, уразумев в итоге, что мы не виноваты в похищении и убийствах, сменил гнев на милость и с любопытством стал слушать нас, а также рассказы ученых, которых похитили в разное время в течение последнего месяца и о которых милиции до сих пор ничего не было известно. Один из них числился в очередном отпуске, другой якобы готовился к симпозиуму у себя на даче, а остальные вообще были людьми рассеянными, так что их недельное отсутствие никого из родных и близких не насторожило. Или, во всяком случае, насторожило не настолько, чтобы пойти с заявлением в милицию.

— В общем, спасибо вам, — вторила Мариша. — Если бы не вы, то даже не представляю, как бы мы выкручивались! Уж полковник нашел бы способ уничтожить нас. Либо пустил бы газ, либо нагнал своих солдат, начав незапланированные боевые учения по уничтожению противника, окопавшегося под землей. Словом, способ нашелся бы.

— Ладно вам, — усмехнулся Картохин. — Не прибедняйся, с вами полковник хлебнул бы лиха. Во всяком случае, вы бы уж нашли лазейку, чтобы ускользнуть от него. Кстати, могу вас порадовать. Ему-то от закона не уйти. Он получит по полной программе. Ему не отвертеться. Показаний Софочки и ученых хватит, чтобы их всех засадить за решетку. А когда они это поймут, то сразу же начнут топить друг друга. Так что каждый получит свое.

Картохин развез нас всех по домам. Ученые тоже воссоединились со своими семьями, которые толком даже не успели поволноваться, но тем не менее обрадовались их возвращению. Серафима Ильинична со своим мужем наконец-то оказались у себя дома и смогли всласть наговориться, выясняя отношения. Лично я, добравшись до дома, первым делом забралась в ванну. Честное слово, после холода и сырости подземелья у меня ломило все кости, а в душе и вовсе царил арктический холод, стоило вспомнить безумные глаза полковника, когда он угрожал размозжить голову Тамаре Ильиничне. Просто удивительно, как его столько времени держали за нормального! И даже доверили командовать частью! Но главное, как это мы сами могли довериться такому опасному психу?

Постепенно горячая вода согрела мое тело, и я окончательно уверилась в том, что, позволив Пахану скрыться от правосудия, мы сделали, что бы там ни говорила Мариша, доброе дело. Конечно, у Мариши были свои причины желать, чтобы он оказался за решеткой, но это уж ее личное дело. Придя к этому выводу, я почувствовала себя значительно лучше, выбралась из ванны и завалилась спать. Утром предстояло еще ехать в милицию и снова рассказывать всю нашу историю с самого начала. Что поделаешь, с первого раза менты никогда не могут запомнить все детали.

Как и следовало ожидать, утром я проспала. А что вы хотите, если мы вернулись домой только часа в три ночи. Хорошо еще, что моих родителей не было дома, они поехали отдохнуть в пансионат. Правда, тогда я бы не проспала, уж мама побеспокоилась бы об этом. Зевая, я набрала Маришин номер.

— Ты знаешь, который сейчас час? — спросила я. — Уже полдень. А Картохин умолял нас приехать к нему к одиннадцати.

— Ничего не знаю, — сказала Мариша. — Голова трещит, словно с похмелья. Мы с мамой легли спать только под утро.

— И что решили?

— Ничего, — буркнула Мариша. — Она обещала, что не будет встречаться с этим Геной. Но боюсь, что это она сказала, лишь бы от меня отвязаться. Так что я даже не хочу оставлять ее одну. Вдруг я приду, а ее уже дома нет?

— Она взрослый человек... — начала я.

— Вот, вот, ты ей об этом скажи! — не дослушав меня, закричала Мариша. — А то ведет себя не лучше ребенка!

В общем, в милицию мы отправились все вместе. Там мы снова повторили наши вчерашние показания и стали слушать, что нам новенького расскажет Картохин, а он что-то не торопился. Ходил себе по комнате, смотрел в окно, задумчиво крутил в руках пепельницу, словом, тянул время. Наконец он открыл рот и изрек:

— В этом деле мне теперь ясно абсолютно все!

— Может быть, поделитесь и с нами? — спросила Мариша. — А у нас есть несколько вопросов. Например, как получилось, что полковник вступил в преступный сговор и предал лучшего друга детства? И где он познакомился с Паханом?

— Это как раз не вопрос, — отмахнулся Картохин. — Деньги подчас и не такое могут. А полковнику страшно надоела нищета. Надоела его копеечная зарплата. И когда появился реальный шанс разбогатеть, он не смог его упустить. К тому же от него лично требовалось лишь выделить ребят для охраны этой подземной тюрьмы. А мальчишек в армии всегда навалом. Полковник отобрал пару десятков отличников боевой и строевой подготовки, сказав им, что отныне они получают индивидуальное задание и служить будут в качестве охранников в подземном городке. Парням, во-первых, деваться было особенно некуда, разве что в дезертиры, а во-вторых, они не знали, кому доложить о том, что делается в бункере. Во всяком случае, так они говорят.

— Ясно, — сказала я. — А что с ними теперь будет?

— Не знаю, — сказал Картохин. — Но их начальнику точно не поздоровится. Хотя, честно говоря, думаю, что до суда, если он, конечно, до него доживет, его отправят в психушку. Явно, что он не в себе. Но вообще то, что он сделал, — позор для всей армии. И генералы должны это понимать.

— А кто же убил Димку с Гариком? — спросила я, все-таки такую малость для своего несостоявшегося жениха я могла сделать.

— Из слов задержанных я пока что смог понять, что это могли быть некий Витька Хлыст и какой-то Головня.

— А их среди задержанных нет? — испугалась Тамара Ильинична. — Неужели удрали?

— Нет, удрать они не удрали, — немного смущенно сказал Картохин. — Дело в том, что эти два типа были застрелены мной при их попытке покончить со свидетельницей Окуньковой.

— Софочкой? — удивился Валериан Владимирович. — Но она же была с ними заодно?

— Во-первых, совсем не заодно, — сказал Картохин. — Так как ее в своих целях использовал ее любовник — Михаил Федорович, а во-вторых, они должны были от нее избавиться, так как, попав к нам, она становилась опасна для них. Хотя и знала немного, но вполне достаточно, чтобы добраться до них. Ведь это она привела нас ко входу в подземелье. Без нее мы не смогли бы поспеть к вам на выручку. Хотя, если честно, мы и не рассчитывали вас там найти.

В общем, все кончилось благополучно. Серафима Ильинична простила мужа, а он в качестве благодарности сообщил ей, сколько счетов имеется у него в банке. Может быть, кое-что он и утаил, но, во всяком случае, теперь Серафима Ильинична ведет совершенно другой образ жизни, буквально катаясь словно сыр в масле. Софочке дали условный срок, и она уже снова работает, правда, не в фирме Валериана Владимировича.

А вот ее любовнику, Михаилу Федоровичу, не повезло. Его арестовали дома, на глазах у жены и детей. Он и не сделал попытки отказаться от своей вины, но суд почему-то не счел это смягчающим обстоятельством и отправил его на перевоспитание на восемь лет за решетку. Полковник скончался от сердечного приступа в психушке, что было для него наилучшим выходом, так как ему грозило самое меньшее лет пятнадцать.

Остальные члены преступной организации получили разные сроки. Причем на каждом висело еще по нескольку уголовных дел, так что тюрьмы им бы все равно не миновать. Но вот что странно, ни один на допросах ни словом не проболтался о Пахане, так что он как бы оказался в тени. И Мариша теперь живет в постоянном беспокойстве, как бы он однажды не появился у них на пороге и не потребовал бы от

Тамары Ильиничны сдержать свое слово и выйти за него замуж.

Для охраны от него Мариша завела двух сторожевых собак: овчарок Геру и Макса. Обе собаки оказались на редкость дружелюбными и рады любому гостю. К тому же все свободное от еды время они предаются любовным утехам, поэтому им не до охраны. Другое дело, что вряд ли Пахан сам выдержал бы больше пяти минут в гостях у Тамары Ильиничны — от обилия животных в ее квартирке стало душновато. Но поскольку она скоро переезжает в отдельный коттедж, то у Мариши хлопот может прибавиться.

Да, Картохин все-таки женился на Розе, хотя ее отец и не ушел из семьи. Точней, ушел, но любовница, узнав, что он все нажитое добро оставил жене и дочери, быстро прогнала его вон. Случилось то, что и предвидела умная Роза. Теперь они живут одной семьей, и глава семейства души не чает в Картохине, уверяя, что всегда хотел иметь такого сына.

А вообще, мы с Маришей и Тамарой Ильиничной, действуя из чистого альтруизма, выиграли в этой истории больше всех. Валериан Владимирович в благодарность за то, что мы сделали для его спасения, выделил нам троим и Севе пять процентов с прибыли от реализации изобретения молодого ученого, которое Валериану Владимировичу все-таки удалось пустить в ход. Сам ученый получает пятьдесят процентов с чистой прибыли и уехал жить в Америку, где ему пришили утраченный палец или, на всякий случай, даже несколько. За деньги ведь все можно.

Казалось бы, пять процентов — это малюсенькая доля. Но когда речь идет о многомиллионной прибыли, поверьте, она весьма ощутима. Тем не менее Сева все равно вернулся на работу в милицию и стал единственным состоятельным сыщиком в отделе. На свои средства он приобрел для отдела самую совершенную технику, с помощью которой ментам удалось почти полностью ликвидировать преступность у себя в районе.

А мы с Маришей остались дома и ломаем головы над тем, как бы с пользой и приятностью потратить свалившееся на нас богатство. Думаю, что при нашей фантазии у нас на это много времени не уйдет. Мариша уже поговаривает, что было бы неплохо открыть частное детективное агентство, но браться мы будем за дела, исключительно обещающие бурные переживания. И никаких слежек за неверными женами и прочей белиберды. Планы у моей подруги грандиозные, и долго скучать нам явно не придется!

Литературно-художественное издание

Калинина Дарья Александровна
ШУСТРОЕ РЕБРО АДАМА

Ответственный редактор *О. Рубис*
Редактор *Н. Высоцкая*
Художественный редактор *В. Щербаков*
Художник *И. Варавин*
Компьютерная обработка *И. Дякина*
Технический редактор *Н. Носова*
Компьютерная верстка *Т. Жарикова*
Корректор *Н. Овсяникова*

ЗАО «Издательство «ЭКСМО-Пресс». Изд. лиц. № 065377 от 22.08.97.
125190, Москва, Ленинградский проспект, д. 80, корп. 16, подъезд 3.
Интернет/Home page — www.eksmo.ru
Электронная почта (E-mail) — info@ eksmo.ru

По вопросам размещения рекламы в книгах издательства «ЭКСМО»
обращаться в рекламное агентство «ЭКСМО». Тел. 234-38-00

Книга — почтой: Книжный клуб «ЭКСМО»
101000, Москва, а/я 333. E-mail: bookclub@ eksmo.ru

Оптовая торговля:
109472, Москва, ул. Академика Скрябина, д. 21, этаж 2
Тел./факс: (095) 378-84-74, 378-82-61, 745-89-16
E-mail: reception@eksmo-sale.ru

Мелкооптовая торговля:
117192, Москва, Мичуринский пр-т, д. 12/1
Тел./факс: (095) 932-74-71

ООО «Медиа группа «ЛОГОС». 103051, Москва, Цветной бульвар, 30, стр. 2
Единая справочная служба: (095) 974-21-31. E-mail: mgl@logosgroup.ru
contact@logosgroup.ru

ООО «КИФ «ДАКС». Губернская книжная ярмарка.
М. о. г. Люберцы, ул. Волковская, 67.
т. 554-51-51 доб. 126, 554-30-02 доб. 126.

Книжный магазин издательства «ЭКСМО»
Москва, ул. Маршала Бирюзова, 17 (рядом с м. «Октябрьское Поле»)

Сеть магазинов «Книжный Клуб СНАРК» представляет
самый широкий ассортимент книг издательства «ЭКСМО».
Информация в Санкт-Петербурге по тел. 050.

Всегда в ассортименте новинки издательства «ЭКСМО-Пресс»:
ТД «Библио-Глобус», ТД «Москва», ТД «Молодая гвардия»,
«Московский дом книги», «Дом книги на ВДНХ»

ТОО «Дом книги в Медведково». Тел.: 476-16-90
Москва, Заревый пр-д, д. 12 (рядом с м. «Медведково»)

ООО «Фирма «Книинком». Тел.: 177-19-86
Москва, Волгоградский пр-т, д. 78/1 (рядом с м. «Кузьминки»)

ООО «ПРЕСБУРГ», «Магазин на Ладожской». Тел.: 267-03-01(02)
Москва, ул. Ладожская, д. 8 (рядом с м. «Бауманская»)

Подписано в печать с готовых диапозитивов 04.02.2002.
Формат 84x108¹/₃₂. Гарнитура «Таймс». Печать офсетная.
Бум. газ. Усл. печ. л. 21,84. Уч.-изд. л. 22,44.
Тираж 12 000 экз. Заказ 4202060.

Отпечатано с готовых диапозитивов
на ФГУИПП «Нижполиграф».
603006, Нижний Новгород, ул. Варварская, 32.